SIEGFRIED KROSS

GESCHICHTE DES DEUTSCHEN LIEDES

SIEGFRIED KROSS

GESCHICHTE
DES DEUTSCHEN LIEDES

WISSENSCHAFTLICHE BUCHGESELLSCHAFT
DARMSTADT

Einbandbild: Sperontes, ›Singende Muse an der Pleiße‹
(Ausschnitt), Leipzig 1741.

CIP-Titelaufnahme der Deutschen Bibliothek

Kross, Siegfried:
Geschichte des deutschen Liedes / Siegfried Kross. –
Darmstadt: Wiss. Buchges., 1989
  (WB-Forum; 41)
  ISBN 3-534-80104-0
NE: GT

© 1989 by Wissenschaftliche Buchgesellschaft, Darmstadt
Satz: Satzrechenzentrum Elda GmbH, Darmstadt
Druck und Einband: Wissenschaftliche Buchgesellschaft, Darmstadt
Printed in Germany
Schrift: Times, 9.5/11

ISBN 3-534-80104-0

INHALT

EINLEITUNG

Dieser Band soll die stilgeschichtliche Entwicklung des deutschen Kunstliedes in gedrängter Form darstellen. Dabei erweist sich jedoch schon eine Definition des Begriffs Lied, und sei es zunächst nur zum Zwecke der Abgrenzung gegen andere Erscheinungen, als einigermaßen problematisch, weil die allgemein verbreitete Vorstellung vom deutschen Kunstlied so sehr geprägt ist durch seine Erscheinungsformen aus Klassik und Romantik – enger gefaßt: des 19. Jahrhunderts –, daß das deutsche Wort in die meisten europäischen Sprachen als Fremdwort übergegangen ist. Song, Chanson oder Aria meinen etwas anderes als Lied und sind als Bezeichnung für bestimmte Erscheinungen auch in den deutschen Sprachgebrauch eingegangen. Daneben gibt es den Begriff Lied noch im weiteren Sinne, der das Volks- und Kirchenlied ebenso einschließt wie das mittelalterliche Heldenlied, und neumodisch ist der „Liedermacher", der freilich meistens Schlager oder Songs, im literarisch anspruchsvollen Fall vielleicht Chansons produziert, nur in der Regel eben keine Lieder. Ein solch undifferenzierter und in neuester Zeit noch erweiterter Wortgebrauch trägt naturgemäß wenig zur Klärung bei, sondern erschwert eine Definition des Begriffs zusätzlich, zumal sie sich häufig zirkelschlüssig auf die „Liedhaftigkeit" als Charakteristikum zurückzieht, was immer diese denn beschreiben soll, solange „Lied" als Begriffsinhalt selbst nicht geklärt ist.

Unbestritten ist die literarisch-musikalische Doppelexistenz des Liedes als zum Singen bestimmter und gesungener Text. Was jedoch über diesen Minimalkonsens hinaus an Merkmalen genannt wurde, ist zumeist von der historischen Faktizität überholt worden und somit für Abgrenzungsversuche ungeeignet. Das gilt für die oft erhobene Forderung nach der strophischen Anlage des Textes ebenso wie für die nach dem gleichen metrischen Bau aller Strophen: schon ein Sonett wäre danach nicht in die musikalische Gattung Lied umsetzbar, ganz zu schweigen von komplizierteren literarischen Formen oder gar freien Metren.

1

Als besonders heikel erweist sich die Frage der literarischen Gattungszugehörigkeit des Liedes, zumal sie häufig zu definitorischen Abgrenzungsversuchen mißbraucht wird. – Wenn man davon ausgeht, daß allgemeine Lexika stärker als Spezial- (etwa Musik-)Lexika den Sprachgebrauch und Bewußtseinsstand ihrer Zeit widerspiegeln, zeigt sich in der Tat, daß große Bereiche faktisch vertonter und in einer Gattungsgeschichte zu behandelnder Lieder von solchen Definitionen nicht erfaßt würden. So definiert die neueste Auflage des ›Brockhaus‹ knapp und bündig: „Kurzform der Lyrik, der Musik nahestehend" und verliert sich dann sogleich in die historische und formale Kasuistik.

Aufschlußreicher, weil mit mehr Mut, Farbe zu bekennen, definierte ein Lexikon in der Blütezeit des spätromantischen Liedes (Meyers Konversations-Lexikon, 1877): Lied: „Hauptart der lyrischen Dichtungsgattung. Es ist im allgemeinen als diejenige poetische Form zu charakterisieren, in welcher die Empfindung des Dichters am *unmittelbarsten* und *einfachsten* zum lautlichen Ausdruck im Wort gelangt ... Regelmäßige Merkmale des eigentlichen Liedes sind: Einfachheit des Strophenbaus und das Vorwiegen stimmungsvoller Empfindung [!] vor der Schärfe der Gedanken. Je mehr Reflexion in einem lyrischen Gedicht hervortritt, um so weniger entspricht es dem Charakter des Liedes. So mannigfaltig die Bewegungen des menschlichen Gemüths sind, so mannigfaltig sind auch die Weisen, in denen das Lied erklingt." Auffälligste Übereinstimmung zwischen den mehr als hundert Jahre auseinanderliegenden Definitionen ist, daß sie ohne Umschweife das Lied der Lyrik zuordnen. Wenn man dann in dem modernen Lexikon die wenig aussagekräftige Lieddefinition aus dem Verweisartikel ›Lyrik‹, der 1877 eingearbeitet war, ergänzt, so findet man, wenn auch historisierend eingegrenzt auf die Entwicklung seit dem 18. Jahrhundert: „Individuelle Erlebnis-Lyrik (besonders in liedhafter Form), deren zentrales Motiv das seelische Erlebnis (häufig in Verbindung mit einer gefühlsbetonten Naturauffassung) ist." Genau besehen ist die Umschreibung des Liedbegriffs in den letzten mehr als hundert Jahren nahezu unverändert geblieben in der Einschränkung auf Lyrik und darüber hinaus der Zuspitzung auf emotionale Erlebnislyrik. Wenn man eine derartige Definition zugrunde legen wollte, so würde ein beträchtlicher Bestand aus dem Fundus historischer

Liedüberlieferung auszugliedern sein. Komponisten von Carl Philipp Emanuel Bach bis Beethoven haben jedenfalls keine Bedenken gehabt, einen Text wie Gellerts ›Vom Tode‹ als Lied zu vertonen mit der auf eine prägnante Formel gebrachten Ethik:

> Lebe, wie Du, wenn Du stirbst,
> wünschen wirst, gelebt zu haben.

Erlebnislyrik ist dies fraglos nicht, wohl aber zum Singen bestimmter und dann auch gesungener Text.

Bemerkenswert ist der Widerspruch, der sich im ›Reallexikon der deutschen Literaturgeschichte‹ von Stammler–Merker in dieser Frage zwischen den Artikeln ›Lied‹ und ›Lyrik‹ auftut. Ersterer stammt von dem Literaturhistoriker Günther Müller, der eine bis heute bedeutsam gebliebene literarische Geschichte des deutschen Liedes geschrieben hat. In der Lyrik sah er weniger die literarische Gattung als eine Form sprachlichen Ausdrucks, die im Laufe der Literaturgeschichte höchst unterschiedliche Ausprägungen erfahren hatte. So definierte er Lied zwar auch als eine Form, „in der das – historisch freilich ungemein vielfältige – lyrische Element besonders rein gegenwärtig ist", auch das Moment der Sanglichkeit gehört für ihn dazu – allerdings ohne daß er erkannt hätte, wie stark dieses historisch bedingt ist, denn die Technik musikalischer Textbehandlung hat immer differenziertere Gestaltungsmittel entwickelt – „nicht aber ein Gefühlselement"!

Der damit offensichtlich redaktionell nicht abgestimmte Artikel ›Lyrik‹ desselben Fachlexikons definiert dafür um so stärker im Sinne des allgemeinen Sprachgebrauchs ohne weitere Differenzierung Lyrik „als ein unmittelbar sich im Wort Erlösung [!] setzendes Erleben, als reinen Gefühlsausdruck einer ichbezogenen Stimmung" und versucht, das für die Literatur des 17. und 18. Jahrhunderts mit den Namen der Dichter abzusichern, auf die es – zugestandenermaßen „andeutungsweise" – zutrifft: Fleming und Hagedorn. Im übrigen ist der Artikel dann schnell bei der Zeit, von der an dies tatsächlich gilt, also etwa ab Herder. Wir stehen mithin vor einem Problem, das weniger musikgeschichtlichen als literarästhetischen Ursprungs ist: die Vorrangstellung von ichbezogener Erlebnis- gegenüber Gedankenlyrik, die aus historisch bedingten Prämissen zu systematischen Definitionen führt, welche die Konsequenz haben, daß die Lyrik ganzer Abschnitte deutscher Literaturgeschichte herausfällt. Die Komponisten haben sich selbstverständlich an derartige Ausgrenzungen nicht gehalten, so daß wir in verhältnismäßig großem Umfang mit literarischen Vorlagen zu tun haben, welche durch die Vertonung zum gesungenen Text, eben zum Lied geworden sind, nachdem sie von ihren Urhebern sehr wohl als zum Singen intendiert und von den Komponisten auch so angenommen wurden.

Günther Müller hatte das Dilemma klar erkannt und versuchte, an der Zugehörigkeit des Liedes zur Lyrik festhaltend, es zu überbrücken durch die Unterscheidung von „zwei Grundtypen, Distanzlied und Ausdruckslied". Nur das letztere entspricht also dem Typus, den allgemeiner Sprachgebrauch und heutige Musikpraxis mit dem Begriff Lied verbinden; aber es war erstmalig anerkannt, daß es darüber hinaus noch etwas anderes gibt, das als Lied gelten muß. Selbst dieser Ansatz, von der Absolutierung der Goetheschen und nachgoetheschen Lyrik loszukommen, wurde jedoch nicht aufgegriffen. Außerdem bleibt die Frage offen, ob „Distanzlied" nun wirklich eine Sammelbezeichnung ist, welche das vom Ausdruckslied Ausgegrenzte zutreffend und umfassend genug kennzeichnet, denn im Grundsatz geht ja auch diese Unterscheidung noch vom Primat der Lyrik aus und läßt Erscheinungen wie das erzählende oder das Dialoglied unberücksichtigt.

Man glaubte, sich aus der Affäre ziehen zu können mit dem Begriff „Gesellschaftslied", aber im Grunde ist damit nur eine weitere falsche Antithese aufgestellt, indem man eine sprachlich-musikalische Ausdrucksform – Lyrik – gegen die Bezeichnung einer Gesellschaftsfunktion stellte, die mithin kein Gegensatzpaar bilden, sondern unterschiedlichen Bereichen zugehören. Natürlich ist nicht zu bestreiten, daß es zu allen Zeiten Lieder zum geselligen Zeitvertreib gegeben hat.

Auch das „Nützen und Ergötzen" der Horazischen Ästhetik, das eine so große Rolle in der aufklärerischen Poetik spielte, war ein künstlerisches Programm: Kunst sollte gefallen, aber – vielleicht gerade dadurch – auch etwas bewirken. Die Aufklärer hatten nämlich das Lied wegen seiner Verbreitung in weiten Volksschichten als Vehikel des Ideologietransports entdeckt.

Niemand wird auf die Idee kommen, solche Lieder als Ausdruckslieder einzustufen. Ihre Liedhaftigkeit steht dagegen bei Text wie Musik außer jeder Diskussion. Daher die Frage: „Distanzlied"? – Nein, man wird schon einräumen müssen, daß es auch in der deutschen Literaturgeschichte reflexive Lyrik gegeben hat, die nicht mit den ästhetischen Maßstäben der Erlebnislyrik gemessen werden kann. Der Augenschein zeigt deutlich, daß die These im Kern falsch ist, „je mehr Reflexion in einem lyrischen Gedicht hervortritt, um so weniger entspricht es dem Charakter des Liedes".

Wenn aber der Liedcharakter durch Abweichungen von einem historisch verengten Begriff der Erlebnislyrik nicht tangiert ist, dann war es auch legitim, neben reflektierender, didaktischer oder gar sozialkritischer Lyrik etwa auch die epische Kleinform der Fabel im Lied musikalisch umzusetzen, wie es die Aufklärung tatsächlich getan hat. Ideologietransport bis hin zur Sozialkritik ließ sich eben um so leichter vermitteln, je liedhafter und eingängiger er „verpackt" war.

Nur in Ausnahmefällen der Gattung Lyrik zurechenbar ist das Dialoglied, das sich bei einzelnen Komponisten großer Beliebtheit erfreute. Es erzählt in der Regel kurze Handlungen in Rede und Gegenrede, wobei die direkte Rede, auch wenn es sich um einen epischen Verlauf handelt, zusätzlich ein Element der Dramatik ins Spiel bringt. Emotionen der „handelnden" Personen spiegeln sich allenfalls in deren Worten wider, der Text ist jedoch nicht unmittelbarer Ausdruck ihrer Empfindungen, wie es in der Lyrik der Fall wäre. – Historisch gesehen ist sogar die Emotionalisierung des Liedes eine jüngere Schicht, die freilich das allgemeine Verständnis des Begriffs Lied so nachhaltig umgeprägt hat, daß man eher den Liedcharakter in Frage gestellt als die Möglichkeit in Betracht gezogen hat, es könne auch reflektierende, erzählende oder gar dialogische Lieder geben.

Klarer läßt sich eine typologische Abgrenzung im musikalischen Bereich treffen und begründen zwischen dem nach Maßstäben der Wertästhetik zu beurteilenden Kunstlied und dem einer Funktionsästhetik unterliegenden Volkslied und ihm im weiteren Sinne zurechenbaren Formen bis hin zum berufsständischen Arbeits-, Kirchen-, Tanzlied u. ä. Weder die idealisierende

Vorstellung älterer ethnologischer Liedforschung, das Volkslied entstehe ohne eigentlichen Urheber aus der Mitte des Volkes und bilde, wie Herder definiert, „die bedeutenden Grundgesänge einer Nation", braucht hier diskutiert zu werden, noch die gegenläufige These, jedes Volkslied sei ursprünglich von einem bestimmten Urheber unter ästhetischen Kategorien geschaffen und somit „abgesunkenes Kulturgut".

Beiden Thesen ist gemeinsam die Suche nach dem „echten" Volkslied, wobei häufig genug „echt" mit „alt" gleichgesetzt wurde. Die meistbenutzte Sammlung der Singbewegung, der Zupfgeigenhansl, definierte förmlich: „was der Zeit getrotzt, das *muß* einfach gut sein … Die Güte eines Liedes erprobt sich an seiner Dauerhaftigkeit." Seit Herder sind aber immer wieder auch wertästhetische oder gar moralische Maßstäbe zur Bestimmung des „echten" oder – noch verräterischer – „reinen" Volksliedes angelegt worden. Daß jede Generation ihr eigenes Liedgut hat, ist dabei ebenso häufig aus dem Blickfeld geraten wie die unbezweifelbare Tatsache, daß sie sich dabei weder um ästhetische noch moralische Werte viel geschert hat. Die Auseinandersetzung mit dem Volkslied, auf die solche Definitionen und moralisch oder wertästhetisch begründete Abgrenzungen gegen sogenannte „unechte" Lieder zurückzuführen sind, war ebenso schichtenspezifisch und historisch bedingt wie es die Lieder selbst waren. Dagegen hat Carl Dahlhaus in der erbittert geführten Diskussion um das Verhältnis von „Volkslied – Schlager – Folklore" klargestellt: „Das Echte existiert nicht schon in der primären Volksliedtradition, sondern erst im historischen Bewußtsein von ihr."[1]

Dagegen macht ein funktionsästhetischer Ansatz deutlich, daß weder eine wertästhetisch definierte Qualität noch die historische Kategorie des Alters oder gar die moralische oder durch schichtenspezifische Geschmacksvorstellungen begründete der „Echtheit" zu einer klaren Trennung von Volkslied und Kunstlied taugen. Es geht vielmehr um die von einem bestimmten Urheber und seinem ästhetischen Anspruch abgelöste andere Daseins- und Überlieferungsweise des Volkslieds gegenüber dem Kunstlied, mag man sie nun mit Ernst Klusen als Verhältnis von „Fund und Erfindung"[2] beschreiben oder anders charakterisieren: es gehört zu seinem Wesen, daß es wechselnden Texten angepaßt, in seiner Melodiegestalt verändert, eben „zersungen" wird, was ja lediglich aus dem Blickwinkel der geistigen Urheberschaft ein negativer Aspekt ist. Im Gegenteil: es gehört zur Lebenswirklichkeit solcher „Umgangsmusik", nur eine erstarrte Tradition verändert sich nicht mehr.

Eine Sonderstellung innerhalb dieser großen Überlieferung von Liedern aus dem Bereich der Umgangsmusik können die berufsständischen Lieder beanspruchen, denn sie unterliegen naturgemäß nur teilweise den Bedingungen des Volkslieds; so waren sie kein frei verfügbares Gemeingut, sondern gerade in hohem Grade Identifikationsmerkmal von Gruppen wie etwa den Zünften und eben darum dem Wesensmerkmal des „Zersungen"-Werdens weitgehend entzogen. Es kommt sicher nicht von ungefähr, daß gerade Berufsstände ein besonders umfangreiches und charakteristisches Liedgut entwickelten, bei denen das Aufeinander-Angewiesensein stark ausgeprägt ist, wie etwa Bergleute und Seefahrer. Nur zur Verdeutlichung sei angemerkt, daß solche berufsständischen Lieder zu unterscheiden sind von sogenannten Arbeitsliedern, die der Koordination von Arbeitsvorgängen dienten, wie sie beim Treideln, beim Dreschen u. a. gesungen wurden.

Historisch betrachtet, sind die Grenzen zwischen Volks- und Kunstlied zumindest zeitweise fließend gewesen. A. W. v. Zuccalmaglio hat von ihm gesammelte „echte" Volkslieder durch seine Textredaktion romantisiert.[3] Die musikalischen Romantiker haben manches Volkslied, sei es durch Neuvertonung des Textes oder durch musikalische Bearbeitung, in den wertästhetischen Bereich des Kunstliedes gehoben. Andererseits waren Schuberts ›Am Brunnen vor dem Tore‹ aus der ›Winterreise‹ und Johann Abraham Peter Schulzens ›Der Mond ist aufgegangen‹ nach Matthias Claudius, die heute vielleicht als die bekanntesten und verbreitetsten deutschen „Volks"-Lieder gelten dürfen, ursprünglich Kunstlieder, deren Autorschaft und Kunstcharakter freilich heute nur noch den Eingeweihten bekannt sind. Dagegen ist Brahms' Wiegenlied ›Gut'n Abend, gut' Nacht‹, op. 49 Nr. 4, das hinter dem Weihnachtslied ›Stille Nacht‹ nach einer GEMA-Umfrage aus dem Jahre 1987 den 2. Platz in der Beliebtheitsskala aller Musikstücke in Deutschland einnimmt, ein deutlich seinem Urheber zugeordnetes Lied geblieben. In der herangezogenen

Beliebtheitsskala folgt ihm übrigens auf dem 3. Platz Schuberts ›Am Brunnen vor dem Tore‹.

Nur gelegentlich und unter typologisch recht genau beschreibbaren Bedingungen vermögen jedoch Lieder, die vom Text her durchaus alle Voraussetzungen besitzen, „volkläufig" zu werden, mit ihrer musikalischen Einkleidung auch tatsächlich diesen Weg zu nehmen – ob es dann praktisch geschieht, hängt sicherlich von vielen Imponderabilien ab. Goethes ›Heidenröslein‹ oder ›Das Wandern ist des Müllers Lust‹ aus den Müller-Liedern wurden beide mit anderen und ästhetisch weniger bedeutenden als den Kunstlied-Vertonungen Schuberts populär. Dagegen waren die Lieder Paul Gerhardts, die uns heute als klassische Ausprägungen des Kirchenliedes gelten, ursprünglich dem zuzurechnen, was die Zeit als „Aria"-Typus bezeichnet, der auf einen Generalbaß bezogen war und mithin gerade nicht dem prinzipiell einstimmigen Gemeindelied-Charakter entsprach.

Ohne Frage ist die Orientierung des (Kunst-)Liedbegriffs an der musikhistorischen Entwicklung des Typus seit Schubert und an der Lyrik seit Goethe eine Einengung, die selbst die Klassiker weithin ausgrenzt. Selbst Haydn und Mozart, wenige Stücke des letzteren ausgenommen, sind als Liedkomponisten im Konzertsaal nicht präsent. Mangels Nachfrage gibt es ihre Lieder kaum auf Tonträgern. Noch weiter zurück geht unsere Musikpraxis im Bereich des Liedes auch nicht in speziellen Konzerten für „alte" Musik, die ausschließlich andere Gattungen pflegen, in der Vokalmusik beinahe nur die Kantate, sogar zumeist noch einmal zugespitzt auf die geistliche.

Eine Geschichte des Liedes wird sich freizuhalten haben sowohl von historischen Verengungen des Begriffs wie von der des heutigen Sprachgebrauchs. Sie wird sich wohl oder übel zurückziehen müssen auf den Minimalkonsens vom zum Singen bestimmten und gesungenen Text. Der aber würde auch jede Form der Umgangsmusik umfassen, ob man sie nun als („echtes") Volkslied, als Folklore oder englisch als Folk Song bezeichnet, aber auch Chanson, Schlager, Song bis hin zu den kurzlebigen Verschleißprodukten der Popmusik-Industrie. Es liegt auf der Hand, daß eine derartige Erweiterung des zu behandelnden Stoffes nicht dem Realitätsbezug einer Überblicksdarstellung dienen, sondern nur die Kategorien verwischen und damit die

Maßstäbe verunklaren würde. Für eine inhaltlich-sachliche Begründung der Abgrenzung des zu behandelnden Materials gegen andere Erscheinungen bleibt also nur eine Unterscheidung, wie sie hier – ohne Anspruch auf Ausschließlichkeit – mit den Begriffen Wert- und Funktionsästhetik vorgenommen wurde.

DIE ANFÄNGE DES NEUEREN DEUTSCHEN LIEDES IM 17. JAHRHUNDERT

An dieser Kapitelüberschrift mag dem unbefangenen Leser die Einschränkung „neueres" deutsches Lied ebenso befremdlich vorkommen wie der späte Ansatz seiner Anfänge auf das 17. Jahrhundert. Selbstverständlich haben Menschen immer, einem Urbedürfnis nach stimmlichem Ausdruck folgend, gesungen. Dem Bedürfnis nach Stilisierung der Sprache entspricht in allen Kulturen zugleich dasjenige nach Stilisierung des vokalen Vortrags: Gebundene Sprache und Gesang werden zu einer gemeinsamen Äußerungsform zusammengeschlossen. Das geschieht schon in einer protoliterarischen Phase. Entsprechend weit ist das Wort Lied zurückzuverfolgen bis ins Gotische (wenigstens in Wortverbindungen) und ins Althochdeutsche.

Die schriftliche Überlieferung, welche Art und Form des (Gesangs-)Vortrags zunächst nicht mitaufzeichnete, reicht etwa mit der sogenannten ›Lieder-Edda‹ bis in die Völkerwanderungszeit zurück, auch wenn die Handschrift selbst erst Mitte des 13. Jahrhunderts entstand. Die literarische Überlieferung eines Hildebrands- (ca. 820), Ludwigs- (881), Petrus- (ca. 885), Georgs- (896), Anno-Liedes (1085) zeigt, wie reich diese gesungene Dichtung einmal gewesen sein muß.

Mit der Christianisierung kamen die Erfahrung der gesanglich stilisierten Sprache und der neuen liturgischen Gesangsformen des Hymnus, der Sequenz und des Conductus hinzu. Es entstand die gesamteuropäische Hochkultur des Minnesangs, ausgehend vom okzitanischen Aquitanien. Hier haben wir es auch schon mit Liedern von ausgeprägt wertästhetischem Kunstanspruch zu tun, ja gelegentlich auch mit höchst artifiziellen Produkten. – In ganz anderer und viel umfassenderer Weise als die Literaturgeschichtsschreibung steht jedoch die Musikwissenschaft bei dieser historischen Schicht des deutschen Liedes methodischen und Überlieferungsproblemen gegenüber: Nur ein einziges Stück ist in annähernd zeitgenössischer Überlieferung erhalten, das ›Palästina-Lied‹ Walthers v. d. Vogelweide. Alles andere stammt aus Quellen, die so spät nach der Entstehung der Lieder angelegt wurden, daß eine Überformung durch mehrstimmige Musik vorausgesetzt werden muß, wo sie nicht ohnehin nachweisbar ist. Einige der wichtigsten Quellen für die Textgestalt dieser Literatur, so die Große Heidelberger (Manessische) und die Weingartner Handschrift, geben die dazugehörigen Melodien nicht wieder, andere, wie die ›Carmina Burana‹, notierten zwar die musikalische Einkleidung von Liedern, aber ihre linienlosen Neumen sind prinzipiell nicht übertragbar, weil sie nur die Bewegungsrichtung des Melodieverlaufs angeben, nicht jedoch die Intervallgröße.

Die einzige Melodie aus annähernd zeitgenössischer Überlieferung[1] belegt aber zugleich die andere Seinsweise dieser Literatur: Die Melodie ist nämlich nicht zu dem Text Walthers geschaffen worden, sondern eindeutig nach einem okzitanischen Mailied eines aquitanischen Trobadors[2] gebildet. Die Melodie gehörte offenbar zu den bekanntesten der Zeit, denn sie ist außer mit dem Palästina-Lied Walthers von der Vogelweide in drei französischen Handschriften[3] überliefert und tritt zudem in einer lateinischen und einer mittelniederdeutschen Kontrafaktur in der ›Bordesholmer Marienklage‹ auf; die Abweichungen zwischen den verschiedenen Quellen sind beträchtlich, identisch ist lediglich die Kernmelodie. Das mag teilweise auf die unterschiedlich ausgeprägte Fähigkeit der Schreiber zurückgehen, Gehörtes graphisch umzusetzen, ist aber wohl mehr noch Ausdruck einer Überlieferungspraxis, bei der es nicht auf originäre Neuschöpfung ankam, sondern sich der Individualstil in Art und Charakter der Adaption im Kern bekannter Melodien zeigte. Tatsächlich ist die Melodiefassung Walthers in noch heute nachvollziehbarer Weise die prägnanteste Version der Melodie. Insofern bestätigt sich mithin der künstlerische Rang Walthers, wenn auch nicht im Sinne eines Originalitätsbegriffs, der offenbar den Verhältnissen dieser historischen Schicht nicht gerecht wird.

Nach diesen Überlegungen verbietet sich eine isolierte stilgeschichtliche Behandlung des mittelalterlichen deutschen Liedes von selbst. Sie wäre nur von einem komparatistischen Ansatz aus und im Rahmen der europäischen Musikgeschichte möglich. Die Abweichungen zwischen den verschiedenen Quellen und Fassungen derselben Melodie im Zusammenhang mit unterschiedlichen Sprachen machen zudem deutlich, wie problematisch Versuche sind, verlorengegangene Melodien zu mittelhochdeutschen Liedern aus ihren Urbildern nach Maßgabe der Vergleichbarkeit ihrer metrischen und Reimstruktur zurückzugewinnen. Abgesehen davon, daß hierbei der Unterschied zwischen silbenzählender romanischer und qualitativer germanischer Metrik vernachlässigt wird, müssen wir davon ausgehen, daß der Reiz dieser Lieder ja gerade in der Umbildung ihrer Vorlagen gesehen wurde. Die Übernahme von Melodien aus altfranzösischen oder okzitanischen Handschriften, wie sie in Anthologien mittelhochdeutscher Lieder immer noch gängige Praxis ist, geht also insofern völlig an der Realität dieser Dichtung vorbei, als Melodien eben nur in ihrer Grundstruktur übernommen, aber in ihrer konkreten Erscheinung stets abgewandelt wurden.

Auch in der Mehrstimmigkeit hat es sehr wohl die Gattung Lied gegeben, wobei die historischen Übergänge vom Minnesang her durchaus fließend sind. Schon beim Mönch von Salzburg und bei Oswald von Wolkenstein treten Melodien auf, die von vornherein auf mehrstimmige Einkleidung angelegt sind. Andere Quellen geben mittelalterliches Liedgut in mehrstimmiger Überformung wieder. Anders als bei prinzipiell einstimmiger Musik, die zumindest zu dieser Zeit rhythmisch neutral notiert und deren Vortrag wohl durch die sprachliche Metrik rhythmisch geregelt wurde, müssen jedoch in der Mehrstimmigkeit mehrere unterschiedlich verlaufende Stimmen vertikal einander zugeordnet werden. Es ist also davon auszugehen, daß so überlieferte Melodien nicht mehr ihre ursprüngliche Gestalt haben. Auch sie bieten mithin lediglich Näherungswerte.

Die hochentwickelte mehrstimmige weltliche Musik des 16. Jahrhunderts, zunächst im Banne der französischen Chanson und des italienischen Madrigals, wandte sich auch dem deutschen Lied zu; seiner Funktion nach bezeichnet es die Musikgeschichtsschreibung als „Gesellschafts-" oder seiner Satztechnik nach als „Tenor-Lied". Die Besonderheit dieser Liedsätze war nämlich, daß die Melodie nicht in der Oberstimme, sondern als cantus firmus im Tenor lag. Hier treten erstmals in der Gattung Komponisten mit beschreibbarer personalstilistischer Identität auf: Heinrich Finck (1444/45–1527), Heinrich Isaac (ca.

1450–1517), von dem allein 25 Lieder überliefert sind, darunter das bis heute lebendige ›Innsbruck, ich muß dich lassen‹. Weiter sind in diesem Zusammenhang zu nennen Paul Hofhaimer (1459–1537), Ludwig Senfl (1490–1553) mit allein 250 deutschen Liedern, Caspar Othmayr (1515–1553) und Hans Leo Haßler (1564–1612), dessen Liedsätze von 1601 schon so modern klingen und dessen ›Mein G'müt ist mir verwirret‹ mit den geistlichen Parodien ›Herzlich tut mich verlangen‹ und ›O Haupt voll Blut und Wunden‹ nun schon seit fast 400 Jahren zu den bekanntesten deutschen Liedmelodien gehört.

Die Aufführungspraxis der Zeit behandelte diese vier- oder fünfstimmigen Tenorsätze allerdings keineswegs als chorischen A-cappella-Satz. Nach dem Prinzip grundsätzlicher Gleichrangigkeit aller Stimmen eines Satzes war es jedoch möglich, jede Stimme einzeln vokal vorzutragen und die anderen entweder instrumental zu besetzen oder auf einem akkordfähigen Instrument (Laute, Theorbe, Spinett) zusammenzufassen. Dies ist nicht nur musikhistorisch belegt, sondern nahezu alle zeitgenössischen Bilder, die reale Musiziersituationen wiedergeben, zeigen nur einen Singenden (und meist zugleich den Takt Mensurierenden) neben mehreren Instrumentalisten, darunter einen Akkordinstrumenten-Spieler, der auch alleine den Gesang begleiten konnte.[4]

Abweichend von den durch die Überlieferungsweise dieser Musik suggerierten und durch unsere Aufführungspraxis verfestigten Vorstellungen, hat es mithin eine durchgehendere Tradition instrumentenbegleiteten Sologesangs gegeben als uns heute bewußt ist. Sie war zwar in der Regel nicht auf die (im Tenor liegende) eigentliche Melodie eines Liedes gerichtet, denn die bildlichen Darstellungen zeigen häufig gerade singende Frauen, war aber sicher eine der Voraussetzungen für das rasche Aufblühen und die große Verbreitung der neu aufkommenden Gattung Lied.

Eine zumindest seit dem Mittelalter durchgehende Tradition neben derjenigen des Volkslieds ist in diesem Zusammenhang noch zu erwähnen: die des Tanzliedes als konkret zum Tanzen gesungenen Liedes. Seine Entstehung ist teilweise soziologisch dadurch bedingt, daß die der sozialen Unterschicht entstammenden Spielleute keinen Zutritt zum Reigentanz der höfischen Gesellschaft des Mittelalters hatten; der Tanz erfolgte daher zum Gesang der Tanzenden. Die Existenz solcher Lieder ist mithin ebenso für die höfische Oberschicht, die Träger der Hochkultur des Minnesangs war, gesichert wie für die sozialen Unterschichten, dort freilich überwiegend aus einem anderen Grunde: zum Tanze gesungen wurde, wenn kein Instrumentalist vorhanden oder alle Anwesenden am Tanze beteiligt waren, was sich in der Regel mit gleichzeitigem Instrumentenspiel nicht vereinbaren ließ. Eine derartige Tradition läßt sich insbesondere in ländlichen Rückzugsgebieten, selbst den jeweiligen Modetänzen der Zeiten bis hin zum Walzer folgend, bis ins späte 19. Jahrhundert beobachten. Daß für diesen Zweck die Austauschbarkeit instrumentaler und vokaler Melodien besonders groß war, liegt auf der Hand, und so nimmt es nicht wunder, daß offenbar textierte und lediglich vokal adaptierte Tänze in der Frühgeschichte des neueren Liedes eine verhältnismäßig große Rolle spielten.

Natürlich erklären derartige durchgehende Traditionen nicht das Aufkommen neuer Gattungen, sondern vermögen allenfalls, die Bedingungen ihrer Aufnahme und raschen Verbreitung verständlich zu machen. Zur Entstehung der neuen Gattung Lied bedurfte es vielmehr eines grundlegenderen Umdenkens im Verständnis des musikalischen Satzes und des wechselseitigen Verhältnisses von Wort und Ton. Dies vollzog sich naturgemäß nicht durch einen einmaligen Akt, sondern in einem langwierigen, über mehrere Generationen andauernden Prozeß. Er setzte ein mit der begeisterten Aufnahme der neapolitanischen Villanella oder der venezianischen Villotta,[5] letztere mit überwiegendem Tanzliedcharakter und somit auf die beschriebene deutsche Tradition stoßend. Sie haben ausgeprägt volkstümliche Melodik, doch war es ein Mißverständnis anzunehmen, es habe sich bei diesen Melodien um „echte" Volksweisen gehandelt. In Wirklichkeit stellten sie eine ausgesprochene Hochkunst unter der Prätention der Volkstümlichkeit dar. Mit ihrem klaren Außenstimmensatz, in dem das Verhältnis zwischen Oberstimme als Melodieträger und ihrem Baß deutlich vorgeprägt ist, stellen sie das Bindeglied zwischen mehrstimmig konzipierter musikalischer Textgestaltung und der neuen Gattung Lied dar. Es wird hinzuweisen sein auf Sammlungen, die zwar noch in der überkommenen Form mehrstimmigen Satzes publiziert wurden, um den Hör- und Notierungsgewohnheiten des Publikums entgegenzukommen, die aber die vokale Oberstimmenausführung mit instrumentaler Begleitung ausdrücklich bereits als aufführungspraktische Möglichkeit anbieten.

Entscheidend für das neue Verständnis von melodischer Textgestaltung war jedoch das um 1600 in Italien aufkommende Prinzip der Monodie. Auch hier gab es ein Bindeglied von der mehrstimmigen Vokalmusik her in Gestalt des sogenannten konzertanten Madrigals, wie es beim späten Monteverdi ausgeprägt ist. Seine hochexpressive Klage der Arianna (1608) konnte sehr wohl in beiderlei Gestalt umgesetzt werden. Es handelt sich um den neuen Stil musikalischer Textausdeutung, der um 1600, von der Idee einer Wiederbelebung des Sprechgesangs des antiken Theaters ausgehend, entwickelt wurde mit einer vom Affektgehalt der Worte gesteuerten Melodik, die harmonisch gestützt wurde durch den – in anderem Zusammenhang zur selben Zeit entstandenen – „Generalbaß". Insbesondere aber ermöglichte die Monodie mit ihrem grundsätzlichen Primat des Wortes vor der Musik eine Sorgfalt der Deklamation und der melodischen Affektausdeutung, wie sie dem kontrapunktischen Satz nicht erreichbar gewesen war.

Sorgfältige Deklamation in der Vertonung eines Textes setzt aber Klarheit über dessen metrische Verhältnisse voraus. Diese waren eindeutig bei den Texten in lateinischer Sprache, denn sie unterlagen deren quantitierender Metrik. Die silbenzählende Metrik der romanischen Sprachen ist betonungsneutral bei der Vertonung; aus der französischen Chanson und dem italienischen Madrigal, sosehr sie im Satztechnischen deutschen Komponisten als Leitbild dienten, ließen sich folglich für die musikalische Deklamation deutscher Texte Einsichten nicht gewinnen. Erst die Opitzsche Metrik[6] mit der (Wieder-)Entdeckung, daß im Deutschen Versakzent und Wortbetonung zusammenfallen müssen, schuf die Voraussetzung zum reibungslosen Umsetzen poetischer Texte in das zur selben Zeit sich verfestigende moderne Taktsystem, wobei die Musik flexibler blieb, denn sie behielt stets auch den dreiteiligen Takt bei, wohingegen Opitz ja zunächst nur das Alternieren von Hebung und Senkung zulassen wollte. Die Musik ihrerseits vermochte sowohl alternierende Sprachbetonung im dreiteiligen Takt (als Folge von Länge und Kürze) als auch daktylische und anapästische Metren im geraden Takt umzusetzen. Entscheidend war nur, daß seit der

Opitzschen Metrik der musikalische Taktschwerpunkt mit Vers-, Sinn- und Wortakzent der Textvorlage zusammenfallen mußte. Erst das zeitliche Zusammentreffen des Wandels im Melodieverständnis mit der Entstehung des modernen Taktsystems und der Opitzschen Metrik ermöglichte den Zusammenschluß von Dichtung und Musik in einer so neuartigen Weise, daß es berechtigt ist, von einer neuen musikalischen Gattung zu sprechen.

Nach dem Dargelegten ist verständlich, daß die ziemlich genau um die Wende zum 17. Jahrhundert einsetzenden ersten Veröffentlichungen in der neuen Gattung, die folglich noch vor der Opitzschen Reform der deutschen Metrik liegen, sich stark an die Tradition des zum Tanze gesungenen Liedes anlehnen, weil dabei die Anordnung im modernen Akzenttakt und der Aufbau aus gleich großen Perioden schlechthin notwendige Voraussetzungen waren. Die Melodie muß ebenso gut hörbar sein wie der Rhythmus und liegt selbstverständlich in der Oberstimme, die auch ohne harmonische Einkleidung lebens- und v. a. auch merkfähig sein mußte; dazu gehörten der kleingliedrige Periodenbau, die Wiederholung und Abwandlung von Formgliedern und ein klarer Kadenzcharakter.

Solche Lieder[7] wurden u. a. 1601 in Nürnberg veröffentlicht von Hans Christoph Haiden (1572–1617), unter dem Titel ›Gantz neue lustige Täntz und Liedlein, deren Text mehrertheils auff Namen gerichtet, mit vier Stimmen, nicht allein zu singen, sondern auch auff allerhand Instrumenten zu gebrauchen‹[8]. Sie zeigen mit der schon im Titel angegebenen vokalinstrumentalen Mischbesetzungspraxis und der Publikationsweise in einzelnen Stimmbüchern noch klar ältere Musiziergewohnheiten, entsprechen stilistisch jedoch schon ganz dem skizzierten Bild. 1614 ließ Haiden mit der Sammlung ›Postiglion der Lieb‹ weitere Tanzlieder folgen, hier schon mit Ansätzen einer zyklischen Bindung. Daß eine solche Liedersammlung aus dem Umkreis bürgerlicher Musikpflege herauswuchs und nicht von einem der an Höfen tätigen Musiker vorgelegt wurde, zeigt ebensosehr die Einbettung der neuen Gattung in die städtisch-bürgerliche Musikpflege, der sie in ihrer gesamten Geschichte verpflichtet blieb, wie die Besonderheit Haidens, die Texte als Akrosticha auf Namen anzulegen, was naturgemäß ihren Reiz als Umgangs- und Unterhaltungsmusik nicht unwesentlich steigerte.

Die Melodien der echten Singweisen halten sich meist im Quintrahmen mit der darüberliegenden Sexte. Allein durch die variierte Kombination dieser sechs Töne unterhält er beständig den „Schein des Bekannten", der zum Schlüsselbegriff für die Ästhetik des Liedes wurde. Die Unsicherheit voropitzscher Metrik zeigt dagegen ein Text wie der folgende, dessen vorangehender erster Teil durchaus Wortakzent und Taktschwerpunkt zusammenzubringen weiß:

> ... Drumb scháut nur zù:
> Alls wás ich thù,
> lass ích jhr jètzt kein' rúh,
> dapfér rumsprìng,
> sie rúmbher schwìng,
> weil síe sich màcht so rìng.[9]

Die Kollisionen mit dem festen Tanzrhythmus sind besonders schmerzhaft.

Andere Stücke aus den Sammlungen Hans Christoph Haidens machen deutlich, welche Gratwanderung das gesungene Tanzlied vollführt und wie rasch es zum textierten instrumentalen (Mode-) Tanz abgleitet, ein Vorgang, der bis in die Mitte des 18. Jahrhunderts immer wieder zu beobachten ist. Sofort treten dann instrumentale Floskeln auf wie die Betonung des Taktschwerpunktes durch Doppelschlag,[10] der ebensowenig in den Vokalstil paßt wie ein offenbar durch Saitenwechsel bedingter Oktavsprung. Die Funktionalität solcher Umgangsmusik steht eben gerade in dieser Anfangsphase der Ausbildung einer Gattungsstilistik gelegentlich im Wege.

Weitere Komponisten solcher neuen Lieder, bei denen die Neuheit ihres Charakters manchmal ebenso im Titel hervorgehoben wird wie ihre wahlweise vokale oder instrumentale Darbietungsmöglichkeit, sind u. a. Nikolaus Zangius (ca. 1570 – ca. 1620),[11] Henricus Steuccius (Steucke; 1519–1645)[12] und Johann Staden (1581–1634; ›Neue Teutsche Lieder‹, 1606/1609; ›Venus Kräntzlein‹, 1610).[13]

Die bedeutendste Musikerpersönlichkeit für die Durchsetzung der Monodie in Deutschland war ohne Frage Heinrich Schütz, nicht nur mit seinen heute noch lebendigen Geistlichen Konzerten, sondern auch mit der (verschollenen) ersten deutschen Oper, einer ›Dafne‹ auf einen Text von Martin Opitz. Bedauerlicherweise haben sich gerade von ihm keine Lieder erhalten, obwohl die Tatsache seiner Auseinandersetzung mit der neuen Gattung sowohl von der Literatur her – durch Paul Fleming – als auch aus Musikerkreisen belegt ist. Spekulationen über die stilgeschichtliche Stellung von Heinrich Schütz in dieser Entwicklung des Liedes sind müßig, doch zeigt seine Vertonung des Becker-Psalters wohl eher, daß diese Kleinform nicht seine Stärke war. Die ausdrucksvolle musikalische Textdeutung etwa der berühmten Absalon-Klage (Symphoniae Sacrae I, 13) deutet dagegen auf seine überragende Gestaltungsfähigkeit bei größer angelegten Sologesängen. Dagegen hat Schütz, wie aus den Vorworten mehrerer Liedersammlungen zu entnehmen ist, die neue Gattung als Anreger tatkräftig gefördert.

So wurde Johann Hermann Schein (1586–1630) zum ersten bedeutenden deutschen Liedkomponisten. Der umfassend humanistisch Gebildete fällt schon dadurch auf, daß seine rund hundert eigenen Liedtexte literarästhetischen Rang beanspruchen können, was für die Texte etwa Johann Stadens eben nicht galt. Er steht damit in der literarischen Tradition von Jacob Regnart.

Was bei diesem noch zweckbestimmt war, die leichtere Gesellschaftsform der italienischen Villanella als Ableger des ernsthaften Madrigals für die deutsche Gesellschaftsmusik integrierbar zu machen, behandelt Johann Hermann Schein „mit überlegener Freiheit".[14] Liegen in seiner ersten Sammlung von 1609 gelegentlich noch musikalische Längen und Kürzen, Vers-, Wort- und Taktakzent im Widerstreit miteinander, so verblüfft in den späteren Sammlungen deren nahtlose Übereinstimmung.

Aus dem Italienischen übernahm er zumeist die Einkleidung der poetischen Aussage in die mythologisierende Schäferwelt; nicht direkte Aussage also, sondern Rollentypik. Auffällig ist dabei jedoch neben seiner Ausdrucksfähigkeit, welche die Typik teilweise wettmacht, sein Formenreichtum, der den Literaturhistoriker Günther Müller zu dem Urteil veranlaßte: „Seine Lieddichtung stellt den Höhepunkt der Gattung in der 'frühbarocken' Epoche dar, einen Höhepunkt, der von dem Kreis um Opitz nicht erreicht ist. Bei Schein hat deutscher 'Barockgeist' zum ersten Mal vollendeten liedmäßigen Ausdruck gefunden."[15]

Seine erste Sammlung, ›Venus Kräntzlein, Mit allerley Lieblichen und schönen Blumen gezieret unnd gewunden‹, legte

Schein 1609 vor. Es folgten die drei Teile seiner ›Musica boscareccia, Wald-Liederlein, Auff Italian-Villanellische Invention, Beydes für sich allein mit lebendiger Stim oder in ein Clavicimbel, Spinet, Tiorba, Lauten etc. Wie auch auff Musikalischen Instrumenten anmuthig und lieblich zu spielen‹ (1621/26/28). Die stilistische Anlehnung an den dreistimmigen, diskantbetonten Villanellenstil ist in diesem Titel, wie seit Regnart verbreitet üblich, ebenso klargestellt wie die unterschiedlichen Möglichkeiten der Ausführung: 1. rein vokal für drei Singstimmen, 2. rein instrumental und 3. „in" ein Akkordinstrument zu singen, d. h. eine Singstimme, die hier jedoch in jedem Fall die Ober-(Melodie-)Stimme zu übernehmen hat. Im Vorwort zum 1. Teil wird die Generalbaßpraxis sogar ausdrücklich erwähnt.

Ist das ›Venus Kräntzlein‹ mit seinen 5- bis 8stimmigen Sätzen noch deutlicher der kontrapunktischen Tradition verbunden, so ist die ›Musica boscareccia‹ eindeutig im Zusammenhang der Auseinandersetzung des Thomaskantors (seit 1616) Schein mit der Technik des geringstimmigen Geistlichen Konzerts und der seconda prattica des generalbaßbegleiteten Sologesangs zu sehen. Während die letztere aber vom Lied wegführte, ging der Weg Scheins bei der Eindeutschung des Villanellenstils deutlich zum Lied hin. Mag gelegentlich der große Motivvorrat der Durchkomposition als dem Liedstil zuwiderlaufend charakterisiert worden sein: Ein Stück wie das Mailied aus dem 2. Teil der Sammlung gehört seinem Charakter, der Knappheit und Präzision der melodischen Formung nach zu den hervorragendsten Schöpfungen des deutschen Liedes überhaupt. Wie vollkommen hier Elemente des Liedstils mit solchen des kontrapunktischen Satzes verschmolzen sind, erschließt sich erst bei genauerem Hinsehen: der Baß ist konsequent in Gegenbewegung zur Melodie angelegt, während die Innenstimme zunächst lediglich den Diskant austerzt. Die 2. Melodiezeile ist durch Gegenbewegung aus der ersten entwickelt, und da der Baß in Gegenbewegung zur Melodie angelegt ist, wird gleichsam die 2. Melodiezeile im Baß vorausimitiert. Die letzte Melodiezeile (die zunächst zur Dominante kadenziert und nach einer Wiederholung in den Schluß mündet) ist eine rhythmische Vergrößerung der zweiten und führt Scheinpolyphonie dadurch ein, daß die Innenstimme sich verselbständigt und der Oberstimme in Quintimitation folgt. Das Ganze ist also trotz des geringen Umfangs von – modern gesprochen – 16 Takten ein ungeheuer straff und präzise organisiertes Kunstwerk, aber zugleich von sprühender Lebendigkeit und mit einem Tonumfang von einer kleinen Septime auch dem ungeschulten Sänger ohne Schwierigkeit erreichbar; kurz: ein Stück, das nahezu alle Gattungsmerkmale in idealtypischer Weise repräsentiert.

Nürnberg blieb eine der wichtigsten Pflegestätten des neuen deutschen Liedes. Der Nachfolger Johann Christoph Haidens an der Sebaldskirche, Johann Staden (1581–1634), trat mit mehreren Sammlungen hervor: ›Neue Teutsche Lieder nach art der Villanellen‹ (1606), die auch insofern an die Regnart-Nachfolge anknüpfen, als die Sammlung auch rein instrumentale Tänze enthält, einer Sammlung Tanzlieder, ›Neue Teutsche Lieder mit Poetischen neuen Texten, so zu Täntzen bequem …‹ (1609) und ›Venus Kräntzlein Neuer Musicalischer Gesäng und Lieder‹ (1610). An der Folge der Sammlungen fällt auf, daß der Weg Stadens eher wieder vom Liede wegführt: enthält die erste Sammlung noch dreistimmige Sätze, so sind die zweite rein vierstimmig und das ›Venus Kräntzlein‹ sogar teilweise fünfstimmig angelegt. Ungeachtet des Hinweises auf die Villanella im Titel der ersten Sammlung ist er weniger an deren Leichtigkeit als ihrer dreistimmigen Satztechnik orientiert und weit weniger als Schein auf ihre Eindeutschung gerichtet. Am besten gelingen ihm direkte Tanzlieder.[16] Im übrigen kommt Staden in seinen zwar oberstimmenbetonten, aber noch generalbaßlosen Sätzen sichtlich vom geringstimmigen Geistlichen Konzert her. Deutlich ist zu hören, daß ihm das Gespür Scheins für syntaktische Strukturen und sprachliche Feinheiten abgeht. Das zeigt ganz klar die Behandlung eines Textes wie „Kein Lieb' ohn' Leid sich find't, / wie solches ich empfind …"[17] mit seiner Folge von Aussagesatz und kommentierend begründendem Folgesatz. Jede Höhersequenzierung der zweiten Melodiezeile hat unweigerlich zur Konsequenz, daß dieses Verhältnis sich umkehrt und der Folgesatz das Hauptgewicht bekommt. Staden tut jedoch nicht nur genau dies, sondern wiederholt die erste Melodiezeile eine Quinte höher: Damit entsteht der Eindruck einer Quintimitation, in der Aufeinanderfolge ein und derselben Stimme jedoch das Bewußtsein des bloßen Registerwechsels von musikalisch Identischem, das folglich weder weiterführt noch die syntaktische Struktur aufnimmt, sondern einfach stagniert. Hinzu kommt, daß jetzt der Aussagesatz mit der Vollkadenz schließt, der den Gedanken abschließende Nachsatz sich aber zur Dominante öffnet. Die um je eine Hebung und Senkung kürzere dritte Melodiezeile wird von Staden zum metrischen Ausgleich rhythmisch gedehnt, der dadurch entstehende Stillstand des melodischen Flusses im Baß mit instrumentalem „Organistenzwirn" überbrückt, den er auch in anderen Liedern bei vergleichbaren Dehnungsproblemen hervorholt. Auffällig ist auch die rhythmische Gleichförmigkeit, die besonders bei den Liedern des ›Venus Kräntzleins‹ zutage tritt und gegen die Lebhaftigkeit der Lieder Scheins besonders absticht.

Eine gänzlich andere Konzeption von Lied tritt uns entgegen in Stadens ›Hertzen-trosts-Musica‹ von 1630, die hier nur bedingt zu behandeln ist, weil sie in den kirchenmusikalischen Bereich gehört. Es handelt sich nämlich um generalbaßbegleitete einstimmige Stücke unter starkem Einfluß der Monodie; Staden selbst bezeichnete sie als „Meditationen". Ein Stück wie das ›Bußlied‹[18] beginnt zunächst rein rezitativisch und wechselt erst im 3. Takt zur strukturierten Melodie. Allein dieser Bruch zeigt, was bereits angedeutet wurde, daß die Übernahme des monodischen Prinzips eher vom Liede wegführt. Schwierigkeiten bereitet die Beurteilung der dritten Melodie- (= 5. Text-)Zeile mit ihrer Sequenzbildung auf die Wörter „… lief ich gleich weit zu dieser Zeit / bis an der Welt ihr Ende", welche die Atemlosigkeit des Laufens bildlich umzusetzen scheint; wenn man ähnliche Erscheinungen an anderen Stellen bei Staden bedenkt, wird man freilich eher übergroßen Respekt vor dem (Binnen-)Reim unterstellen müssen als bewußten Gestaltungswillen im Umsetzen von Ausdrucksmomenten des Textes.

Mit zu den frühesten Komponisten deutscher Lieder zählt auch der dem Schütz-Umfeld angehörende sächsische Hoflautenist Johann Nauwach (ca. 1595 – ca. 1630), der kurz nacheinander eine Sammlung italienischer ›Arie passegiate‹ (1623) und ›Teutscher Villanellen‹ (1627) vorlegte. Entgegen dem Titel handelt es sich bei knapp der Hälfte der Stücke mit deutschem Text um generalbaßgestützte Sololieder.[19] Sie sind von durchaus unterschiedlichem Niveau, wie schon die Beispiele bei Vetter deutlich zeigen. Die gelegentlich ziemlich unklaren Akzentverhältnisse, sowohl in der Textbehandlung als auch in der Motivik, tun das Ihre zu dem Eindruck, daß die neuen Stilmittel noch keineswegs beherrscht werden, was freilich im engsten Umkreis von Heinrich Schütz überrascht.

Opitz hatte zwar mit seinem ›Buch von der deutschen Poeterey‹ die Verhältnisse der deutschen Metrik auf eine tragfähige Grundlage gestellt, aber zugleich mit der Begrenzung auf alternierenden Akzent der Sprachbehandlung Schranken gesetzt, die nicht auf Dauer hinnehmbar waren. Die lebendige Sprachwirklichkeit läßt sich eben nicht so auf ein einziges Betonungsverhältnis reduzieren. So kommt es, daß trotz der Klärung der Metrikprobleme auch die Folgegeneration der Schütz-Schein-Zeit noch mit Texten zu kämpfen hatte, die sich wegen ihrer Holprigkeit der Vertonung förmlich widersetzten. Das zeigt sich deutlich am Niveaugefälle unter den Liedern von Thomas Selle (1599–1636),[20] der so offenkundig ein besonders guter Melodist war, wenn ihm entsprechende Texte zur Verfügung standen, dem aber Texte wie das sichtlich alternierend gemeinte „Amór mir máttet Tag vnd Nacht …"[21] ein Lied förmlich zerfaserten.

Thomas Selle stammte aus Mitteldeutschland und war vermutlich Kompositionsschüler von Schein, dessen Anlehnung an die Villanella er zunächst noch übernahm, hatte dann verschiedene pädagogische Ämter in Norddeutschland innegehabt, die immer näher an Hamburg heranführten, bis er 1641 Kantor in Hamburg wurde. Seine weltlichen Lieder stammen zwar aus der Zeit vor den Hamburger Jahren, wurden aber schon dort gedruckt, womit erstmals Hamburg als weiteres Zentrum der Liedpflege ins Blickfeld kommt. Ganz in der Stilnachfolge Scheins stehen die dreistimmigen Sätze der ›Conzertatio Castalidum, H[oc]. E[st]. Musikalischer streit Welchen die Neun Göttinnen bey dem Parnasso Conzertations weise untereinander eingestellet‹ (1624). Wie diese Sammlung, so ist auch die noch im selben Jahr publizierte „Nach jetziger Neuen Invention" oder „Manier" gesetzt: ›Deliciae Pastorum Arcadiae, H[oc]. E[st]. Arcadische Hirten-Frewd‹.

Mit der nächsten Sammlung ist dann der Schritt zum generalbaßbegleiteten Sololied getan, aber Selle experimentiert mit einer Annäherung von modernem Generalbaßlied und Kammermusik, indem er eine Violine hinzufügt: ›Deliciarum juvenilium decas harmonico-bivocalis. Hoc est Zehen lustige Amorosische Liedlein mit nur einer Vocal- und Instrumental-Stimme zusingen‹

(1634). In den Vorworten der früher publizierten Sammlungen hatte er auf die Möglichkeit einer vokal-instrumentalen Mischbesetzung ebenfalls bereits hingewiesen.[22] Sie war sicher ebenso aufnahme- und absatzfördernd, wie sie auf die Musizierpraxis der Zeit abgestellt war und dies gewiß nicht zuletzt mit dem Ziel, die neue Gattung für überkommene Hörgewohnheiten apperzipierbar zu machen. Stilistisch gesehen handelt es sich bei den von vornherein für eine Singstimme mit einem Melodieinstrument und Generalbaß konzipierten Stücken um einen konzertanten Satz, wie er der Zeit durch das kleine Geistliche Konzert vertraut war, mit kleingliedriger Motivik und kurzen Imitationen zwischen Singstimme und Instrument.

Von den 1635 erschienenen ›Amorum musicalium … decas I‹ behauptet Selle im Vorwort, es handele sich dabei um zurückgestellte Jugendwerke, die erst jetzt herausgegeben würden. Schon Walther Vetter hielt dies aus stilistischen Gründen für unwahrscheinlich. Vielleicht handelt es sich auch nur um eine Mystifikation, weil die Veröffentlichung solcher Lieder durch einen „gestandenen" Mann zunehmend als unvereinbar mit seinen kirchenmusikalischen Funktionen und dem Status eines Gymnasialdirektors angesehen wurde. Weniger plausibel erscheint mir Vetters Vermutung,[23] Selle habe den ganz schlichten Liedsatz seiner späteren Jahre, wie er auch in den ›Mono-phonetica, h. e. allerhand lustige und anmutige Freuden-Liedlein‹ von 1636 erscheint, als historisch-genetisch ältere Schicht ausgeben wollen.

Tatsächlich hat Selle in den mehr als 20 Jahren seines Wirkens in Hamburg keine weltlichen Lieder mehr veröffentlicht. Trotzdem blieb er auch weiterhin einer der wichtigsten Anreger der Gattung, wenn auch von einem Seitengebiet aus: Er schuf die neukomponierten Melodien für Johann Rists ›Sabbahtische Seelenlust‹ (1651), eine Sammlung „Lehr-, Trost-, Vermahnung- und Warnungsreiche Lieder", und wirkte bei mindestens einer weiteren Sammlung Rists mit. Diese Lieder gehören nun wirklich zum Knappsten und Präzisesten, was Selle geschrieben hat und was in der Zeit an Kirchenliedern vorgelegt wurde, und damit hält der neue Liedstil mit seiner von der Erfahrung der Monodie geprägten Ausdrucksfähigkeit Einzug in die protestantische Andachtsmusik.

Insgesamt gilt für die Zeit immer noch, daß die mehrstimmigen

Kompositionen deutscher Komponisten ihren einstimmigen qualitativ deutlich überlegen sind. Das liegt jedoch offensichtlich an den sprachlichen Verhältnissen der Texte, die von deutschen Poeten bereitgestellt wurden und vor deren weiterhin unklaren Akzentverhältnissen – abgesehen von der zunehmenden Häufung wenig ausdruckskräftiger, aber modischer Fremdwörter – selbst ein so fähiger Liederkomponist wie Selle gelegentlich kapitulieren mußte. Nichts ist bezeichnender für die Situation als etwa die Tatsache, daß sogar Johann Rist, der doch selbst so große Verdienste um die deutsche Sprache und insbesondere das Lied hat, bei einer Übersetzung aus dem Französischen den Liederanhang unübersetzt abdrucken ließ. Auch von Zincgref und Opitz sind Liednachdichtungen auf französische Melodien bekannt, deren Problem eben darin besteht, daß in der silbenzählenden französischen Metrik das Verhältnis zur musikalischen Rhythmik notwendigerweise ein anderes ist als bei der qualitativen deutschen.

Die fortschreitende Dezimierung der Bevölkerung und Verarmung des ganzen Landes durch den Dreißigjährigen Krieg, die Entvölkerung ganzer Landstriche mit der Folge des wirtschaftlichen Zusammenbruchs der auf den Handel angewiesenen städtischen Gesellschaft als Hauptträgerschicht der Liedpflege stand naturgemäß der stilistischen Entwicklung der Gattung ebenso entgegen wie ihrer Ausbreitung. Bis nach Königsberg, in die Hauptstadt des inzwischen weltlichen Herzogtums Preußen, war der Krieg jedoch nur vorübergehend gekommen. Hier war daher das Stadtbürgertum als kulturelle Trägerschicht intakt geblieben, und die wirtschaftsgeographische Lage der Stadt tat ein übriges dazu, daß sie als Lebensgemeinschaft empfunden wurde. Auch der Kreis, in dem sich die in der Stadt ansässigen Dichter und Musiker um Simon Dach und Robert Roberthin scharten, die „Kürbishütte", hatte eine städtische Sozialfunktion: Es handelte sich um eine Begräbnisgesellschaft. Angesichts der enormen (insbesondere Kinder-) Sterblichkeitsraten waren eben Begräbnisse und deren würdige Ausgestaltung ein wichtiges soziales Problem.

Die Lieder dieses Königsberger Kreises wurden für eine bestimmte Lebensgemeinschaft geschaffen, die im Vergleich zu der relativ engen Nähe von Städten und kleineren Höfen in Mitteldeutschland oder im fränkisch-schwäbischen Raum, deren Musiker ja neben dem Hofdienst zugleich auch Träger einer bürgerlichen Musikkultur waren, kulturell isolierter war. Dadurch konnte die Verbindung zum Volkslied enger bleiben; das Ergebnis war Gelegenheitsdichtung im besten Sinn, die allgemein verständlich sein wollte und mußte. Schon aus diesem Grunde hielt sie sich frei von dem mythologisierenden Schwulst, der sich auch in der Opitz-Nachfolge rasch breitmachte, denn auch für ihn hatte die „Decoratio" der antiken Rhetorik – von der ›Zubereitung und Zier der Wörter‹ heißt das entsprechende Kapitel seiner Poetik – große Bedeutung. Gemessen an Opitzens Anschauungen war das, was in Königsberg aus den herausgehobenen Ereignissen des familiären (Hochzeiten, Begräbnisse) und städtischen Lebens (etwa Fürstenbesuche in der Stadt), teilweise sogar förmlich auf Bestellung entstand, gar keine (Hoch-)Poesie.

Erst mit dem Komponisten Heinrich Albert (1604–1651) kam in den Königsberger Kreis der Mann, der diese gemeinschaftsgebundene Dichtung durch seine Vertonungen ins allgemeine Bewußtsein hob. Günther Müller bezeichnete ihn geradezu als das „musikalische Bindeglied" des Kreises. Albert stammte aus Mitteldeutschland und war ein jüngerer Vetter von Heinrich Schütz, der seine musikalische Ausbildung 1623 in die Hände nahm. Auf Druck der Familie begann Albert dann aber in Leipzig das Studium der Rechtswissenschaft. Dort zog ihn Thomaskantor J. H. Schein stark in seinen Bann; nach dem Vorwort des zweiten Teils seiner ›Arien‹ ist damals schon ein Teil seiner Lieder entstanden, was erste Anregungen bereits durch Schütz ebenso nahelegt wie es auf die städtischen Studentenkreise als eine der wichtigsten Trägerschichten der Gattung verweist. Es ist vermutet worden, daß zu starke Beschäftigung des Jurastudenten mit der Musik der Grund gewesen sei, ihn nach Königsberg zu schicken, wo man danach die kulturellen Ablenkungsmöglichkeiten als geringer eingeschätzt haben müßte. 1627 begleitete er eine niederländische Delegation an den polnischen Hof, wurde mit dieser gefangengenommen und kam erst nach einem Jahr wieder frei. Aber sein an der italienischen Villanella orientiertes und auf das Lied gerichtetes Interesse war um die Erfahrung der polnischen Volksmusik reicher geworden.

Nach der Rückkehr Alberts nach Königsberg wandte er sich endgültig ganz der Musik zu, wurde 1630 Organist am Dom und trat in enge Beziehungen zu Johann Stobaeus, der beherrschenden Gestalt des Königsberger Musiklebens und als Nachfolger Eccards Bewahrer von dessen Stiltradition. Man hat das gänzliche Fehlen der großen kirchenmusikalischen Formen im Schaffen Alberts der Bindung an diese Tradition zugeschrieben. Seine zweifelsfreie Begabung und gleichzeitig auch Neigung zur kleinen Form und zur Liedkomposition ließen ihn daher zur musikalischen Integrationsfigur des Königsberger Dichterkreises werden: mehr als hundert Texte von Simon Dach hat er vertont, der für ihn schlicht „der Dichter dieser Stadt" war, fünfzehn stammen von Robert Roberthin, achtzehn Stücke vertonen eigene Texte. Die Einbindung der Werke dieses Königsberger Kreises in die Bedürfnisse der städtischen Gesellschaft hat bei Simon Dach dazu geführt, daß nur etwa ein Zehntel seiner rund tausend Gedichte ohne Bestellung geschrieben wurde; und bei Heinrich Albert dürfte die Lage dem entsprechen. Daß man andererseits durchaus modernen Kunstentwicklungen aufgeschlossen war, belegt die Tatsache, daß Dach für Albert zwei Operntexte, ›Cleomedes‹ und ›Sorbuisa‹, dichtete.

Abgesehen von den – nicht identifizierbaren – Stücken aus der Leipziger Studentenzeit im Umkreis Johann Hermann Scheins, setzt die Liedkomposition mit der Übernahme des Organistenamtes am Dom 1630 ein. Ab 1632 wurden Lieder seiner Komposition in Einzeldrucken verbreitet, und die ungewöhnlich große Zahl solcher „fliegenden Blätter" mit – berechtigten wie unberechtigten – Nachdrucken zeigt ihre Beliebtheit und Verbreitung an. Zwischen 1638 und 1651 erschienen dann die Sammeldrucke seiner ›Arien oder Melodeyen Etlicher theils Geistlicher theils Weltlicher, zu gutten Sitten vnd Lust dienender Lieder‹ in acht Teilen.[24] Auffällig ist an diesen Sammlungen, daß der Anteil der einstimmigen Lieder ständig sinkt und jener der mehrstimmig angelegten entsprechend steigt. Ob das mit der Nähe zu Stobaeus und der Eccard-Tradition zu begründen ist, mag dahingestellt bleiben. Bei einer derartig am gesellschaftlichen Bedarf orientierten Künstlergruppe spiegelt es aber sicherlich die Schwierigkeiten wider, welche der Monodie und dem generalbaßbegleiteten Lied in der immer noch am Leitbild der mehrstimmigen Musik orientierten bürgerlichen Musikpflege entgegenstanden. Sie waren so stark, daß Albert sich veranlaßt sah, eigens für den Druck Lieder zu Terzetten umzuarbeiten.

Seit Carl von Winterfeld ist immer wieder die Behauptung nachgedruckt worden, das Begräbnislied sei eine Spezialität des Königsberger Kreises gewesen. Das ist zumindest insofern irreführend, als in diesem Repertoire von Gesellschaftsliedern etwa Hochzeitslieder nur teilweise als solche erkennbar sind, weil man häufig allgemeine Fest-, besonders häufig Frühlingslieder dazu benutzte. Im übrigen war ja die Kürbishütte gerade eine Begräbnisgesellschaft, und dem Charakter einer solchen Institution entsprechend, wurden auch auf ihren Versammlungen Lieder gesungen, die an Tod und Vergänglichkeit gemahnten. Albert hat dem Kreis in einer Kantate ein musikalisches Denkmal gesetzt, mit seiner ›Musicalischen Kürbs-Hütte, welche uns erinnert menschlicher Hinfälligkeit‹ (1645).

Heinrich Albert hat mit sicherem ästhetischem Urteil das Beste aus der Literatur seiner Zeit, insbesondere von Simon Dach, ausgewählt, schon von daher gehen seine Lieder allem voran, was in dieser Zeit vertont wurde. Im musikalischen Stil seiner Sätze hingegen sind drei Schichten nebeneinander gegenwärtig: die polyphone Satztechnik, die neue monodische Technik des affektgesteuerten Sologesangs mit Generalbaß und die eigentliche liedhafte Gestaltung in kurzen Motiven. Vom vierten Teil seiner ›Arien‹ an nimmt der Anteil der einstimmigen Sätze ab, jener der polyphonen zu, auch Doppelbearbeitungen in beiden Stilarten kommen vor, auch in der Kürbishütte ist lediglich der durchgehende Generalbaß verbindendes Element zwischen den beiden Gestaltungsprinzipien.

Albert selbst hat das durchkomponierte Lied als sein eigentliches Ideal bezeichnet, in Wirklichkeit folgen aber nur relativ wenige Stücke diesem Typus. In der Mehrzahl seiner Lieder verwendet er eine Melodie für alle Strophen, den Typus also, den die fortschreitende Entwicklung der Gattung bevorzugte. Die schlicht symmetrisch gebauten Melodien lehnen sich gelegentlich an italienische, häufiger französische Vorbilder an, auch solche aus polnischen Tanzweisen werden vermutet. Zur Intensivierung des Ausdrucks werden, vorzugsweise gegen Ende von Stücken, z. T. schon sehr ausgedehnte, streng wortbezogene Koloraturen eingesetzt. So steht in ›Arien‹ I, 10 eine in sich sequenzierte siebentönige Koloratur auf das Wort „fliehet", die auch noch vom Baß imitiert wird, eindeutig eine Anabasis[25] im Sinne dessen, was als „Madrigalismen" aus dem mehrstimmigen Satz des 16. Jahrhunderts bereits bekannt war und in dieser Zeit als Lehre von den rhetorischen Figuren zunehmend systematisiert und kodifiziert wurde. Der Satz „Liebet ihr nur die Gefahr / Dunkler und betrübter Höhlen?" wird ganz von dem das Bild bestimmenden letzten Wort her interpretiert, mit einer über die ganze Oktave reichenden Anabasis und anschließender überwiegend abwärtsgerichteter Melodiebewegung und Kanonbildung zwischen Melodie und Baß, wie sie auch anderweitig neben der Gegenbewegung als konstruktive Bindung von Melodie und Harmonieträger eingesetzt wird. Der Reiz solcher Stücke liegt wohl vor allem darin, daß sie Elemente des modernen Liedsatzes wie klar gegliederte, nicht zu verschiedenartige Motivik, begrenzten Tonumfang, Vermeidung schwer zu intonierender Intervalle, klar strukturierte Zuordnung von Melodie und Baß verbinden mit solchen, die aus der Diminutions- und Kolorierungspraxis der hochgezüchteten Gesangskunst des 16. Jahrhunderts als Ausdrucksträger in die Monodie übergegangen waren und später dieser zugeordnet wurden, auch wenn sie in anderem Kontext auftraten.

Einen ganz anderen Typus zeigt die Vertonung von Versen aus dem 9. Psalm in ›Arien‹ I, 5: hier nähert sich Albert dem kleinen Geistlichen Konzert seines Vetters Schütz. Er deklamiert sehr frei, trennt die einzelnen Strophen durch instrumentale Zwischenspiele mit der Bezeichnung „Symphonia". Aber auch hier zeigt sich die Bindung zwischen Melodie und Baß durch (Voraus-)Imitation und ziemlich konsequente Gegenbewegung. Noch ausgiebiger wird in solchen Stücken koloriert, so hüpft das „Hertze" hörbar vor Freude in einer fünfzehntönigen daktylischen Koloratur, eine ähnlich wort- und ausdrucksgebundene setzt das Wort „freuen" um. Eine ebenfalls recht umfangreiche, dreizehntönige Koloratur auf der letzten betonten Silbe dagegen hat offenbar keine Ausdrucks- oder Bild-, sondern rein formale Schlußfunktion.

Als dritter Typus tritt das unkolorierte, im strengen Satz Note gegen Note geschriebene Lied auf, das definitionsgemäß auch keine Imitationen zwischen Melodie und Baß kennt; dieser kadenziert vielmehr konsequent mit der Melodie. Ein Beispiel wie ›Arien‹ II, 10 zeigt exemplarisch dessen Bau aus einem einzigen

Grundmotiv: Die zweite Melodiezeile ist aus dem Schluß der ersten abgeleitet und endet syntaktisch genau mit einem Halbschluß; die dritte Zeile wiederholt die erste und die vierte ist eine Quinttransposition der zweiten, die folgerichtig in den Ganzschluß mündet. Auch die vier Melodiezeilen des Abgesangs bewahren den Zusammenhang mit dem Grundmotiv, so daß auch bei Albert in solchen Stücken der „Schein des Bekannten" für die ästhetische Konzeption des Liedes eine bedeutende Rolle spielte. Sicher ist das einer der Gründe dafür, daß seine Lieder in allen Grundtypen die Produktion der Zeitgenossen so klar überragen und trotz einer zeitweise in ganz andere Richtung gehenden Entwicklung bis weit ins 18. Jahrhundert hinein bekannt waren, so wenn Johann Mattheson 1740 in seiner ›Ehrenpforte‹ die ›Arien‹ und die „Kürbishütte" ausführlich würdigt.

Wie sich weniger behutsamer Umgang mit den Möglichkeiten der italienischen Rezitations- und Diminutionspraxis im kleinformatigen deutschen Lied auswirkt, läßt sich an wenigen Beispielen aus den ›Arien und Cantaten‹ (1638) von Caspar Kittel (1603–1639) zeigen.[26] Sie enthalten neben generalbaßbegleiteten Solo- auch mehrstimmige Gesänge. Manche Lieder machen eher einen gekünstelten als liedhaften Eindruck, und die monodische Deklamation, die nach kurzem Rezitativ dann doch wieder in die mechanistische Sequenzierung zurückfällt, zeigt, wie schwer sich Komponisten taten, das Stilangebot der Zeit in der neuen Gattung zu verschmelzen. Es wird aber zugleich deutlich, wie stark sich Heinrich Albert von dieser zeitgenössischen Produktion abhebt.

Das Werk Alberts hielt sich nicht nur über rund hundert Jahre im allgemeinen Bewußtsein, sondern wirkte besonders nachhaltig auf die Folgegeneration. Allerdings blieb bedeutende Liedpflege in Königsberg auf eine kurze Zeit beschränkt. Nur noch zwei Sammlungen nahmen von hier ihren Ausgang. Zunächst die ›Sorgen-Lägerin‹ (3 Teile, 1648)[27] von Johann Weichmann (1620–1652). Das Vorwort liest sich durchaus wie die Forderungen der Florentiner Camerata, in Einzelheiten ist der um eine Generation Jüngere sogar fortschrittlicher als Albert, aber im ästhetischen Wert erreicht er ihn nicht. Da finden sich wieder die mechanistische Übertragung italienischer Diminutionen, die unmotivierte große Koloratur auf der letzten betonten Silbe. Gele-

30

gentlich wird statt der liedhaften kleingliedrigen Motivik lediglich mit floskelhaften Versatzstücken gearbeitet. Auch der Charakter der Dichtung hat sich gegenüber dem Kreis um Simon Dach völlig gewandelt: Daphnis, Celadon und Corydon werden von Cupido instruiert, wie sie sich der „schönen Schäferin" nähern sollen, kurz die gekünstelte Schäferpoesie hat die Lyrik in ihren Bann geschlagen, und dazu kann dem Musiker nur noch Gekünsteltes einfallen. In sich geschlossener sind da die geistlichen Lieder, in deren Satz Note gegen Note unmittelbar auf die Stilistik Alberts zurückgegriffen wird. – Bemerkenswert erscheint, daß im Titel darauf hingewiesen wird, daß die Stücke auch „theils allein" zu singen seien. Wenn die Rückkehr des Liedes vom Reduktionssatz der großbesetzten Stücke über die dreistimmige Frottola und den generalbaßbegleiteten Sologesang zur prinzipiellen Einstimmigkeit auch nicht der historischen Faktizität der Gattungsentwicklung des Kunstliedes entsprach, so war sie doch zumindest der Tendenz nach darin angelegt, und Theoretiker des 18. Jahrhunderts haben diese Form auch zu ihrem tendenziellen Idealtypus erklärt, obwohl die Annäherung an das Volkslied nie wirklich so weit gegangen ist.

Die zweite Sammlung stammt von Christoph Kaldenbach (1613–1698); auch die Schreibweise des Namens mit C kommt vor, der schon zu einigen Arien Alberts die Texte geschrieben hatte. Seine ›Deutsche Sappho, Oder Musicalische Getichte‹ erschien mit der ersten Ausgabe 1651 in Königsberg, mit einer zweiten 1687 in Stuttgart. Die erste Ausgabe präzisiert übrigens die zeitgenössische Aufführungspraxis noch exakter: „Auch wol von einer Person allein zugleich zu spielen und singen." Kaldenbach war sowohl als Sammler wie als Dichter und Komponist an dem Werk tätig. Der Anteil der eigenen Kompositionen ist jedoch nicht bestimmbar. Die italienischen Elemente bei Albert wie die Kolorierung und Stilmittel der Monodie fehlen in der Deutschen Sappho; ob man in dem Titel eine Betonung des Deutschen sehen muß, kann offenbleiben.

Mit zu diesem Stilkreis gerechnet wird von früheren Autoren Georg Weber (* ca. 1610), zu dessen Biographie wenig bekannt ist; ob er überhaupt als Student in Königsberg war, scheint nicht einmal gesichert. Von seinen ›Geistlichen Liedern‹ (Stockholm o. J.; 1640) ist nur der erste Teil in einem einzigen Druckexemplar nachgewiesen, ein zweiter soll 1645 in Hamburg erschienen sein. 1648 ließ er in Danzig ›Sieben Theile Wohlriechender Lebensfrüchte eines recht Gott-ergebenen Herzen ...‹ drucken und 1652 ein ›Himmel-steigendes Dank-Opfer‹. Sie sind in eine Stilnachfolge Alberts und der Königsberger nur schwer einzuordnen, denn Weber verwendet offenbar durchgehend, was bei Albert nur gelegentlich auftritt, das instrumentale Ritornell. Deswegen schon von „Orchesterlied" zu sprechen, ist doch wohl zu modern gedacht, aber eine Annäherung an Kammermusik und Geistliches Konzert ist es sicherlich. Insbesondere aber ist die harsche Kritik an seinem Werk zurückzuführen auf Unverständnis für die stark emotionalisierende und personalisierte Sprache des sich anbahnenden Pietismus, die ja schon an den Titeln, besonders dem ichbezogenen letzten, klar zutage tritt.

Es ist nicht zu übersehen, daß der Einsatz von Instrumenten über den Generalbaß hinaus und von selbständigen Formgliedern für sie die Gattung den Komponisten interessanter machte, weil er ihre Möglichkeiten erweiterte. Das bedeutete gleichzeitig eine Annäherung des Liedes an das kleine Geistliche Konzert und zieht es in den Sog der Entwicklung von da zur frühen Kantate. Auch die ›Musicalischen Arien oder Melodeyen‹ (1649) des Danziger Kantors Christoph Werner (1619–1650), schlichte Sätze, offenbar für den Bedarf der Gymnasialchöre geschrieben, lassen die teilinstrumentale Besetzung zu. Noch deutlicher auf dem Weg zur älteren Kantate sind die nur unvollständig überlieferten ›Musicalischen Arjen‹ (1647) des Stralsunder Nikolai-Organisten Johann Martin Rubert (1615–1680); sie enthalten überhaupt nur zwei- bis dreistimmige Vokalsätze, dafür aber selbständige „2.3. Instrumental-Stimmen nebenst beygefügtem doppeltem General Baß". Da dieser nicht erhalten ist, muß man wohl unterstellen, daß ein vollständiger Instrumentalsatz mit eigenem Generalbaß gemeint ist. – Seine gelegentlich in der Geschichte des Liedes genannte ›Musicalische Seelen-Erquickung‹ von 1664 mit bis zu sechs Instrumentalstimmen gehört dagegen wohl eigentlich in die Frühgeschichte der Dialogkantate.

Nachdem also Heinrich Albert eigentlich keinen Nachfolger fand, die Entwicklung im Gegenteil in eine andere Richtung ging, blieben als Zentren der Liedpflege die drei Gebiete, die eine hinreichend städtische Siedlungsdichte aufwiesen, um überhaupt über eine entsprechende Trägerschicht zu verfügen: Hamburg mit seinem Umfeld, Mitteldeutschland zwischen Magdeburg und Leipzig bis hin nach Freiberg und Zittau sowie das fränkisch-schwäbische Gebiet. In Hamburg, das ja schon in der ältesten Schicht mit Thomas Selle zu nennen war, entstand dem Lied von der literarischen Seite her in dem Theologen Johann Rist (1607–1667), Pfarrer in Wedel, einer der wichtigsten Förderer. Er stellte die neue Gattung nicht nur literarisch auf festen Boden, sondern besaß v. a. die Gabe, seine Stilvorstellungen Musikern zu vermitteln, die dafür ein Gespür besaßen, und sie für das Lied so zu interessieren, daß sie ihm die seinen Texten gemäßen Melodien und Sätze komponierten. 1635 hatte Rist sein Pfarramt in Wedel / Holst. angetreten; er war Mitglied der wichtigsten mittel- und süddeutschen Sprachgesellschaften, bevor er mit dem „Elbschwanen-Orden" 1660 eine eigene norddeutsche Dichterakademie begründete; schon 1644 war er vom Kaiser zum „Poeta laureatus" gekrönt worden. Bereits unter dem literatursoziologischen Aspekt kann sein Einfluß also gar nicht überschätzt werden.

Rist war selbst ein auch musikalisch gebildeter Mann. Das hat nicht nur seine eigenen Melodien, sondern seinen Stilwillen, den er den Komponisten seiner Lieder zu vermitteln suchte, insgesamt geprägt. Rist hat sich publizistisch nur zum geistlichen Lied geäußert, doch haben seine mit dem Ziel der Volkstümlichkeit erhobenen Forderungen durchaus den Anspruch, Grunderkenntnisse für die Gattung als solche zu sein. Seine Forderung, der Rhythmus in den geistlichen Liedern solle „fein andächtig, leicht beweglich und anmutig" sein, läuft hinaus auf eine Reform des evangelischen Kirchengesangs, der schon im frühen 17. Jahrhundert in der Stereotypie der ewig gleichen rhythmischen Werte, dem was man ironisch als Gemeinde-Isorhythmie bezeichnet hat, erstarrt war. Die Häufung von Kadenzen und durch Fermaten verschärfte Zäsuren hemmten den Fluß der Melodien. Zwar mündeten die Ideen Rists noch nicht in eine Reform des Gemeindegesangs, aber sie hatten ein Aufblühen des häuslichen geistlichen Andachtsliedes zur Folge, was für die protestantische Kirchenmusik die Abkoppelung des Gemeindegesangs von der lebendigen Liedentwicklung und den Rückzug des geistlichen Liedes aus der Kirche in den Bereich des Privaten bedeutete, aber erst die produktive Erneuerung des geistlichen Liedes bis hin zu Beethovens Gellert-Liedern ermöglichte.

Die erste Liedersammlung Rists wurde 1641 in Lüneburg gedruckt, wo man typographisch fortschrittlicher war als in Hamburg. Es handelte sich um die ersten zehn ›Himmlischen Lieder‹, denen ein Jahr später zehn ›Himmlische Triumphlieder‹ folgten und noch im selben Jahr 1642 weitere drei Sammlungen mit jeweils zehn weiteren Liedern unter dem ursprünglichen Titel.[28] Melodie und Baß sind nicht, wie später üblich, untereinander abgedruckt, sondern auf jeweils zwei einander gegenüberliegenden Seiten, um die Benutzung durch zwei Musizierende beim Generalbaß zu erleichtern. Die Ausführung wünschte sich Rist „nach Art dero heut zu Tage üblichen Concerten mit zweyen Stimmen als einen Baß vnd Discant in eine Orgel, Regal, Clavicymbel, Laute vnd derogleichen Instrumente … gesungen". Alle Melodien stammen von dem Hamburger Ratsmusiker (Musikdirektor) Johann Schop (ca. 1590–1667), einem bedeutenden Geiger, „wiewol nur auff der Eile" diese Lieder von ihm geschaffen wurden.

Als zweite Sammlung erschien 1651 ›Der zu seinem allerheiligsten Leiden und Sterben hingeführter und an das Kreutz gehefteter Christus Jesus‹, zu welcher der Altonaer Organist Heinrich Pape (1609–1663), Rists Schwager, die Lieder komponiert hatte. Noch im selben Jahr folgte ›Neuer Himmlischer Lieder Sonderbahres Buch‹ in fünf Teilen, deren Lieder von verschiedenen Komponisten vertont wurden, wobei sich die weitreichenden Verbindungen Rists darin ausdrücken, daß er die führenden Gestalten der fränkischen und mitteldeutschen Liedpflege als Mitarbeiter gewinnen konnte. So stammt der erste Teil (›Klaag und Buhsslieder‹) von Sigmund Gottlieb Staden, der zweite (›Lob- und Danklieder‹) von Andreas Hammerschmidt, der dritte Teil (›Sonderbahrer Personen Sonderbahre Lieder‹) faßt Kompositionen von Heinrich Pape und drei weiteren Komponisten aus dem norddeutschen Kreis zusammen; der vierte Teil (›Sterbens- und Gerichts-Lieder‹) wurde von Jacob Schultz vertont, während für den fünften Teil (›Höllen- und Himmelslieder‹) Heinrich Scheidemann verantwortlich war. Bei der ›Sabbahtischen Seelenlust‹ von 1651 und den ›Neuen Musikalischen Fest-Andachten‹ von 1655 war wieder Thomas Selle der Komponist. 1654 kam ›Frommer und Gottseliger Christen Alltägliche Haußmusik‹ heraus; als Verfasser ihrer Melodien wird im Titel nur Johann Schop genannt, doch war auch Michael Jacobi aus Lüneburg beteiligt, der schon am dritten Teil der ›Neuen Himmlischen Lieder‹ mitgewirkt hatte. Die 38 Lieder der ›Neuen Musikalischen Katechismus-Andachten‹ (1656) stammen von Andreas Hammerschmidt, der ebenfalls schon einen Teil der ›Neuen Himmlischen Lieder‹ gestaltet hatte und durch den erneut der Zusammenhang mit der sächsischen Liedpflege sichtbar wird; der Anhang wurde wieder von Jacobi vertont.

Die 24 Lieder in ›Die verschmähete Eitelkeit Und Die verlangete Ewigkeit‹ (1658) stammen wieder von Heinrich Scheidemann (1596–1663). Zur ›Neuen musikalischen Kreutz-Trost- Lob- und Dank-Schuhle‹ (1659) hatte wieder Johann Michael Jacobi die Melodien geschrieben, der außer als Mitarbeiter bei früheren Sammlungen auch als Komponist der Bühnenlieder in dramatischen Werken Rists in Erscheinung trat. Das ›Neue musikalische Seelenparadis‹ enthält in zwei Teilen (1660/62) insgesamt 164 Liedmelodien von Christian Flor. Mit den ›Hoch-heiligen Paßions-Andachten in Lehr- und Trostreichen Liedern‹ (1664) taucht ein neuer Name auf, der des Danzigers Martin Coler, zu dieser Zeit braunschweigisch-lüneburgischer Hofkapellmeister.

Der bedeutendste Komponist in diesem Hamburger Umkreis Rists war fraglos Johann Schop,[29] der als junger Geiger in der Wolfenbütteler Hofkapelle unter Michael Praetorius angefangen hatte. Über Kopenhagen war der bedeutendste Geiger der ersten Hälfte des 17. Jahrhunderts dann 1621 nach Hamburg gekommen. Seine Hinwendung zum Lied dürfte wohl auf Rists unmittelbare Anregung zurückgehen. Doch waren die Stilvorstellungen des dichtenden Pastors und des Musikers wohl nicht auf Dauer miteinander vereinbar. Rist hatte das Gemeindelied als Ideal im Sinn, aber Schop schrieb ihm schon für die ›Himmlischen Lieder‹ nicht nur schlichte Choralmelodien und -sätze. Zwar gehören die von ihm so konzipierten Lieder zu den besten Chorälen aus dieser Zeit und haben Jahrhunderte in den Gesangbüchern überdauert: ›O Ewigkeit du Donnerwort‹; ›Sollt ich meinem Gott nicht singen‹; ›Ermuntre dich, mein schwacher Geist‹; ›Werde munter, mein Gemüte‹. Aber es finden sich auch Melodien darunter, die von diesem Ideal wegführen. Möglicherweise hat Rist dies nicht mehr ändern können, weil alles „nur auff der Eile" (Rist im Vorwort) geschah, und deswegen in den folgenden Sammlungen andere Komponisten zur Mitarbeit herangezogen.

Darin lag das Dilemma des Theologen Rist, daß er um der Verbreitung seiner Lieder willen auf das Ideal des Gemeindelieds festgelegt war und deshalb gerade die stärksten Begabungen unter den von ihm herangezogenen Komponisten, die an anderer Stelle bedeutende Beiträge zur Geschichte des Liedes geleistet haben, aus dem Umkreis Rists mit seinen so eng begrenzten Entfaltungsmöglichkeiten ausschieden. Was ihm zur Mitarbeit blieb, waren sicherlich fähige Musiker, aber eben doch nur zweite Wahl. Daraus folgt, daß die Anstöße Rists trotz der großen Verbreitung seiner Sammlungen, trotz ihrer großen literaturgeschichtlichen Wirkung und Bedeutung, für die Ausbildung allgemeiner Vorstellungen über die Ästhetik des Liedes musikalisch zumindest zum großen Teil fehlschlugen. Das Niveau der Sammlungen untereinander ist infolgedessen sehr unterschiedlich, insbesondere wenn, wie in den ›Neuen Himmlischen Liedern‹, nicht weniger als sieben Komponisten aus mehreren hundert Kilometer voneinander entfernten Orten unter einen Hut zu bringen waren. Im Interesse der Durchsetzung seiner theologischen Texte ließ Rist denn auch bei fast allen Ausgaben den Hinweis abdrucken, die Texte seien auch auf bekannte Gemeindeliedmelodien zu singen.

Aber Rist hat sich nicht auf das geistliche (Gemeinde-)Lied beschränkt, sein ›Teutscher Parnaß‹ (1652) enthält in einem geistlichen Teil Erbauungslieder, in einem weltlichen Gelegenheitslieder zu Familienfesten, überwiegend aber Liebeslieder im Gewand der zeittypischen Schäferpoesie; Tanzcharaktere wie Ballett oder Allemande erscheinen. Im ganzen ist die Sammlung, nicht zuletzt wegen der Unterschiedlichkeit ihrer Komponisten, ziemlich uneinheitlich. Literarästhetisch wichtig ist das Vorwort, in dem Rist dem mythologischen Schwulst eine klare Absage erteilt.

Aber auch bei Rist waren Theorie und Praxis nicht immer deckungsgleich. Das zeigt sich an ›Des edlen Daphnis aus Cimbrien Galathee‹ (1642), einer literarischen Mystifikation, die offenbar mit Rists geistlichem Status zusammenhing: Angeblich handele es sich um Jugenddichtungen Rists, die ohne sein Wissen (!) herausgegeben worden seien, nachdem einiges daraus bekanntgeworden sei. Die Autorschaft dieser Liebesintrige ist jedoch gesichert, denn Daphnis aus Cimbrien war Rists Name in den Dichterakademien. Die Lieder, zumeist Nachdichtungen fremdsprachlicher Vorlagen, wurden von Heinrich Pape, Johann Schop und wohl Rist selbst vertont. Dasselbe Muster wurde 1651 für ›Des edlen Daphnis aus Cimbrien besungene Florabella‹ benutzt, wieder handelte es sich um eine Edition vorgeblich in unberechtigten Drucken erschienener Jugendwerke Rists, als deren nomineller Herausgeber diesmal der Komponist der Lieder, Peter Meier, fungierte.

Was bei Rist noch weitgehend theoretische Forderung blieb und lediglich in seinen geistlichen Gedichten weitgehend umgesetzt wurde, den mythologisierenden Sprachbombast abzustreifen, wurde von einem anderen Sammler und Herausgeber, auch von Hamburg aus, für das gesellige Lied dann doch in die Tat umgesetzt mit ›Erster Theil Allerhand Oden und Lieder welche auff allerley als Italianische, Frantzösische, Englische vnnd anderer Teutschen guten Componisten Melodien vnd Arien gerichtet, Hohen und Nieder Stands Persohnen zu sonderlicher Ergetzligkeit in vornehmen Conviviis und Zusammenkufften bey Clavi Cimbalen, Lauten, Tiorben, Pandorn, Violen di Gamba gantz bequemlich zu gebrauchen und zu singen‹ (1642). Herausgeber der rasch mehrfach aufgelegten Sammlung war Gabriel Voigtländer (ca. 1596–1643). An dieser Sammlung fällt auf, daß sie 1. mit dem Anspruch auftritt, die Soziologie des Liedgesanges, dessen Pflege sich im wesentlichen auf das städtische Bürgertum beschränkte und dessen Multiplikatoren in erster Linie die Studenten waren, zu verändern durch Einbeziehen der Geselligkeit der „hohen Stands-Persohnen", und 2., daß sie fast ausschließlich aus Kontrafakturen besteht.

Nur bei einer einzigen der 93 Melodien (Nr. 26) ist die Autorschaft Voigtländers gesichert; alles andere ist ohne Angaben von Quellen fremder Herkunft. Die meisten Vorlagen sind wohl noch nicht ermittelt, doch läßt sich an den identifizierten bereits ablesen, wie freizügig Voigtländer verfahren ist, und daß er sogar Stücke unterschiedlicher Herkunft zu einem zusammengefügt hat. Man hat die Sammlung daher mit der ›Singenden Muse an der Pleiße‹ verglichen. Die Texte jedenfalls stammen von Voigtländer und sind so populär und spritzig, z. T. boshaft auf typische Spottobjekte der Gesellschaft, wie die auf Heirat um beinahe jeden Preis ausgehende alternde Jungfer, ausgerichtet, daß H. Chr. Wolff Voigtländer den „Schöpfer des volkstümlich-satirischen Couplets in deutscher Sprache" genannt hat. Entsprechend groß waren Erfolg und Wirkung seiner Sammlung. Was bei solcher Textunterlegung, z. T. mit Sprichwörtern als „Aufhänger", beinahe unausweichlich kommen muß, ist denn auch hier zu beobachten: Inkongruenzen zwischen den Melodien und den ihnen aufgepfropften Texten. Das ist sicherlich wertästhetisch bedenklich, hat aber den Reiz der Sammlung nicht geschmälert, wobei auch gesehen werden muß, daß solche Inkongruenzen bei satirischen Texten ihre eigene Wirkung haben und das Ganze gelegentlich sogar in den Rang der Ironie, freilich wohl meist ungewollter, heben können. Die Gefahr des Abrutschens solcher auf Geselligkeit und damit Funktionalität angelegten Lieder vom Kunst- zum Triviallied wird jedenfalls schon sehr früh deutlich.

Der neue Ton Voigtländers hat sicherlich durchgeschlagen auf die Lyrik Philipp von Zesens (1619–1689), der schon vor Rist in Hamburg eine Sprachgesellschaft gegründet hatte, die „Teutschgesinnte Genossenschaft" (Rosenzunft). Seine Hauptbedeutung liegt in seinen mit Liedern durchsetzten Romanen, vor allem aber in seinen Bemühungen um die Orthographie und Reinigung der deutschen Sprache, die ihn freilich in Gegensatz zu Rist brachten. Zesen war wie Rist Literat und zog wie dieser Komponisten zur Vertonung seiner Lieder heran; es bleibt jedoch eine Anzahl von nicht zuschreibbaren Melodien, für welche dann die Urheberschaft Zesens angenommen wurde. War die erste Sammlung noch überwiegend ohne Melodien, so sind später die meisten Gedichte mit Noten versehen.

Musikalisch bedeutungsvoll sind hauptsächlich ›Filip Zesens dichterische Jugendflammen‹ (1651) und ›Filips v. Zesen dichterisches Rosen- und Liljen-Thal‹ (1670). Als Sammlung geistlicher Lieder kommt hinzu sein ›Gekreuzigter Liebesflammen … Vor[ge]schmak‹ (1653). Spätere Sammlungen führen durch Hinzufügen einer Solovioline über den Typ des generalbaßbegleiteten Sololieds bereits hinaus, gehen aber auch schon durch ihren Druckort Nürnberg wieder von der Hamburger Liedpflege ab. – Hauptkomponist Zesens war Malachias Siebenhaar (1619–1685), der alleine mit 30 Vertonungen vertreten ist. Er suchte der durch freie Kombination unterschiedlicher Versformen überaus komplexen Metrik Zesens durch engen Anschluß der Motivbildung an das Wort beizukommen. Das hat ihm die Charakterisierung

von der „gewissen Einfalt" (W. Vetter) seiner Vertonungen einge-
tragen, bei der aber vielleicht auch Zesens puristische Vorstellungen eine Rolle gespielt haben. – Er war auch der Komponist des
›Andächtiger Lehrgesänge … erstes Mandel‹, mit denen er durch
Hinzufügung einer Solovioline über das Sololied hinausging.

Der Literaturtheoretiker August Buchner, durch dessen Schule
Zesen und Siebenhaar an der Universität Wittenberg gegangen
waren, hat auch den Lyriker Jacob Schwieger (1624– nach 1660)
beeinflußt. Von Buchner wurde auch der dreizeitige Rhythmus
wieder eingeführt.[30] Schwieger hat die Mehrzahl der Lieder seiner ersten Sammlung wohl noch in seiner Studentenzeit unter
dem Eindruck Buchners geschrieben, sich aber von dessen Klas-
sizismus kaum beeinflussen lassen. Er schloß sich eher an Voigtländer an. Nur, wo dieser sich mit Andeutungen begnügte, höchstens zweideutig wurde, ist Schwieger so eindeutig, daß Hermann
Kretzschmar seine Texte mit Kirmesbildern von Teniers und
Brouwer verglich.

Im einzelnen handelt es sich um die Sammlung ›Liebes-Grillen‹ von 1654, 1655 kamen ›Des Flüchtigen flüchtige Feldrosen‹
heraus, bei denen Johann Schop als wichtigster Komponist im
Titel genannt ist; sie sind, vielleicht weil sie nicht mehr aus einem
gewachsenen Fundus von Dichtungen aus seiner Studentenzeit
stammen, ungleichmäßiger. Bei den Liedern der ›Wandlungslust‹
von 1656 ist wieder ein Komponist genannt, der Geiger Hans
Hake aus Stade, dem aber nur wenig aussagefähige Melodien gelangen. Insbesondere in den ›Liebes-Grillen‹ und bei den nicht
von Johann Schop stammenden Melodien der ›Flüchtigen Feldrosen‹ verbirgt Schwieger jedoch seine Komponisten hinter der
Formel „unterschiedliche, in der Sing- und Orgel-Kunst woler-
fahrne, gute Freunde", die nur durch ihre Namensinitialen
kenntlich gemacht sind. Hervorzuheben ist daraus wohl nur Albert Schop (* 1632), der in den ›Liebes-Grillen‹ allein mit 20 Liedern vertreten ist. Er wird von Zeitgenossen als „galanter Hof-
mann" geschildert und ist vielleicht gerade deswegen mit seinem
graziösen Tanzliedcharakter Schwieger besser gerecht geworden
als andere, die in dem einfachen Liedton der Hamburger Schule
steckenblieben.

1660 erschien unter der Autorenangabe „Filidor der Dorfferer"
eine Sammlung ›Die geharnschte Venus‹, unter der man Jacob

Schwieger vermutete.[31] Dessen Name in der „Teutschgesinnten Gesellschaft" war aber „Der Flüchtige". Man hat den Autor daher wohl doch in Caspar Stieler (1632–1707) zu sehen, auf den das Anagramm Peilcarastres verweist und der am Polnisch-Schwedischen Krieg teilgenommen hatte. Es handelt sich inhaltlich um „Liebes-Lieder, im Kriege gedichtet"; der Titel wurde so gewählt, „weil sie mitten unter denen Rüstungen im offenen Feld-Läger so wol meine als anderer guter Freunde verliebte Gedanken" wiedergibt.

Die Komponisten sind wieder, wie in der Hamburger Schule üblich, nur mit Initialen angegeben, einige Melodien stammen wohl von Stieler selbst und weisen ihn als begabten, aber ungeschulten Bearbeiter aus, so wenn instrumentale Vorlagen ohne Rücksicht auf das der menschlichen Stimme Erreichbare übernommen werden. Interessant ist in einem solchen Fall, bei dem es wohl überwiegend nur um redaktionelle Adaption von bereits vorhandenen Melodien und somit um Kompromisse zwischen ihnen und der Versgestaltung ging, die Bewußtheit des Herausgebers, mit der er einem potentiellen Kritiker dieses Verfahrens die Argumente aus der Hand zu nehmen sucht: „Er wisse aber, dass ich offt der Melodey zu gefallen etwas zwingen müssen, wiewol es mir mehr freyer zu tuhn als einem andern zu tadeln stehet." Andererseits ist deutlich, daß Stieler gelegentlich stärker dem „aus Welschland" entlehnten Prinzip des monodischen Rezitativs zu Lasten der motivischen Strukturierung seiner Melodien folgt. Zwar handelt es sich bei Stieler nicht um bloße Textierung französischer Modetänze, doch zeigen Angaben wie Ballet, Air oder Sarabande, welchem Charakter die Vorlagen folgen. Sofern damit nicht eine bloße Übertragung instrumental konzipierter Thematik verbunden war, darf man diesen Einfluß nicht nur – wie das früher zumeist geschah – unter dem Gesichtspunkt ihrer Vokalitätsferne sehen, sondern ihre einfache, streng periodisch gebaute Melodik ist geradezu eine der Voraussetzungen für die Durchsetzung des Prinzips der Sanglichkeit und der klassischen Formbildung im 18. Jahrhundert gewesen. Gerade im Rahmen der Hamburger Schule haben sich die Bemühungen Rists um das geistliche Lied und die Orientierung am Melodieideal der stilisierten Tänze französischer Herkunft zu einer gemeinsamen Tendenz der Entwicklung zusammengefügt.

Die Namen Zesens, Siebenhaars und Schwiegers haben mit der Universität Wittenberg und dem Literaturtheoretiker August Buchner als gemeinsamem Anreger Mitteldeutschland ins Blickfeld geraten lassen; das gilt auch für Stieler, der Mitglied der „Fruchtbringenden Gesellschaft" war. Zesen und Schwieger, die wir aus stilistischen Gründen der Hamburger Schule zurechnen, versuchten sogar vergeblich, sich in Hamburg festzusetzen. Die in der Literatur stark betonte Landschaftsgebundenheit der Liedproduktion, insbesondere eine Scheidung in sächsische und thüringische Schule neben der Hamburger, ist also mehr Fiktion als durch Fakten belegbar.

Das wird besonders deutlich an der Gestalt Andreas Hammerschmidts (1611–1675), bei dessen böhmischem Geburtsort der Hinweis nicht fehlt, daß er aus einer wegen der Gegenreformation remigrierten Familie sächsischer Herkunft stammte. Er wird ohnehin von der Musikgeschichtsschreibung bis heute ziemlich schlecht behandelt, weil er als Kirchenmusiker sich mit seinen Werken stärker an den Bedürfnissen seiner Kollegen orientierte als der für den Hofgottesdienst komponierende Schütz. Daß er damit eine besonders leicht imitierbare Technik begründete, die kleine Geister zur Nachahmung reizte, sollte man eigentlich nicht ihm anlasten. Immerhin hatte er eine außerordentliche Wirkung durch die große Verbreitung seiner Werke.

Am ehesten ist von den dichterischen Vorlagen her eine getrennte Behandlung begründbar, denn Hammerschmidt vertonte vorzugsweise Texte aus dem sächsischen Dichterkreis um Gottfried Finckelthaus und Paul Fleming, der seinerseits schon den Einfluß Johann Hermann Scheins aufgenommen hatte; Finckelthaus aber war der Vertreter der Natürlichkeit und Lebensrealität in diesem Kreis. Ab 1642/43 brachte Hammerschmidt zwei Teile ›Weltlicher Oden Oder Liebesgesänge‹ heraus, von denen sich nur ein vollständiges Exemplar[32] erhalten hat. 1649 folgte ein dritter Teil mit dem abweichenden Titel ›Geist- und Weltliche Oden und Madrigalien‹.[33]

Hier begegnet also erstmals die Spaltung in Oden, worunter man in allen Strophen metrisch gleichgebaute Lieder mit gleicher Reimstellung verstand, und madrigalische, d. h. meist zwei- oder mehrteilige, jedenfalls heterometrische Texte, die folglich differenziertere Vertonungen verlangten als das einfache Strophenlied mit seiner für alle Strophen gleichen Melodie. Daß diese nicht so präzise dem Text folgen konnte, verstand sich von selbst, da sie eben nicht auf die syntaktische Struktur und den Ausdruckscharakter der einzelnen Strophe eingehen konnte. Im konkreten Fall ist dann doch immer wieder einmal zu beobachten, daß einzelne Melodien von einer bestimmten, zumeist der ersten, Strophe ausgehen; kommt es dabei zum direkten Bruch mit einer anderen Strophe, ist dies ein ästhetischer Mangel der betreffenden Melodie.

Hammerschmidts Lieder zielen mit der Hinzufügung der Violine auf den Kammerstil, doch läßt er für den Fall, daß der Singende sich selbst begleitet, ausdrücklich den bloßen Generalbaß zu. So wurden die Lieder wohl in den Leipziger Studenten- und Literatenkreisen gesungen und nähern sich in der Aufführungspraxis denen der Hamburger an. In der musikalischen Form der Motivik ist er jedoch deutlich selbständiger als die unter dem Kirchenliedideal Rists arbeitenden Hamburger. Moderner ist auch seine gesamte satztechnische Praxis, da gibt es keine kirchentonalen Wendungen mehr, die moderne Taktnotation nimmt die Metrik des Textes auf, und die Melodieführung verstößt weder dagegen noch gegen die Logik der Vorlage.

Friedrich Blume hat einmal von den „klappernden Mechanismen" der kleinen Geistlichen Konzerte Hammerschmidts gesprochen. Was damit gemeint ist, findet sich exemplarisch auch in einem Lied wie ›Was ist doch der Menschen Leben‹[34]: Die zweite Melodiezeile beginnt mit einer Sequenzierung des Schlusses der ersten. Das entspricht insoweit noch der Ästhetik des Scheins des Bekannten im Lied und ist zudem eine aus der Praxis genommene Einsatzhilfe für den Sänger. Wenn aber die Violine dieselbe Figur noch einmal dazwischen bringt, nimmt der Hörer sie in kürzester Zeit dreimal wahr. Da nun die dritte Melodiezeile mit einer variierten Umkehrung des Motivs ansetzt und die Violine diese gleich aufgreift, ist mit den an sich präzisen Mitteln einer straffen und liedgemäßen Formgestaltung zuviel getan. Die letzten beiden Zeilen werden von Hammerschmidt aus Gründen der Symmetrie der musikalischen Form wiederholt. In ihnen wird das menschliche Leben dem Gras verglichen, und Hammerschmidt läßt es mit einer vollständigen Tonleiter aufwärts ohrenfällig wachsen. Nun wird jedoch auch diese rhetorische Figur zunächst von der Violine, dann vom Baß imitierend aufgegriffen; und da dies alles verdoppelt wird, folgen sechs aufsteigende Tonleitern in nur vier Takten aufeinander, und der als musikalische Verbindung zu der Wiederholung gedachte Einsatz einer Tonleiter abwärts im Baß ist auch nicht gerade der melodischen Belebung förderlich.

Es war diese Verwendung einfacher und sinnfälliger rhetorischer Figuren, die Hammerschmidts Vertonungen so reizvoll für die Nachahmung machte, weil hier für jedermann Rezepte der Textbehandlung zu liegen schienen. Dabei wird dann leicht übersehen, ein wie präziser musikalischer Formwille dahintersteht.

Straff organisierte Form zeigt auch das geistliche Lied bei Hammerschmidt, für das ›Oden‹ III, 1[35] als Beispiel herangezogen sei: Die zweite Melodiezeile ist eine Sequenzierung der ersten und ergänzt diese zur vollständigen Tonleiter, streng bezogen auf den Textinhalt „*alles* ist mir Gott allein". Dritte und vierte Melodiezeile sind bis auf die Kadenz an das liturgische Rezitativ angelehnt, doch sind Sprachduktus und die Intensivierung der Anrufung Gottes sorgfältig nachgezeichnet. Das Rezitieren wird in der zweiten Hälfte des Liedes wiederaufgenommen in klarem Textbezug auf Gott als „immer feste gnadenseul", womit ein Topos begründet wird, der sich bis in Beethovens Gellert-Lieder hinein verfolgen läßt. Die Wiederholung der Anfangszeile am Schluß betont die Geschlossenheit der Form.

Eine der entzückendsten Schöpfungen in der Geschichte des Liedes überhaupt ist schließlich die Vertonung von Paul Flemings Kußlied in ›Oden‹ I, 13[36]: dieselbe variative Technik strafffster Formbildung, die stets den „Schein des Bekannten" wahrt, dabei akribisch genau auf die syntaktische Struktur eingehend, so wenn in der dritten Zeile die Zweiteiligkeit in einer Binnensequenz aufgegriffen wird, und dieselbe Bildlichkeit der Textumsetzung, wenn das Sinken „in den Herzensgrund" mit einer Katabasis[37] angedeutet wird. Und doch ist das Ganze von einer Frische und Lebendigkeit des Ausdrucks, die in den dreieinhalb Jahrhunderten seit seiner Entstehung nichts von ihrer Unmittelbarkeit eingebüßt haben.

Neben einigen weniger bedeutenden Sammlungen wie den ›Vier und zwantzig Freuden-reichen Trost-Liedern‹ (1653) von Diederich von dem Werder oder Philipp Stolles Vertonungen der

›Singenden Rosen‹ (1654) des sächsischen Hofpoeten David Schirmer tritt mit der ›Aelbianischen Musen-Lust‹ (1657) eine Sammlung mit eigenem Profil hervor. Mit ihr kehren wir ins Umfeld des alternden Heinrich Schütz zurück, der ihre Drucklegung befürwortet hatte. Herausgeber der 174 Stücke, darunter 146 Lieder enthaltenden Sammlung war Christian Dedekind (1628–1715), ein Schüler Christoph Bernhards und noch Mitglied der sächsischen Hofmusik unter Schütz. Vierzig Texte der Sammlung stammen von ihm, von den übrigen Dichtern des „Sächsischen Parnaß" sind Fleming, Finckelthaus, Tscherning, Schirmer u. a. mit je zehn Texten vertreten.

Auffällig ist die Anlehnung an den ja auch zum Schütz-Umfeld gehörenden Heinrich Albert, die bis zur Nachempfindung ganzer Melodien geht. In der Verwendung wortgezeugter Figuren und der Technik der Variantenbildung gleicht sein Verfahren demjenigen Hammerschmidts, doch erreicht er nicht dessen straffe Organisation der Form, zum Teil offenbar wegen des Versuchs, seine Mittel zu überbieten. Das zeigt recht kraß seine Vertonung von Rists ›Der wahren Tugend Gegenstreit rührt von der Erden Eitelkeit‹ (II, 1 Nr. 4).[38] Die „Eitelkeit" wird mit einem „Saltus duriusculus"[39] wiedergegeben, die schnellebige Zeit wird motivisch zu ihr parallelisiert, aber auf halbe Notenwerte diminuiert, und damit ist ein erstes Mal das formale Gleichgewicht sprachlich gleicher Textteile aufgegeben. Das „schwere Joch" wird exakt in Noten nachgezeichnet, seine beiden Bogen sind sogar reine Augenmusik, überdehnen aber damit die Zeile auf das Doppelte der entsprechenden. Was „fleucht", wird natürlich mit einer Koloratur versehen, was „schwebt", nach oben geführt, und der „Staub" sinkt nach unten und wird harmonisch mit der „Eitelkeit" assoziiert. Ohne Hammerschmidts strenge Formbildung wirken dieselben Mittel aber eher übertreibend.

Ausgewogenheit und motivische Konzentration seiner Formbildung sind das Kennzeichen der Lieder Adam Kriegers (1634–1666), den man als den „ersten Klassiker" des Liedes bezeichnet hat. Der Schüler Samuel Scheidts war wohl als Student in Leipzig an die Gattung gekommen. Noch Mattheson weiß 1725 davon zu berichten,[40] daß er dort eine musikalische Gesellschaft begründet habe. Seine Wirkung hängt im Grunde an einer einzigen Sammlung ›Arien‹ mit 45 Liedern (und 5 Duetten und

Terzetten) von 1657, die nur fragmentarisch überliefert ist; lediglich ein Teil ließ sich aus Abschriften und Kontrafakturen rückerschließen. Nach Kriegers frühem Tode haben Freunde dann aus seinem Nachlaß eine Sammlung ›Neuer Arien‹ (1667)[41] zusammengestellt, bei der jedoch die Zahl der breiter angelegten und bis zu fünfstimmigen Stücke dreimal so hoch ist. Keine Frage also: Kriegers künstlerische Entwicklung tendierte zur Kantate; von manchen Stücken hat man sogar vermutet, daß es sich bei ihnen ursprünglich um Opernszenen gehandelt habe. Die einstimmigen Lieder in beiden Sammlungen jedoch sind – abgesehen von einem sichtbaren Reifungsprozeß – stilistisch gleich.

Die Liedhaftigkeit der Königsberger und der periodische Bau der stilisierten Tänze, wie sie seit Voigtländer im Lied eingesetzt wurden, gehen bei Krieger eine enge Verbindung ein. Die Melodien sind meist aus einem Kernmotiv abgeleitet, das als solches gar nicht in Erscheinung zu treten braucht, aber als einheitstiftendes Element allgegenwärtig ist. Bis heute hat sich in den Gesangbüchern eines der klassischen Abendlieder, ›Nun sich der Tag geendet hat‹,[42] erhalten.

Trotz einfacher und klarer Melodiestrukturen hat Krieger das Lied dem Kammerstil zunehmend angenähert, einmal durch die instrumentalen Ritornelle, die in der Besetzung zwischen den ›Arien‹ und den ›Neuen Arien‹ von drei auf fünf Streichinstrumente anwachsen. Sie haben gelegentlich bereits eine deutliche Tendenz zum Solokonzertsatz. Größere Stücke wie die zweiteilige ›Aphroditen-Klage‹[43] mit einem Binnen- und einem Schlußritornell, den bereits an die Grenzen des Liedstils heranreichenden zahlreichen und hochexpressiven Wortwiederholungen mit ihren engen Klageintervallen und einer Harmonik, die von der Basis a-Moll aus im selben Takt F-Dur, e-Moll und D-Dur berührt, sind eindeutig auf dem Wege zur Kantate.

Eine soziologisch interessante Wandlung der Trägerschicht und damit des Stils kündigt sich mit Johann Theile (1646–1724) an. Kriegers Instrumentalritornelle konnten zumindest weggelassen werden, ohne die Singbarkeit und die generalbaßgestützte Begleitung zu gefährden. Theile dagegen geht von der instrumentalen Begleitung aus, obwohl auch er als Student in Leipzig zum Lied gekommen war. Seine dreimal zehn ›Weltlicher Arien und Canzonetten‹ (1667) mit bis zu vier Vokal- und fünf Instrumentalstimmen, die mit einem geschulten Sänger rechnen, sind mithin schon wegen der Mehrgliedrigkeit ihrer Textvertonungen und Ritornelle[44] eindeutig auf dem Wege zur Kantate und damit zum Kammerstil, verlassen also die Ebene des Laiengesangs.

So rasch und konsequent in den beiden ersten Dritteln des 17. Jahrhunderts ein gattungsgemäßer Stil für das neue Lied entwickelt worden war, so rasch geriet es in der Folgezeit in den Sog des konzertanten Stils und der Entwicklung zur Kantate. Das ist vom Gesichtspunkt der Komponisten her verständlich, denn das Lied gehörte zur „niederen Schreibart", die von ihnen Enthaltung forderte von den immer differenzierteren Mitteln musikalischer Textumsetzung, welche die Zeit entwickelte. Es forderte eine Melodie für alle Strophen, die nach Form und Metrum gleich gebaut sein mußten, und Verzicht auf die ebenso geistvollen wie dem Verzierungs- und Dekorationsbedürfnis der Zeit entsprechenden Möglichkeiten des Wechselspiels zwischen Singstimme und verschiedenen Instrumenten. Dies alles bot die Kantate, die zudem noch textlich freier zu handhaben war, da sie aus ihrer Gattungsgeschichte und -typologie heterometrisch angelegt war. Sie bot daher nicht nur die größeren musikalischen Gestaltungsmöglichkeiten, sondern war den städtischen Kirchenmusikern in dem Gegensatz zwischen schlichtem Gemeindechoral und einer „wohl regulirten" modernen Kirchenmusik, die es zu erreichen galt, allzu gegenwärtig. Für die Hofmusiker, die ohnehin sich im Kammerstil bewegten und für welche die niedere Schreibart außerhalb ihrer dienstlichen Funktionen lag und allenfalls für ihren außerdienstlichen privaten Bedarf in Frage kam, stellte sich das Problem gar nicht.

So ist es nur zu verständlich und hat mit einer Abkehr von der Volkskultur zugunsten internationaler Formen nur sekundär etwas zu tun, wenn ein Komponist wie Johann Krieger (1652–1735), der jüngere Bruder des berühmteren Opernkomponisten Johann Philipp Krieger in Weißenfels, sich neben mehr als zweihundert Kirchenkantaten für städtische Gottesdienste auch in seinen Liedern diesem Stil annäherte. Interessanter ist schon, wie er zum Lied kam: Offenbar hatte der Dichter und Pädagoge Christian Weise (1642–1708) ihn nach Zittau geholt. Neben seinen Romanen und politisch-rhetorischen Lehrschriften schrieb er an die fünfzig Schuldramen. Und da neben dem Rollenspiel wenig so im Gedächtnis haftet wie ein knappgehaltener, gereimter und gesungener Text, wurden in diese Schul-„Komödien" Lieder eingebaut, die Johann Krieger vertonte. Er faßte die bis dahin entstandenen mit anderen auf Texte Weises vertonten Liedern 1684 zusammen zu ›Neue musicalische Ergetzligkeit‹, bestehend aus 30 schlichten geistlichen, 34 sehr viel freieren weltlichen Liedern und in einem dritten Teil den Liedern aus fünf Schulkomödien. – Zwar verfügt Krieger durchaus über eine Erfindungsgabe, die den gesellschaftskritisch-satirischen Ton Weises musikalisch umsetzt. Der Zug zum konzertant-kantatenhaften Satz mit zahlreichen Imitationen ist jedoch so dominant, daß musikalische Gelehrsamkeit des Komponisten und der didaktische Zeigefinger des Textdichters eine Verbindung eingehen, die Zielsetzung und -gruppe der Lieder eindeutig verfehlte. Dabei zeigt die Kritik an der Geldgier der Menschen aus dem zweiten Teil der Sammlung,[45] wie treffend Krieger die Atemlosigkeit der Jagd nach dem Geld umsetzt und durch die gleiche Figur für die „Losung": „Geld, Geld" und das „Verlangen" musikalisch Assoziationen herstellt, welche die Sprache nicht bietet. Aber da er dieselbe Figur auch noch vorausimitierend im Baß als Zeilenüberbrückung einsetzt, wird sie mit ihrem zehnmaligen Auftreten in 30 2/4-Takten gleichsam zu Tode geritten, zumal die Zwischenzeilen mit ihren Sequenzen als Kanon zwischen Melodie und Baß angelegt sind: Satztechnischer Aufwand und Inhalt wie Form des Liedes geraten in Widerstreit miteinander.

Die Tendenz zum instrumentalen kammermusikalischen Satz nahm rapide zu: Jakob Kremberg (ca. 1650–1718) legte die Lieder seiner ›Musicalischen Gemüths-Ergötzung‹ (1689) zugleich als reine Instrumentalsätze („samt den ihnen unterlegten hochdeutschen Gedichten") an. Da die Stücke „nach eines jeden Instruments Natur und Eigenschaft gantz bequehm in die Hand gesezet" sind, liegt ihr Kompromißcharakter auf der Hand. Solche Stücke können sich notwendigerweise nicht mehr an der Stiltypik des Liedes orientieren, sondern sind, wie es denn auch im Titel heißt, „nach der neuesten Italienisch und Frantzösischen Manier ... verfertiget": Das Vorbild der italienischen Kantatenbzw. Opernarie und der französischen stilisierten Instrumentaltänze schlug durch. Das wirkte sich besonders fatal aus, wenn es sich auch auf die schludrige Sprachbehandlung der zeitgenössischen italienischen Arie bezog. Völlig instrumental bestimmt ist etwa die aufsteigende Oktave auf die Zweifelsfrage: „Soll ich lieben oder nicht" (in ›Gebet Rath, getreue Sinnen‹),[46] die man in der Zeit als textdeutende Figur der Anabasis kannte, die als solche hier aber überhaupt keinen Sinn macht, sondern der Aussage des Textes schlechtweg zuwiderläuft. Daß man hier aber nicht einfach Unvermögen unterstellen darf, zeigt ein so vollkommenes Lied wie ›Grünet die Hoffnung‹,[47] das in Text und Melodie von Kremberg stammt.

Hermann Kretzschmar hat in seiner Geschichte des deutschen Liedes eine thüringische von der sächsischen Schule zu unterscheiden gesucht. Dies läßt sich jedoch höchstens negativ insofern begründen, als die sächsischen Komponisten sich tatsächlich weitgehend auf einen zusammenhängenden Dichterkreis mit Fleming und Finckelthaus an der Spitze stützten; musikalisch-stilgeschichtlich ist eine derartige Unterscheidung kaum zu treffen. Im Gegenteil: gerade bei den maßgeblichen Literaten war immer wieder auf Mitteldeutschland und die Universität Wittenberg hinzuweisen. Diese Verbindung war naturgemäß in beiden Richtungen wirksam, so wenn der Weimarer Hofdichter Georg Neumark (1621–1681) sowohl persönliche Kontakte zu Rist und Schop unterhielt wie auch Mitglied der Pegnitz-Schäfer wurde. Sein ›Poetisch- und musikalisches Lustwäldlein‹ (1652) nimmt denn auch zunächst – wie es bei den sächsischen Komponisten schon zu beobachten war – Anregungen Heinrich Alberts auf. Von diesen Liedern hat sich sein ›Wer nur den lieben Gott läßt walten‹ bis heute lebensfähig erwiesen und weist zugleich auf das Rist-Umfeld in Hamburg.

1657 erschien Neumarks ›Fortgepflanzter musikalisch-poetischer Lustwald‹ in drei Teilen, von denen aber nur der erste mit (85) Melodien versehen ist, zu denen jetzt zwei Violinen hinzugefügt sind, einerseits Rückbesinnung auf Albert, zum anderen aber auch Anschluß an die neueren Entwicklungstendenzen, denn er versucht sich schon in Einleitungssinfonien („Vorklang"), die motivisch auf das Melodiematerial des Liedes hinführen. – Eine vergleichbare historische Entwicklung vom norddeutschen Stilzusammenhang und Druckort signalisieren ›Zweyer gleich-gesinnten Freunde Tugend- und Schertz-Lieder‹ (Bremen 1657), die Johann Jacob Loewe (1629–1703) zusammen mit Johannes Weiland herausgab. Eine 1665 in Jena gedruckte Sammlung lehnt sich dann ausdrücklich an Dedekinds ›Aelbianische Musenlust‹ an als ›Salanische Musen-Lust‹, wobei der Zusammenhang mit der älteren Sammlung hergestellt wird durch die gleiche Herausgeberangabe „Zweyer gleich-gesinnten Freunde", wohinter sich diesmal allerdings ein anderer Koautor verbirgt.

Der einzige direkte Hinweis auf Thüringen als eigenständige Liedlandschaft ist der ›Neu-gepflanzte Thüringische Lustgarten‹ (1657) mit „neuen musicalischen Gewächsen", wohingegen ›Des Neugepflanzten Thüringischen Lustgartens Nebengang‹ (1663) geistliche „Concert-Gewächse" enthält. Verfasser war Johann Rudolph Ahle (1625–1673), Bachs Vorvorgänger als Organist in Mühlhausen. Während der erste Teil drei- bis zehnstimmige Sätze enthält, hat der zweite auch einstimmige Stücke, doch ist auch bei ihnen die Singstimme eingeflochten in den kontrapunktischen Satz. Der Stil ist also auch hier eher dem verpflichtet, was der dritte Teil und der ›Nebengang‹ auch benennen, dem kleinen Geistlichen Konzert.

Zwischen 1660 und 1662 ließ Ahle in vier Folgen je zehn ›Geistliche Arien‹ drucken, in denen er sich dem Kirchenliedideal Rists stark annäherte. Aber auch hier blieb er beim eigentlich auf Chor gerichteten Satz, während die Hamburger diesen, wenn überhaupt, nur separat vorlegten, und den Instrumentalritornellen der Mitteldeutschen.

Der unmittelbare Bach-Vorgänger Johann Georg Ahle (1651 bis 1706) gab Lieder im Rahmen einer vierteiligen Erzählung didaktischen Charakters heraus, unter dem an Dedekind und Loewe sich anlehnenden Namen ›Unstrutische Clio‹ (1676), der ein Jahr später eine ›Unstrutische Calliope‹ und eine ›Erato‹ sowie 1678 eine ›Unstrutische Euterpe‹ folgten. Auch Melpomene und Apollo erschienen als Titel hier nicht heranzuziehender Werke, stets in Verbindung zu dem Saalenebenflüßchen Unstrut, an dem Mühlhausen liegt. Stilistisch ist zwar Ahles Neigung zu Volks- und Tanzmelodik unverkennbar, doch die Tendenz der Zeit, von der niederen Schreibart loszukommen und das Lied auf die Höhe der zeitgenössischen Kunst zu heben, überlagert sie so, daß sich ein Widerspruch auftut zwischen Liedton und Kunstsatz. Zwar verarbeiten seine Ritornelle Motive des Liedes, so daß sie musikalisch enger miteinander verbunden sind, aber die Erweiterung des Instrumentariums noch über jenes des Vaters hinaus bis hin zu Trompeten und Posaunen macht den Bruch unübersehbar.

In die Richtung der beiden Ahles weist das Liedschaffen Wolfgang Carl Briegels (1626–1712), der so Bedeutendes für die Entwicklung der Kantate geleistet hat. Noch in seiner Zeit als Hofkantor in Gotha veröffentlichte er einen ›Musikalischen Rosengarten‹ (1658), in dem jedoch mehrstimmige Stücke überwiegen. Auch seine 20 ›Geistlichen Arien‹ sind mit Instrumentalsatzeinkleidung versehen. – Die einzige Sammlung eines Komponisten aus diesem Raum, die wirklich einfache Lieder ohne kunstvolle motettische oder konzertante Überformung geboten haben soll, Johann Christoph Görings ›Liebes-Herzenblümlein‹ (1645), ist wohl nicht mehr nachweisbar und wäre schon wegen des Publikationsortes Hamburg auch eher diesem Stilkreis zuzuordnen.

Das gilt noch mehr für Georg Grefflinger (ca. 1620–1677), um den herum Hermann Kretzschmar förmlich eine eigene Frankfurter Liedtradition gruppiert. Aber seine dortigen Sammlungen, darunter eine ›Beständige Liebe‹ und eine ›Wankende Liebe‹ (1644), sind sämtlich ohne Melodien. Erst als er sich nach Hamburg gewandt hatte, erschien 1651 auch eine Sammlung mit Noten, ›Seladons weltliche Lieder‹,[48] hinter der jedoch lediglich Kontrafakturen vermutet wurden, so daß auch er dem Hamburger Stilkreis, inhaltlich der Voigtländer-Nachfolge, zuzurechnen wäre. Nur dem Druckort Frankfurt (Main) verpflichtet sind zwei Sammlungen ›Neu ausgeschlagener Liebes- und Frühlingsknospen … Erstlinge‹ und ›… Nachschößlinge‹ (1664); inhaltlich verweisen auch sie, deren nur mit Initialen angegebener Komponist nicht identifiziert ist, nach Hamburg. Das gleiche gilt für eine anonym 1695 in Frankfurt am Main gedruckte Sammlung ›Leucoleons Galamelite Oder Allerhand Keusche Lust- und Liebes-Lieder‹, als deren Komponist der Braunschweiger Organist Delphin Strunck genannt wurde, neuerdings auch sein Sohn Nikolaus Adam. Beide hatten enge Bindungen nach Hamburg, der Sohn war später in Dresden und Leipzig tätig. Ob nun lediglich Hamburger Einflüsse oder auch Verbindungen zur mitteldeutschen Liedtradition angenommen werden müssen: Die Tendenz zu breiter angelegten Vokalformen findet sich auch hier.

Eine kontinuierliche, historisch und ästhetisch bedeutende

Liedpflege gab es hingegen in Nürnberg, wo Georg Philipp Harsdörffer 1644 den Pegnitz-Schäfer-Orden gegründet hatte und somit auch ein literarischer Kristallisationskern für das Lied vorhanden war. Seine 300 ›Frauenzimmer-Gesprächsspiele‹ (1643–57), die u. a. 1644 Sigmund Theophil Stadens (1607 bis 1655) ›Seelewig‹ vollständig abdruckten, enthalten auch sonst von ihm vertonte Lieder. Staden begegnete uns schon als Komponist bei Rists ›Neuen Himmlischen Liedern‹. Er selbst gab zwei Teile einer ›Seelen-Music‹ (1644/48) nach J. M. Dilhers Andachten heraus, die zwar in vier Stimmbüchern gedruckt wurden, aber „auff eine solche Art dass sie auch nur mit einer einigen Stimm neben dem Basso ad Organ: auss einem Buch zu singen gesetzt" sind. Es handelt sich um völlig oberstimmenorientierte, schlichte und eindrucksvolle Trostlieder.

Johann Erasmus Kindermann (1616–1655), der wie Sigmund Theophil Staden in der Liedtradition von dessen Vater Johann aufgewachsen war, gab 1642 eine Sammlung mit 27 Opitz-Vertonungen unter dem Titel ›Optianischer Orpheus‹ heraus, die ad libitum mit instrumentalen Ritornellen versehen waren; auch in diesem Umfeld beginnt damit die Tendenz zum Kammerstil. Bedeutendstes Liedwerk aber war nach einer ›FriedensKlag‹ und einem ›Musicalischen Friedens Seufftzer‹ von 1642, die drei- bis vierstimmig gesetzt sind, seine ›Musicalische Friedens-Freud‹ von 1650 (nicht 1630) auf das Ende des Dreißigjährigen Krieges. – Im Bereich des geistlichen Liedes tritt der Nürnberger Kreis noch am stärksten als kohärente Gruppe auf, aus der Paul Hainlein, Johann Löhner, Georg Caspar Wecker, Heinrich Schwemmer u. a. zu nennen wären. Die Grenzen zum Kunstlied hin beginnen sich auch hier zunehmend zu verwischen, was insbesondere an Johann Christoph Arnschwangers ›Heiligen Psalmen‹ (1680) deutlich wird, in denen sich mit allein 62 Generalbaßliedern Kindermann-Nachfolger Paul Hainlein (1626–1686) vom reinen Gemeindelied emanzipiert und als Liedkomponist profiliert.

Ganz gegen Ende des Jahrhunderts, als das Lied bereits weitgehend durch andere Vokalformen verdrängt worden war, erstanden in Johannes Martin mit dem Kapuzinerordensnamen Laurentius und der Herkunftsbezeichnung von Schnüffis (Voralberg) und seinem Mitstreiter Pater Romanus Vötter, den Walther Vetter förmlich „den Schubert des 17. Jahrhunderts" nannte, zwei der stärksten Gestalten. Sie widerlegen zumindestens teilweise zwei Vorurteile, die Hermann Kretzschmar in die Geschichtsschreibung des Liedes gebracht hat, es habe in Süddeutschland keine Liedpflege gegeben und dies habe konfessionelle Gründe. Dabei muß natürlich unbestritten bleiben, daß im Protestantismus das Lied eine erheblich größere Rolle spielte als im Katholizismus und daß dies selbstverständlich geographische Folgen hatte. Aber auch im katholischen Bereich gab es Formen der Volksfrömmigkeit, die sich im Lied äußerten. Was davon an Marienliedern in der ›Mirantischen Mayenpfeiff‹ (1692) des P. Laurentius von Schnüffis (1633–1702) sichtbar wird, ist also sicher nur ein Teil einer viel größeren Tradition. P. Laurentius, der in seinen Publikationen stets seinen Eigennamen in dem Anagramm „Mirant" versteckte, begann mit einer autobiographischen Erzählung ›Philotheus, oder deß Miranten durch die Welt und Hofe wunderlicher Weeg nach der Ruh-seeligen Einsamkeit‹ (des Klosters; 1665), die einen Anhang eigener Lieder enthält. Es folgte eine heute schwer verständliche „Geistliche Schäfferey In welcher Christus unter dem Namen Daphnis die in dem Sünden-Schlaff vertieffte Seel Clorinda zu einem besseren Leben aufferweckt" unter dem Titel ›Mirantisches Flötlein‹ (1682). Auch bei der dritten Publikation, einer allegorisierend-didaktischen Erzählung mit dem Titel ›Mirantische Wald-Schallmey‹ (1688), handelt es sich lediglich um an- bzw. eingefügte Lieder. Selbst die Marienlieder der ›Mirantischen Mayen-Pfeiff‹ stehen unter der merkwürdigen Prätention, daß ein Hirt namens Clorus der „Himmelskönigin Schön-, Hoch- und Vermögenheit anmuthig" besingt. Lyrik war eben der Zeit kaum noch als Erlebnisaussage eines lyrischen Ichs vorstellbar, sondern nur als Rollenaussage eines unverbildeten arkadischen Hirten. Und mit diesem Faktum wurde die Kantate, welche die erzählende Situationsbeschreibung und die Identität des Singenden von der lyrischen Aussage zu trennen vermochte, besser fertig. Es ist also nicht zu übersehen, daß die Literatur der musikalischen Entwicklung zur Kantate Vorschub leistete.

Mit der ›Mirantischen Maul-Trummel‹ (1695)[49] legte P. Laurentius zum ersten Mal eine reine Liedersammlung vor. Obwohl er sie jedoch wieder mit einem Volksmusikinstrument benannte und dieses dem Armutsideal seines Bettelordens gemäß in der Vorrede ausdrücklich gegen „anders fürnehmes Seiten-spil" ausspielte, haben die Lieder im Gegensatz zu seinen eigenen Marien- und anderen Liedern ausgeprägten Kunstliedcharakter. Schon der optische Vergleich zwischen den Laurentius-Liedern[50] und denen der ›Maul-Trummel‹[51] zeigt, daß hier ein anderer Stilwille zugrunde liegt. Die Melodien stammen von einem Ordensgeistlichen aus Memmingen namens Romanus Vötter, der von P. Laurentius mit der Vertonung der Texte beauftragt wurde, „weilen meine vorhergehende [Melodeyen] jezigen Musicanten nicht belieben wöllen", d. h. professionelle Musiker hatten den schlichten Liedstil der voraufgegangenen Publikationen für nicht auf dem Entwicklungsstand der Zeit gehalten. Nicht allein die dafür gewählte Formulierung läßt einen gewissen Vorbehalt Johannes Martins dagegen erkennen, sondern vielleicht ist auch die Tatsache dahin zu deuten, daß er in dem noch folgenden ›Futer über die Mirantische Maul-Trummel‹ (1698) wieder auf eigene Melodien zurückgriff.

Die in die Augen springende Lebendigkeit der Melodiebildung, die stets gewahrte Ästhetik des „Scheins des Bekannten", die Fähigkeit zum Humor, die bislang schon als Beleg für den ästhetischen Rang der Lieder Vötters genannt wurden, sind es aber nicht allein, was diese Vertonungen so heraushebt in einer Zeit, in welcher sich die Komponisten allgemein von dieser Gattung wegen ihrer zu geringen Möglichkeiten abwandten. Es sind vielmehr auch die ungemein straffe musikalische Formung, die zugleich ein äußerst differenziertes Eingehen auf die syntaktische und metrische Struktur des Textes ermöglicht, und das Aufnehmen auch von Einzelheiten oder Ausdruckswerten einzelner Begriffe. Das Lied ›Maul-Trummel‹ III, 4[52] zeigt dies schon sehr deutlich: Reichtum und Weisheit des alttestamentarischen Königs Salomo werden mit jenen des sagenhaften lydischen Königs Krösos verglichen, der auch tonräumlich niedriger als der höhere und mit vielen Verzierungen glänzende Salomo geschildert wird. Gleichwohl sind aber das Enjambement der ersten beiden und die Trennung der parallelisierten dritten und vierten Zeilen sorgfältig beachtet. Die Weisheit Griechenlands mit ihrer Klarheit rezitiert schlicht über wechselndem Baß (Z. 5), wohingegen diejenige Ägyptens als sehr kraus und bizarr gezeichnet wird. Da aber selbst derartige Nuancen sich im Bereich der Variation einfacher Motive bewegen, ist die strukturelle Einheit der Komposition auf das strengste gewahrt.

In besonders eindrucksvoller Weise zeigt ›Maul-Trummel‹ II, 8[53] die strukturbildende Arbeitsweise Vötters: die ersten drei Zeilen werden durch das tiefsequenzierte gleiche Anfangsmotiv miteinander verbunden, wobei das Enjambement von der ersten zur zweiten Zeile wie auch der folgenden sorgfältig überkomponiert ist.

> Ob Argus hundert Augen schon
> an seinem Leib gehabt,
> mit welchen er auch zweifelsohn
> wurd' als ein Hirt begabt,
> so wurd' er dann noch mit verdruss
> der Juno umbgebracht,
> allweil der Augen überfluss
> unachtsam ihn gemacht.

Der syntaktische Zusammenhang der dritten mit der vierten Zeile erforderte eine Veränderung der Melodieführung, die Vötter durch eine Verlagerung des Anfangsmotivs in den Baß musikalisch legitimiert. In der zweiten Hälfte der Strophe wird das ursprüngliche Anfangsmotiv jeweils ans Ende der Zeile versetzt, das Enjambement durch Engführung zwischen Melodie und Baß eingebunden. In der letzten Zeile wird das Motiv wieder an den Anfang gerückt, so daß es zusammengenommen mit dem Ende der vorletzten Zeile zweimal hintereinander erklingt und damit den „überfluss" und seine Folge, die Unachtsamkeit, auch musikalisch miteinander verknüpft werden. Eine derartig enge strukturelle Verbindung von musikalischer Formgebung sowie Textumsetzung und -ausdeutung begründet sicher einen hohen ästhetischen Rang, aber auch einen Kunstanspruch, der über die schlichteren Melodien des P. Laurentius entscheidend hinausgeht. Solche Leistungen aber stellen zumindest klar, daß nicht die Fähigkeit zur Liedkomposition abhanden gekommen war, sondern der Gestaltungs- und Ausdruckswille der Komponisten sich breitere Entfaltungsmöglichkeiten suchte.

Ein Problem eigener Art ist der Verfall der protestantischen Kirchenmusik als einer breiten Grundschicht der Liedpflege, auf welcher das Kunstlied als Überbau stehen konnte. Einer wahren

Flut von Neudichtungen steht die musikalische Verkümmerung des Melodienbestandes und der Entrhythmisierung („Gemeinde-Isorhythmie") entgegen, an der selbst Rist trotz intensivster Bemühungen letztlich gescheitert ist. – Die Ironie des Schicksals historischer Verkennung hat verursacht, daß die Geschichte des Liedes ausgerechnet den Komponisten für die rhythmische Verflachung des protestantischen Chorals verantwortlich hat machen wollen, der noch einmal wirkliche melodische Erfindungskraft besaß: Johann Crüger (1598–1653). Aus dem ursprünglichen kurfürstlichen Auftrag, das protestantische Liedrepertoire in modernen Generalbaßsatz zu bringen, entwickelte sich das meistaufgelegte Gesangbuch der evangelischen Kirchenmusik, von der zweiten Auflage (1647) an mit dem Titel ›Praxis Pietatis Melica‹. Siebzig Melodien darin stammen von Crüger, teilweise als Neufassungen bereits vorhandener Melodien; ihre Qualität veranlaßte die evangelische Kirchenmusik, in Crüger den „bedeutendsten Melodie-Schöpfer seit Luther" (Mahrenholz) zu sehen. In der Tat liest sich der Katalog seiner Liedmelodien heute noch wie ein Querschnitt durch das evangelische Kirchengesangbuch. Sie folgen häufig einem bestimmten rhythmischen Modell, sind also gerade nicht entrhythmisiert, und obwohl wir sie heute für beinahe typische Gemeindechoräle halten, standen sie ursprünglich auf der Grenze zum Kunstlied, gedacht für die musikalisch Gebildeten, die sie zur Generalbaßbegleitung im häuslichen Kreise sangen.

Auch dem Hamburger Kirchenlied erwächst in Johann Wolfgang Franck noch einmal ein Melodist von Format, der zu den ›Geistreichen Liedern‹ (1681) des Hamburger Predigers Heinrich Elmenhorst insgesamt 70 Vertonungen[54] beisteuerte. Die Frische und Lebendigkeit seiner Lieder haben Vergleiche mit Romanus Vötter herausgefordert; zwar erreicht er nicht dessen Formstrenge, doch geht er mit seinen umfangreichen Textwiederholungen und den langen jubelnden Koloraturen (vgl. seine Vertonung von ›Nun danket Gott mit Herz und Mund‹) weit über ihn hinaus und zeigt, daß auch das geistliche Lied der Hamburger zum Kunstlied geworden ist und sich auf dem Wege zum konzertanten Vokalstil der Kantate befindet.

Nach Umfang und stilistischer Identität der Gattungstypologie nimmt die Liedproduktion in den achtziger Jahren des 17. Jahrhunderts rapide ab, nachdem in wenigen Jahren im raschen Zugriff die Ausdrucks- und Gestaltungsmittel der neuen Kunstform entwickelt und ausgebaut worden waren. Den ebenso raschen Verfall hat man dagegen nicht im Unvermögen der nachwachsenden Komponistengenerationen zu suchen, sondern zum einen in dem ansteigenden Kunst- und Autonomieanspruch, den Künstler wie Rezipienten gleichermaßen an das musikalische Werk stellten und der eine klare Hierarchie von hoher, mittlerer und niederer Schreibart (nicht zu verwechseln mit dem Stilbegriff der Zeit, der etwa Theater-, Kirchen- und Kammerstil unterschied) umschloß. Das Lied aber erforderte wegen seiner Trägerschicht die niedere Schreibart, für den Komponisten mithin den weitgehenden Verzicht auf den Einsatz der modernen Errungenschaften einer sich rapide differenzierenden Ton*kunst*. Zu einer derartigen Selbstentäußerung von ihrem Kunstanspruch waren gerade die bedeutendsten Köpfe der Zeit immer weniger bereit.

Neben dem wachsenden Autonomieanspruch des Kunstwerks war aber zum anderen auch ein stilistischer Grund entscheidend für die Verschiebung vom Lied zur dreiteiligen Arie und deren Einbindung in die Kantate bzw. Opernszene: Im Gegensatz zur Arie vertrug das Lied nicht die Verschmelzung mit dem konzertanten Stil, das Wechselspiel mit obligaten Instrumenten. Die kunstvolle Verflechtung von Singstimme und obligatem Instrument, die für die Arien Bachs und seiner Zeitgenossen so typisch ist, gehörte fraglos zur hohen Schreibart, bot nahezu unbegrenzte Gestaltungsmöglichkeiten und offenbarte die satztechnische Meisterschaft eines Komponisten. Aber sie führte unweigerlich zu einer Instrumentalisierung des Vokalstils, denn instrumentaler Solopart und Singstimme waren zumindest am Anfang einer Arie in ihrer Thematik identisch. Damit verschwand der gattungstypische Vokalstil des generalbaßbegleiteten Sololiedes aus der Kunstmusik.

DAS LIED DES 18. JAHRHUNDERTS

Man hat die Zeit vom Ausgang des 17. bis zum gesamten ersten Drittel des 18. Jahrhunderts eine liederlose Zeit genannt, und in der Tat schrumpft die Publikation von Liedern nach der reichen ersten Blütezeit für diese ganze Zeitspanne von einem halben Jahrhundert auf nicht einmal zehn Sammlungen mehr oder weniger peripheren Charakters, die zudem nur teilweise weltliche einstimmige, dafür jedoch meist mit Instrumenten begleitete Sätze enthalten. Dies Bild ist jedoch insofern trügerisch, als es nur das Kunstlied im engeren Sinne betrifft. Die Gründe wurden im Zusammenhang mit der stilistischen Verschiebung innerhalb der Gattung bereits diskutiert. – Sie bezogen sich aber nur auf den Kunstcharakter des Liedes, und natürlich haben die Studenten und die städtische Bürgerschicht sich in dieser Zeit nicht allgemein darauf kapriziert, nur noch Arien und Kantaten zu singen. Handschriftliche Liedersammlungen belegen vielmehr ein ungebrochenes Interesse am Lied und eine höchst lebendige Liedpflege, die freilich nicht mit wertästhetischen Maßstäben zu messen waren. In Wirklichkeit handelt es sich also weniger um eine liederlose Zeit als um einen Rückfall der Gattung aus den Kategorien der Wert- in die der Funktionsästhetik mit Folgen für ihre Verbreitungsform: was nicht mit dem Anspruch des Kunstwerks auftrat, wurde auch nicht im auf Dauer angelegten Druck publiziert.

Selbst der Begriff Lied war dem Sprachgebrauch der Zeit weitgehend abhanden gekommen. So enthält das ›Musikalische Lexikon‹ Johann Gottfried Walthers von 1732 überhaupt kein Stichwort ›Lied‹ mehr; und Johann Mattheson konnte 1713 beinahe triumphierend feststellen: „Die vormahls gebräuchlichen Lieder ... haben den Arien, wie wir sie itzunde haben, weichen und Platz machen müssen."[1] Selbst 1737 beharrte er in seinem ›Kern melodischer Wissenschaft‹ darauf, daß der „melismatische Styl ... der sich zu den weltlichen Oden von ie her hat bequemen müssen", aus historischer und künstlerischer Notwendigkeit von den „Arien endlich ziemlich in die Enge getrieben"[2] worden sei.

Nun ist die Tatsache, daß das Wort Lied als Bezeichnung für eine literarisch-musikalische Kunstform beinahe ein Jahrhundert lang außer Gebrauch kam, weitgehend ein rein sprachgeschichtliches Problem, denn es ging eben wieder um den Kunstcharakter: Das generalbaßbegleitete Solo-(Kunst-)Lied wurde als Aria bezeichnet, die ihm zugrundeliegende Textgestalt mit mehreren Strophen gleicher Metrik und Reimstellung in der Nachfolge der Opitzschen ›Deutschen Poeterey‹ mit dem Begriff Ode belegt. In dem Maße, wie der Begriff Arie sich auf die dreiteilige Gesangsform von Kantate und Oper eingrenzte, wurde dann offenbar der literarische Gattungsbegriff Ode zur Bezeichnung für alle auf eine einheitliche Melodie gesungenen Vokalstücke mit gleichem Strophenbau angewandt. Ode in diesem Sinne war also selbst der evangelische Gemeindechoral. Lied war mithin tatsächlich nach diesem Sprachgebrauch ein gesungener Text ohne Kunstanspruch.

Mattheson spezifiziert als Beispiele: „... gewisse Jäger-, Hochzeit-, Straff- und Schertz-Oden ..., welche sich zur Lust sehr wohl hören lassen, und nicht allemahl auf Gassenhauer hinaus laufen."[3] Noch Sulzer schränkt in seiner ›Allgemeinen Theorie der schönen Künste‹ 1793 den Liedbegriff ein auf „Kirchen-, National-, Kriegs-, Klage-, Liebes-" und berufsständische Lieder, die ohne Baß existenzfähig sein müssen, und ordnet sie ausdrücklich niedrigen Kulturstufen zu: „Das Lied scheinet die erste Frucht des aufkeimenden poetischen Genies zu seyn. Wir treffen es bey Nationen an, deren Geist sonst noch zu keiner anderen Dichtungsart die gehörige Reife erlanget hat; bey halb wilden Völckern."[4] Johann Adolf Scheibe kommentierte, offenbar im Hinblick auf Mattheson, bissig: „Es giebt einige Große Geister, die sogar das Wort: Lied für schimpflich halten."[5] Anderen Autoren war der Zusammenhang zwischen Ode und Lied nicht so aus dem Blick gekommen. So definierte Walther im Artikel ›Ode‹[6]: „... Gedicht, welches mit etlichen Absätzen, die alle ein gleiches Zeilen- und Reimen-Maaß halten, durchgeführet wird: ein Lied." Und Scheibe, der Schüler des Sprachreinigers Gottsched war, verwendet die Begriffe Lied und Ode ausdrücklich synonym.[7]

Hauptkritikpunkt der Theoretiker war die gleiche Melodie für alle Strophen, die daher notwendigerweise auf Inhalt und Charakter der einzelnen Strophe nicht in der notwendigen Weise eingehen konnte. Für Mattheson war deswegen die Verdrängung der Ode als Kunstform zugunsten der Arie „nicht unbillig: weil die verschiedenen Lieder-Gesetze [-Strophen] auch verschiedene Vorträge [Inhalte] darlegen, und dannenhero schwerlich mit gesunder Vernunft ... auf einerley Melodie gesungen werden können"[8]. Im Prinzip ist diese ästhetische Kritik am einfachen Strophenlied mit Kunstanspruch ja keineswegs von der Hand zu weisen. Bis diesem Mangel abgeholfen wurde, bedurfte es allerdings noch einer langen Entwicklung, und sie ging zunächst eher in die Gegenrichtung.

Um das Lied – zunächst für die Komponisten – überhaupt wieder als Kunstgattung akzeptabel zu machen, bedurfte es grundlegender Verschiebungen im Musikverständnis, da die musiksoziologischen Bedingungen ja nicht veränderbar waren: Das Lied blieb gebunden an die überwiegend bürgerliche und städtische Bildungsschicht. Eine der wesentlichsten Voraussetzungen war die Abkehr vom Primat der Satztechnik, des Kontrapunkts. Diese Abkehr vom Kontrapunkt führte notwendigerweise zu einer neuen Qualität der Melodik, die sich nicht mehr den vom Kontrapunkt gesetzten Normen der Stimmführung unterzuordnen hatte. Das schärfte wiederum den Musikern das Ohr für die unidiomatische Thematik der konzertanten Arie, in der die Singstimme grundsätzlich zunächst das Thema des konzertierenden Instruments nachsang, gleichgültig, ob es sich dabei um eine Flöte, eine Oboe oder ein Streichinstrument handelte. Diese Stilidentität wurde zunehmend zum Ärgernis und ließ die Forderung nach einer neuen melodischen Qualität immer deutlicher werden.

Darüber bestand bei den Zeitgenossen weitgehende Übereinstimmung, daß eine von Vokalität geprägte neue melodische Qualität sich zunächst im Umkreis der Hamburger Gänsemarktoper ausgebildet habe, die als städtische, bürgerliche und, modern gesprochen, aktienrechtlich geführte Institution anderen musiksoziologischen Bedingungen unterlag als die vornehmlich absolutistischer Staatsrepräsentanz dienenden Hofopern. Die Adressaten der Hamburger Oper waren mit der Trägerschicht der Hamburger Schule des Liedes identisch. Die Bühne der Gänsemarktoper war nicht so ausschließlich wie die opera seria der

Hofoper von Göttern und Heroen bevölkert, die sich nur in der Kunstform der „hohen Schreibart", eben der Arie, äußern konnten. Einfache Menschen aber, und die gab es vom Bauernmädchen bis zum Aalverkäufer auch in der Hamburger Oper, waren durch das Lied und seine „niedere Schreibart" sozial charakterisiert. Das Lied war also darum in der Gänsemarktoper präsent, weil es dramaturgisch legitimiert wurde.

Der erste Komponist, der mit dem Entstehen einer neuen Melodiequalität an der Hamburger Oper in Verbindung gebracht wurde, war Johann Sigismund Kusser[9] (1660–1727). Er kam aus der Tradition der französischen tragédie lyrique Lullys, die gekennzeichnet war durch sorgfältige Beachtung der Deklamation und des Sprachfalls und eine ausgeprägt einfache Melodik, allerdings ohne geschlossene Gesangsformen. Insbesondere diese einfache Melodik war es, die er in die Hamburger Oper einbrachte, wobei freilich die anderen Verhältnisse der deutschen Metrik und des zur Bildung geschlossener Formen zwingenden Reims die Grenze der Übertragbarkeit der französischen Stilmittel markierten. Das Ergebnis war insgesamt eine Annäherung des Bühnengesangs an Stilmittel und Formen des Liedes. Eine ›Heliconische Musenlust‹ mit 38 Arien, die er 1700 herausgab, geht freilich über das Lied hinaus; es handelt sich um geschlossene Gesangsnummern aus seiner Oper ›Ariadne‹.

Die eigentliche Schlüsselfigur dieser Entwicklung war Reinhard Keiser (1674–1739), der aus der Leipziger Thomaner-Tradition stammte, bereits seit 1692 in Wolfenbüttel unter Kusser gearbeitet hatte und diesem an die Hamburger Oper gefolgt war. Er wurde deren Hauptkomponist. Auch er gab mehrere Sammlungen mit Stücken aus verschiedenen Opern heraus;[10] eine origināre ›Gemüths-Ergötzung‹ (1698) gehört aber wohl eher in die Geschichte der Kantate (er selbst nennt sie „Sing-Gedichte"). Eine ›Musicalische Land-Lust‹ (1714) ordnete er selbst der Gattung der „moralischen Kantate" zu, reflektierender Lyrik etwa über menschliche Charakterschwächen, wie sie auch andere Komponisten der Zeit vorgelegt haben. Aber es gibt auch echte Lieder bei Keiser: Die dramaturgische Notwendigkeit musikalischer Charakterisierung von Bühnenfiguren rechtfertigte selbstverständlich den Einsatz der niederen Schreibart in der Oper, ohne deren Charakter als Kunstwerk zu gefährden, man mußte eben nur bestimmte Personengruppen, Hirten etwa oder Bauern, in die Handlung einführen. Die geradezu hanebüchene dramaturgische Unbekümmertheit, mit der dies geschah, läßt die Vermutung zu, daß man eigentlich nur dramaturgische Vorwände suchte, um Lieder anzubringen. Das wäre allerdings ein starkes Indiz für das fortdauernde Interesse an der Gattung Lied.

An Keisers Oper ›Croesos‹[11] von 1710 läßt sich das deutlich beobachten. Historischer Hintergrund einer Szene darin ist die von dem Lyderkönig Croesos verlorene Schlacht bei Pteria (549 v. Chr.). Ein der Schlacht glücklich entkommener Lyder sucht erschöpft unter einem Baum Ruhe. Da erscheinen Bauernkinder – die Idylle in unmittelbarer Nähe des Kampffeldes! – und singen ihm ein Schlummerlied, das eigentlich ein erotisches Liebeslied ist. Nichts in dieser Szene ist dramaturgisch schlüssig, aber das Lied erregt noch heute unser Entzücken. Nur handelt es sich eben um ein Funktionslied, bestimmt zur Charakterisierung von Bühnenpersonen in einer dramaturgisch definierten Situation, so wie es didaktische Lernlieder u. a. sehr wohl gab, nur nicht mit dem Anspruch, Kunst zu sein. Da lag die Hemmschwelle der Komponisten dann entscheidend höher, wie Scheibe noch 1739 grimmig feststellte: „… daß es gewisse, große und erhabene Componisten giebt, denen die Oden oder Lieder viel zu schlecht [= schlicht!] sind."[12]

Der Weg zurück zum Lied als Kunstform läßt sich an der Biographie Georg Philipp Telemanns (1681–1767) bis in die Einzelheiten hinein verfolgen. Ihm war das Funktionslied, insbesondere als didaktisches Mittel der Faktenvermittlung, aus seiner Gymnasialzeit bestens vertraut, denn einer seiner Lehrer, der geographische Merkverse schmiedete, machte sich das Talent seines Schülers zunutze und ließ sie von ihm vertonen. Diese „Singende Geographie" wurde 1960 wiederentdeckt. In seiner ersten Autobiographie von 1718 sah er sogar in der „Erfahrung in der Singe-Kunst" bei seiner Mutter die eigentliche Quelle seiner Begabung: „Aus diesem Ursprunge leitet sich mein Naturell zur Music her."[13] Sehr früh muß sich bei ihm auch bereits das Bewußtsein der Notwendigkeit melodischer Studien unabhängig von denen im Kontrapunkt ausgebildet haben, aber auch, daß man dieses wohl nur im Selbststudium erlangen könne. So traf der neunzehnjährige Telemann sich mit dem sechzehnjährigen

Händel in Halle bei „melodischen Sätzen und deren Untersuchung"[14]. Als erster postulierte Telemann schon 1718 das Prinzip der Sanglichkeit auch der Instrumentalmusik, das die Ästhetik der musikalischen Klassik bestimmte:

Singen ist das Fundament zur Music in allen Dingen.
Wer die Composition ergreifft, muß in seinen Sätzen singen.
Wer auf Instrumenten spielt, muß des Singens kündig seyn.
Als präge man das Singen jungen Leuten fleißig ein.[15]

Telemann hat mithin nicht nur das Prinzip der Sanglichkeit als ästhetische Grundidee gefordert, sondern auch das Interesse aufklärerischer Pädagogik daran begründet und sich in einem bissigironischen Achtzeiler als erster auch gegen die unidiomatische Schreibweise der konzertanten Arie gewandt.[16]

Ernst machte Telemann jedoch mit seiner Tendenz zum Lied erst nach seiner Übersiedelung nach Hamburg 1721, obwohl er ja auch in Frankfurt bereits mit bürgerlicher Musikpflege zu tun hatte. In Hamburg gab es wohl doch eine stärkere und lebendigere Liedtradition und mehr Anregung, sich mit ihr auseinanderzusetzen. Dabei war sein publizistisches Wirken zunehmend von Tendenzen der Erwachsenenbildung bestimmt. 1725 begann er den Kantatenjahrgang ›Harmonischer Gottesdienst‹, den man wie eine Zeitung abonnieren konnte, worauf man dann jede Woche eine mit einfachsten musikalischen Mitteln aufführbare, aber stilistisch dem aktuellen Stand der Entwicklung entsprechende Kantate erhielt. 1728 gab er mit dem ›Getreuen Music-Meister‹[17] in derselben Weise eine Sammlung von Gesangs- und Spielstükken, darunter erstmals zwei Lieder, heraus. Als eine Art Wochenzeitung folgten dann 1733/34 die ›Singe- Spiel- und General-Baß-Übungen‹,[18] eine Folge von 48 Liedern. Die Musikgeschichte hat sie einseitig unter dem Aspekt einer Beispielsammlung für Generalbaßregeln behandelt, ohne zu sehen, daß der Titel ja offenbar eine Hierarchie darstellt, in welcher das Singen an erster Stelle steht.

Tatsächlich handelt es sich um funktionale Lieder, eben zum leichteren Erlernen der Generalbaßregeln. Aber die Hamburger Aufklärer hatten fraglos auch das Lied als Vehikel des Ideologietransports entdeckt, zur Vermittlung aufklärerischer Bewußtseinsinhalte. Gleich das erste Lied ist inhaltlich deutlich programmatisch:

Etwas Neues vorzutragen,
so nicht nach dem Alten schmeckt,
will schon manchen niederschlagen,
daß er nicht was Neues heckt.

Doch, was soll die Sclaverey,
die so enge Grenzen setzet?
Ob es alt ist oder neu,
g'nug, wenn's nützet und ergetzet.

Daß diese Horazische Formel vom „Nützen und Ergötzen",[19] welche die aufklärerische Ästhetik so stark bestimmt hat, nicht zufällig die Pointe des ersten Liedes bildet, wird deutlich, wenn Telemann sie im Nachwort nach dem letzten Lied demonstrativ wiederholt. Eine große Rolle spielen gesellschaftskritische Themen wie die gespielte Unterwürfigkeit der barocken Höflichkeitsformel „sein Diener", die als „Knechtschaft" diffamiert wird, weil sie dem aufklärerischen Menschenbild nicht mehr entsprach. Wo im Text von der nicht mehr zeitgemäßen Unterwürfigkeitsgeste des Kratzfußes die Rede ist, nimmt Telemann das Bild musikalisch auf und läßt vernehmlich Hühner gackern und demonstriert deutlich, wohin solche erstarrten Formeln gehören: in die Hackordnung des Hühnerhofs. Andere Texte nehmen anstößige Typen der bürgerlichen Gesellschaft aufs Korn wie die schlampige Frau, das Muttersöhnchen, den Geldgierigen oder den Geizhals, preisen die Tugenden der Gelassenheit und der Mäßigkeit oder spotten über die eingerissene Sprachschludrigkeit wie die mangelnde Unterscheidung von „ersoffen" und „versoffen" im Niederdeutschen mit der pointierten Klarstellung: „Versoff'ne giebt es viel, die nicht ertrunken sind."

Ein Kabinettstück eigener Art leistet sich Telemann im ›Lob des Tabaks‹ (Nr. 39), in dessen zweiter Strophe ein Grammatikus in bester scholastischer Methodik vom Wort auf die Sache schließt, daß der Tabak als männliches Hauptwort wegen seines Genus nur den Männern zukomme, „iedoch die weiber ausgenommen, die generis communis seyn". Ein solch antiquierter Gelehrter ist auch keiner modernen Liedmelodie fähig, er läßt ihn rezitierend dozieren; ein ironischer Gebrauch des Rezitativs. – Auffällig an all diesen Liedern ist, daß sie zwar in der Tradition des Liedstils stehen, aber keineswegs sich ganz der „niederen Schreibart" befleißigen, sie bedienen sich im Gegenteil in hohem

Maße rhetorischer Figuren, die als „decoratio" eben gerade der gehobenen Rede zugehörten. Das geht hin bis zu rein instrumentalen Effekten an der Grenze der Unsanglichkeit wie der Posthornimitation in Nr. 33, was schon damals ästhetisch umstritten war.

1736 kam der Gottsched-Schüler Johann Adolph Scheibe nach Hamburg mit der Absicht, etwas dessen ›Versuch einer Critischen Dichtkunst vor die Deutschen‹[20] Vergleichbares für die Musik zu leisten; im März 1737 begann er seinen ›Critischen Musicus‹. Im Gespräch fanden er und Telemann sich in Übereinstimmung, was ihre Anschauungen zur Stiltypologie und musikpädagogischen Bedeutung des Liedes betraf. Telemann fühlte sich dadurch veranlaßt, die theoretischen Erörterungen eines neuen Liedideals mit seinen ›24 Oden‹ von 1741 in die musikalische Praxis umzusetzen. Scheibe fügte der Buchausgabe seines ›Critischen Musikus‹ eine mehrseitige Würdigung hinzu, an der zunächst die musiksoziologische Einschätzung interessiert: „Es hat einem Telemann keine Schande zu seyn gedünket, auch in dieser, in Gegeneinanderhaltung anderer wichtigen Musikarten, nur geringen Schreibart, seine Größe zu zeigen." Und dann stellte er klar, „daß in diesen Stücken meine Meynungen mit den Gedanken des Herrn Telemanns genau übereinkommen"[21].

Dieser selbst sah das neue Liedideal noch keineswegs verwirklicht: „Die Melodien ... betreffend, so bekenne ich meine Schwäche, daß ich den gesuchten Bathos, oder die Kunst niedrig zu schreiben, noch lange nicht erreichet habe", und dann machte er sich lustig über seine Konkurrenten, bei denen Anspruch und Wirklichkeit so weit auseinanderklafften. Bezogen auf den aktuellen Stand der Gattungsgeschichte jedoch konnte Scheibe feststellen: „Zur Zeit werden wir also, was die Melodien betrifft, keine vollkommnere Lieder antreffen." In dieser „nunmehrigen besten Sammlung von Odenmelodien ... zeigen sich auf einmal alle nur möglichen Eigenschaften, die zu einer Odenmelodie erfordert werden". Als Kriterium dafür wird das aus der französischen Ästhetik übernommene Prinzip angeführt, eine gute Melodie müsse von einem ungeschulten Sänger nach mehrmaligem Vorsingen nachgesungen werden können.[22] Die rasche Veränderung in der Haltung zur Melodie ließ Mattheson 1721 einräumen, „daß unsere Melodien, die nur vor zwanzig oder weniger Jahren schön gewesen sind, izund ganz weggefallen"[23] seien, und 1739 hob auch er im ›Vollkommenen Capellmeister‹, dessen Vorbild Reinhard Keiser war, als „allgemeinen Grund-Satz der gantzen Music", in doppeltem Schriftgrad und Fettdruck heraus: „Alles muß gehörig singen."[24]

Neben diesen beiden Sammlungen erwähnt Telemann in seiner zweiten Autobiographie von 1740 nicht weniger als 700 Arien unter seinen Werken, generalbaßbegleitete Lieder nach der Terminologie der Zeit, Funktionslieder, die er „in den Singestunden anschreiben"[25] ließ. Um die Bedeutung zu ermessen, die er bei der Erschließung der Literatur des 18. Jahrhunderts für die Musik hatte, muß man sich vergegenwärtigen, daß er, der noch Brockes und Neumeister vertont hatte, der erste gewesen war, der ein Gedicht von Friedrich Hagedorn in Musik setzte, gegen Ende seines langen Lebens auch noch Texte von Klopstock[26] und Ramler komponierte. Aber da hat man es fraglos mit einem anderen Odenbegriff zu tun als er den ›24 Oden‹ von 1741 zugrunde lag. Christian Gottfried Krause schrieb an den Dichter Ramler nach der Aufführung von dessen ›Auferstehung und Himmelfahrt Jesu‹ in Telemanns Vertonung: „Telemann hat in seinem 80ten Jahre gezeigt, daß er alles kann."[27] Doch die rezeptionsgeschichtlichen und musiksoziologischen Voraussetzungen für die Aufnahme des „vernünftigen Feuers eines Telemanns"[28] hatten sich inzwischen grundlegend verändert: Das Lied war als Kunstgattung wieder etabliert, und nun galt von dem Manne, der ihm zuerst wieder Geltung verschafft, aber es eben doch überwiegend in seiner pädagogischen Funktion und als Mittel aufklärerischer Ideologie gesehen hatte: „Er sang alles und sang sich um die Ewigkeit: Er wird itzt nicht mehr gesungen."[29]

Einen wichtigen Impuls erhielt das Wiedererstehen des Kunstliedes auch im 18. Jahrhundert durch das geistliche Lied, das zunehmend vom Pietismus geprägt wurde. So problematisch die Tendenz der Privatisierung des Gottesdienstes zu Lasten der Liturgie für die evangelische Kirchenmusik war, so wenig ist zu übersehen, daß die liturgisch fragwürdige Emotionalisierung des geistlichen Liedes der Gattung eine Innerlichkeit erschloß, die dem didaktischen Funktionslied Telemanns und der Aufklärer schon auf Grund der Textsituation abging. Mit dem ›Geistreichen Gesangbuch‹ (1704/14) von Johann Anastasius Freylinghausen, dem Schwiegersohn und Nachfolger August Hermann Franckes, erschien zum ersten Mal nach langer Zeit eine bedeutende Sammlung geistlicher Lieder. Die Mitarbeit Bachs daran ist behauptet worden, aber nicht belegbar. Interessant ist namentlich der zweite Teil mit 170 weniger streng am Gemeindelied orientierten freieren Liedern, über die allerdings die theologische Fakultät der Universität Wittenberg 1716 das vernichtende Verdikt fällte, es handle sich um eine Annäherung an die „üppige, leichte und fast liederliche Art der weltlichen Gesänge", und so stark war inzwischen die rhythmische Einebnung des Gemeindeliedes allgemein verwirklicht worden, daß die „vielen hüpfenden, springenden, daktylischen" Rhythmen eigens gerügt wurden. Während die Zahl der Neukompositionen in diesem Gesangbuch bis auf 600 stieg, schleifte sich das Eigengepräge der Melodien rasch wieder ab, und das geistliche Lied büßte seine anregende Kraft wieder ein.

Im selben Jahr 1733, in dem Telemann seine ›Singe- Spiel- und General-Baß-Übungen‹ begann, erschien in Augsburg die erste „Tracht"[30] eines ›Ohrenvergnügenden und Gemüth ergötzenden Tafelconfects‹,[31] dessen Verfasser, der Benediktiner Valentin Rathgeber (1682–1750) aus Banz, sich lediglich mit seinen Initialen[32] zu erkennen gab. Der ersten „Tracht" folgten 1737 zwei weitere, während eine vierte (1746) nicht von Rathgeber stammt. Die Stücke des ›Tafelconfects‹ sind nicht durchgehend einstimmig, sondern verwenden bis zu vier Stimmen, dazu teilweise zwei Violinen, diese auch nicht nur für die Ritornelle. Die zweite und dritte Tracht enthalten als echtes Vergnügen einer tafelnden Gesellschaft sogenannte Quodlibets, ein heiter-ironisches säkularisiertes Spiel mit den satztechnischen Möglichkeiten der Motette, eine neue Art von musica riservata, vorbehalten den Kunstgenossen, welche die Ironie genießen konnten, weil sie den satztechnischen Aufwand, mit dem da ein satirisches Spiel getrieben wurde, als solchen erkennen konnten, und gebunden eigentlich an das Mitmusizieren. Damit hätte auch der Titel der Sammlung einen doppelten Boden.

Ein gutes Beispiel für diese geistvoll-ironische Kunst Rathgebers ist die Singstunde, in der vierstimmig nur auf den Solmisationssilben geübt wird mit allen Techniken der Diminution, Kolorierung und der Kleinmotivik des konzertanten Satzes bis hinein in eine veritable Tripelfuge. Verbindendes Moment zwischen derartigen Stücken und den echten Liedern ist der musikalische Humor Rathgebers, der auch in die volksmusiknahe Melodik seiner Lieder durchschlägt. In einigen Fällen hat man Verbindungen zum Volkslied nachweisen können, in weiteren vermutet. Rathgeber hat jedoch offensichtlich auch instrumentale Modetänze der Zeit in Liedmelodien umgeformt.[33] Die Textunterlegung solcher Stücke war schon seit Voigtländer häufig geübte Praxis mit vielfach zweifelhaftem Resultat. Rathgeber jedoch textierte nicht einfach Instrumentalsätze, sondern legte ihre – der instrumentalen Figurationen entkleidete – Kernmelodie seinen Liedern zugrunde, wie sich zeigen läßt an ›Der hat vergeben / das ewig' Leben‹ (I, 10). Er baut textbedingt motivische Symmetrien ein, die sich in der Vorlage nicht finden, verläßt die Vorlage völlig, wo sie ihm zu instrumental konzipiert ist, und benutzt die damit geschaffene Gelegenheit zu Sequenzierungen vorhergehender Motive, die insgesamt der formalen Konzentration dienen und das daraus resultierende Lied an die gattungstypische Ästhetik des Anscheins des Bekannten heranführen. Das ist von einer Präzision der Formgestaltung und der Umsetzung der Textvorlage, aber dabei von so sprühendem Leben erfüllt, daß man selbst da, wo Rathgeber nach bereits vorhandenen Vorlagen arbeitet, schon nicht mehr von bloßer Redaktion sprechen kann, geschweige denn von Textunterlegung. Er hat vielmehr mit straffer Formgebung und stilbewußtem Zugriff seine Vorlagen zu echten Liedern umgeformt.

Das Prinzip der neuschöpferischen vokalen Umgestaltung instrumentaler Tänze, welches den ästhetischen Rang des ›Tafelconfects‹ ausmacht, geht einer Sammlung ab, die schon zu ihrer Zeit zu den verbreitetsten, aber auch umstrittensten gehörte, der ›Singenden Muse an der Pleiße‹ (1736).[34] Der Herausgeber, der sich Sperontes nannte, war Johann Sigismund Scholze (1705 bis 1750), über den bislang wenig biographische Fakten beigebracht werden konnten mit der Folge, daß sich von daher nicht auf Art und Umfang seiner Redaktionsarbeit schließen läßt. Nachweisbar ist er lediglich als Verfasser von Theaterstücken. Da er zweifellos von der literarischen Seite zum Lied kam, muß er musikalische Mitarbeiter gehabt haben, und weil das Niveaugefälle zwischen den einzelnen Stücken so erheblich ist, hat man dies für den damaligen Leiter des Leipziger Collegium musicum, Johann Sebastian Bach, reklamiert, sogar bestimmte Nummern für ihn in Anspruch nehmen wollen, doch sind derartige Zuschreibungen bloße Spekulation.

Richtig ist daran lediglich der Hinweis auf das städtisch-bürgerliche, insbesondere studentische Musikleben als Trägerschicht. In ihm gab es offensichtlich ein erhebliches Bedürfnis nach musikalischer Einkleidung der neuen bürgerlich-aufklärerischen Dichtung der Zeit. In den Gedichten von Schein, Fleming u. a. fand man sich nicht mehr wieder, die zeitgenössischen Musiker aber hielten sich von der Gattung Lied fern. Also griff man wieder zum probaten Mittel der Textierung vorhandener Vorlagen; und dazu eignete sich für das Strophenlied eben nichts so gut wie die stilisierten Tänze mit ihrer klar geregelten und übersichtlichen Metrik. Der Reiz der Sammlung für das musikliebende Bürgertum lag offenbar weitgehend in der Verwendung der aktuellen Modetänze wie des (schnellen) Menuetts, der Polonaise oder des musikalisch unsäglichen Murkis. Die Kennzeichnung vieler Stücke als Air zeigt, wo man sich die Vorbilder holte: aus der streng periodischen französischen Klaviermusik. Der Titel weist ausdrücklich darauf hin, daß „die neuesten und besten musicalischen Stücke" genommen worden seien, aber als Zweck der Sammlung nennt er „beliebte Clavier-Übung und Gemüths-Ergötzung". Daß gerade die Trommelbässe der modischen Murkis klavierpädagogisch eher schädlich waren, stellten die Klavierschulen der Zeit[35] ausdrücklich fest, aber das tat offenbar ihrer Beliebtheit keinerlei Abbruch.

Gleich das erste Lied zeigt eindeutig, daß Sperontes-Scholze instrumentale Vorlagen offensichtlich unangepaßt mit Text unterlegte: Die Melodie ist durch die Formelhaftigkeit des Basses determiniert und führt mit ihren Austerzungen zu einer häßlichen Heterolepsis zwischen Hilfs- und Hauptverb. Wie syntaktische Struktur des Textes und Melodie gelegentlich kollidieren, zeigt die Nr. 19 sehr klar, außerdem auch noch die vom Saitenwechsel eines Streichinstruments sich herleitende verdeckte Zweistimmigkeit (vgl. auch Nr. 48). Die Inkongruenzen zwischen Melodiecharakter und Textgehalt gehen manchmal bis an die Grenze des unfreiwillig Komischen wie die jubelnde und springende daktylische Polonaise mit dem Text ›Mißvergnügter Sinn‹ (Nr. 21). Einige der ärgsten dieser Entgleisungen wurden in späteren Auflagen durch andere Melodien ersetzt, darunter auch die letztgenannten beiden Stücke. Eine Melodie wie ›Alles ist mir einerley‹ (Nr. 25) ist bis zur Unsanglichkeit instrumental, eine Stimmführung bis a″ (Nr. 26), ein Stimmumfang von mehr als zwei Oktaven (a–h″ in Nr. 32), Septsprünge (Nr. 32, 52), Undezimen (Nr. 35/40) u. a. stellen die Singbarkeit mancher Stücke auch für geschulte Sänger in Frage. Von echtem Liedstil ist die ›Singende Muse an der Pleiße‹ jedenfalls in vielem entfernt.

Trotzdem folgten der ersten Sammlung drei weitere, alle wurden mehrfach aufgelegt, einzelne Melodien ausgetauscht, Texte tauchen auf und verschwinden wieder, was die Bibliographie der insgesamt 248 in den verschiedenen Ausgaben und Auflagen enthaltenen Lieder erschwerte, aber zugleich die ungeheure Resonanz der ›Singenden Muse‹ belegt. Diese ist nicht allein aus dem Bedarf an echten Liedern in der Zeit erklärbar, vielmehr muß die Sammlung eine Anmutungsqualität gehabt haben, die über ihre Unsanglichkeit als empfindlichen Mangel bei einer vokal-musikalischen Gattung hinwegsehen ließ. Hier muß man wohl auf ein Stück wie den hochmodischen Murki – was immer das gewesen ist, bis heute hat es sich nicht klären lassen – Nr. 33 hinweisen, der so etwas wie das Motto der ganzen Sammlung ist und offenbar das Lebensgefühl der Zeit besonders ansprach, wenn er zuerst mit dem Text erschien:

> Ich bin nun, wie ich bin,
> und bleib' bey meiner Mode
> wie Hanß in seinem Sode:
> nennt es auch Eigensinn;
> ich bin nun, wie ich bin!

Da werden in unverfälschtem Sächsisch Vergnügen auf besiegen, Freude und Weide gereimt und schließlich auf gut sächsisch das Fazit gezogen:

> Dieß ist mein fester Schluß:
> nichts soll mich auch bewegen
> den Vorsatz abzulegen,
> wenn ich auch sterben muß;
> dieß ist mein fester Schluß!
> Durch dicke, wie durch dinne,
> lauf ich mit frohem Sinne,

und immer frohem Muth:
so geht auch alles gut.

Keine Melodie ist mit so vielen Texten unterlegt worden wie dieser banale Ohrenkleber, der das aufklärerische Gelassenheitsideal ebenso kongenial musikalisch banalisiert wie er es fast schon wieder ironisiert. Das Vergnügen daran ist jedenfalls noch heute nachvollziehbar. Wenn aber wenige Seiten weiter dieselbe Melodie unterlegt wird mit dem hochemotionalen

> Mein Kind, ich liebe dich,
> und brenn in meinem Hertzen
> die reinsten Liebes-Kertzen
> vor dich, mein ander ich:
> Mein Kind, ich liebe dich!

dann sind die Grenzen zur unfreiwilligen Komik überschritten. Eindeutig zweideutig wird es dann mit dem auf denselben Murki zu singenden Text

> Es kürmelt[36], was da lebt,
> in Dörffern, Städt' und Feldern;
> in Gärten, Thal und Wältern,
> was in den Lüfften schwebt;
> es kürmelt, was da lebt.
>
> Die Kietze liebt den Kater,
> Die Mutter schläft beim Vater ...
> man kürmelt um die Wette,
> bis man von Tisch und Bette
> sich endlich gar erhebt.
> Es kürmelt, was da lebt.

Hier wird die Zweckbestimmung der Lieder überdeutlich, in geselliger Runde gesungen zu werden, und da kann die Verbindung von Modetanz und Text ruhig auch mal einen Zug zum Frivolen annehmen, wie bei dem auf dieselbe Melodie zu singenden Spottlied auf die an die Universität drängenden gebildeten Frauen der Aufklärung. Es sind diese frechen Texte mit ihren schmissigen Tanzmelodien, die damals wie heute den Charme der ›Singenden Muse‹ ausmachen. Daß sie den Theoretikern, die sich um eine Wiederbegründung der Gattung als eines künstlerischen Ausdrucksmittels bemühten, ein Dorn im Auge war, ist verständlich, aber sie spiegelt nicht nur den Geschmack des städtischen Bürgertums wieder, sondern hat zur Wiederbelebung des

Interesses am Lied ganz entscheidend beigetragen. Das gilt merkwürdigerweise auch für den literarischen Aspekt, daß einer modernen Liedgestaltung der Mangel vertonungsfähiger Lyrik hinderlich sei. Sperontes-Scholze kommt das Verdienst zu, den Lyriker Johann Christian Günther für den Liedgesang entdeckt zu haben. Schon im Titel weist er ausdrücklich auf ihn hin, allerdings sind seine Gedichte nur als Anhang angefügt als auf Melodien absingbar, die im Hauptteil bereits mit anderen Texten vorkommen. Eine neue Qualität der Dichtung erforderte wohl auch eine solche der Vertonungen, die Scholze nicht bieten konnte.

Ausdrücklich als Gegenstück zur ›Singenden Muse‹ angelegt ist die ›Sammlung verschiedener und Auserlesener Oden‹ (1737), die Johann Friedrich Gräfe (1711–1787) herausgab und der bis 1743 drei weitere Teile folgten. Gräfe legte nämlich ausschließlich Neukompositionen vor, welche ihm „von den berühmtesten Meistern in der Music ... verfertiget" worden. Das machte die Sammlung für die Theoretiker des Liedes akzeptabel, auch wenn sie sich dem neuen Liedideal nicht einmal so weit näherte wie Telemann. Allerdings macht das Ausbleiben von Nummern, wie sie den Charme der ›Singenden Muse‹ ausmachen, eher wahrscheinlich, daß es Gräfe nicht gelungen war, die wirklich bedeutenden Musiker der Zeit für die niedere Schreibart zu interessieren; so ist von den bedeutenden Namen in Wirklichkeit nur Carl Heinrich Graun vertreten. Ein Dialoglied (III, 14)[37] zeigt seinen empfindsamen Stil, so wenn er in T. 17 Moll- und Durdominante hart nebeneinandersetzt und nach einer kurzen Auflösung in den Tonikasextakkord die Wechseldominante folgen läßt. Und wenn in der zweiten, der Mädchen-Hälfte des Liedes, vom Sterben die Rede ist, weicht er gar (in G-Dur) über g-Moll nach Es-Dur aus und führt mit doppeltem Leitton (cis'–d' und es–d) in die Dominante zurück. Nur geht das Ganze als realer Dialog über das Lied hinaus und ähnelt eher einer kleinen dramatischen Szene.

In der letzten Folge der Gräfe-Sammlung ist C. Ph. E. Bach mit ganzen drei Liedern vertreten. Dagegen stammen insgesamt sieben Lieder (in Heft 3 und 4) von einem Komponisten Giovannini, von dem keinerlei biographische Fakten, nicht einmal der Vorname, bekannt sind. J. S. Bach hat ein Liebeslied von ihm 1725 in das Notenbuch der Anna Magdalena Bach übernommen,[38] dessen Innigkeit – aber auch prägnante Baßführung – Anlaß gegeben haben, es für ein Werk des Thomaskantors zu halten, obwohl Bach ganz korrekt darüber geschrieben hatte „Aria[39] di Giovannini". – Die Hälfte sämtlicher Lieder aus der Gräfe-Sammlung stammt von Konrad Friedrich Hurlebusch (1695–1765). Zwar hat auch er nicht die schlichte Sanglichkeit des neuen Liedideals, fordert einen großen Stimmumfang, macht starken Gebrauch von Verzierungen, insbesondere von langen Vorschlägen, liebt kurze aufspringende Intervalle auf unbetonten Silben, alles Dinge, die nicht eigentlich stiltypisch für das Lied sind, aber er geht sorgfältig auf die syntaktische Struktur der Texte ein. Inkongruenzen, wie sie die ›Singende Muse‹ häufig hat, kommen hier nicht vor. Noch 1759 urteilte Marpurg: „Ob diese gräfische Sammlung gleich bereits an die zwanzig Jahre alt ist: so wird sie dennoch der vielen guten Stücke wegen, die sie gegen wenig schlechte enthält, noch lange Zeit eine schätzbare Sammlung bleiben."[40]

Hauptschwierigkeit der Zeit blieb, gerade aus der überwiegend reflektierenden Dichtung der Aufklärung die vokale Kleinform des Liedes wieder neu zu entwickeln, nachdem einmal die Tradition abgerissen war und die Komponisten nur noch Erfahrung mit der Kantate hatten. Damit war für die Geschichte des Liedes die Bach-Händel-Generation verloren, obwohl sie die dominierenden Gestalten der deutschen Musikgeschichte stellte. Händel hat nach wenigen Liedern als Elfjähriger sich nur in den ›Deutschen Arien‹ (1729) auf Brockes-Texte noch einmal mit der Vertonung deutscher Gedichte für Gesangssolo auseinandergesetzt, aber mit der Gattung Lied haben sie eigentlich nichts zu tun. Und auch von Bach sind außer der Mitarbeit am Schemelli-Gesangbuch und der behaupteten, aber nicht nachgewiesenen an Freylinghausens Gesangbuch und der ›Singenden Muse‹ nur wenige Lieder bekannt. Eines der schönsten, auch aus dem für seine zweite Frau angelegten Notenbuch, ist ein Liebeslied, das die Problematik der zeitgenössischen Dichtung von einer anderen Seite zeigt als der Rollenlyrik, die sich zur Darstellung von Gefühlen immer der Schäfernamen bediente, oder der reflektierenddidaktischen Poesie: die vom Pietismus beeinflußte, in dieser Zeit schon ans Sentimentale heranreichende Emotionalität und der quietistische Zug der Aufklärung gehen eine Verbindung ein, in der die innige Verbundenheit zweier Liebender sich nur noch durch die Todesstunde eines Partners ausdrücken läßt:

Bist du bei mir, geh' ich mit Freuden
zum Sterben und zu meiner Ruh'.

Aber Bach hat selbst diesen Fünfzeiler in Form einer Da-capo-Arie mit einem Mittelteil in der Mollparallele vertont, und die zweite Melodiezeile mit ihrer verdeckten Zweistimmigkeit ist ganz deutlich vom Saitenwechsel der Streichinstrumente her konzipiert und zeigt, daß Bach selbst bei einer so schlichten Melodie in den Bahnen der konzertanten Arie mit ihrer unidiomatischen Schreibweise denkt.

Der Wiederbeginn der schöpferischen Auseinandersetzung mit der Gattung Kunstlied vollzieht sich mithin eigentlich in der Generation der nach 1700 Geborenen, nur war es der Zeit selbstverständlich, Telemann dieser zuzurechnen. An ihn schloß sich unmittelbar nicht nur von seiten der Theorie der 1708 geborene Scheibe an, sondern zudem von der praktischen Valentin Görner (1702–1762), mit dem zusammen Telemann bereits den ›Getreuen Music-Meister‹ herausgegeben hatte. In ihrem gemeinsamen Hamburger Umfeld kam Görner auch an den Dichter, den er ausschließlich vertonte, Friedrich Hagedorn. Seine ›Sammlung Neuer Oden und Lieder‹[41] enthält insgesamt 70 Lieder, dem Charakter der Anakreontik gemäß zum Teil in chorisch zu singende Abschnitte mündend. Obwohl er vom Titel bis in musikalische Einzelheiten Telemann folgt, zeigt ein Vergleich der selben Ode ›An den Schlaf‹ in den Vertonungen von Telemann und Görner[42] deutliche Unterschiede: während Telemann noch einen ausgeprägten Continuobaß schreibt, ist die Baßführung des eine Generation jüngeren Görner bei gleichem Tempo der harmonischen Fortschreitungen wesentlich einfacher, damit zugleich ruhiger und besser dem Text angepaßt. Görner beginnt volltaktig und legt den Taktschwerpunkt auf die Anrede „Gótt děr Träùmě", während Telemann um einen halben Takt verschob und damit den Hauptakzent verlegte: „Gòtt děr ' Tràumě", aber dafür in Kauf nehmen mußte, daß die unbetonte Endung der zweiten und der letzten Zeile auf den Taktschwerpunkt fiel. Insgesamt hat Görner mithin Metrum und Takt besser zur Deckung gebracht. Er nutzt darüber hinaus den gewonnenen Vorteil, durch das Anbringen von Pausenfiguren das schwere Atmen eines Menschen, der nachts keine Ruhe finden kann, eindrucksvoll musikalisch umzusetzen. Obwohl die Sammlungen nahezu gleichzeitig erschienen, führt der im Kompositionsstil sich niederschlagende Generationensprung schon dazu, daß der Vertonung des Jüngeren ein Ausdruckscharakter zugewachsen ist, der bei Telemann noch fehlt.

Der stark gesellige Zug der Lieder Görners, zum Teil mit gesellschaftskritischem Einschlag – vgl. etwa den Spott auf jenes aufgeklärt-tolerante Ehepaar, bei dem der Mann jeder Gelegenheit zu einem guten Trunke folgt, derweilen die Frau sich mit dem Nachbarn vergnügt, Refrain: „Ihr ganzes Haus- und Wirtschaftswesen / ist ordentlich und auserlesen" (I, 6), oder zur ›Ursache der Kriege‹ (I, 4) –, diente nicht nur der Verbreitung aufklärerischer Ideologie, sondern fand besondere Resonanz bei den rasch aufblühenden Freimaurerlogen. Bis in die Hochklassik hinein wurde ihr Liedstil durch diese Sammlung und nicht zuletzt den Wechsel von Solo und Chor geprägt. – Unmittelbare Fortsetzung fand Görner in den ›Liedern zum Unschuldigen Zeitvertreib‹ (1748/54/56) von Adolph Carl Kuntzen (1720–1781).

In keiner anderen Schicht der Musikgeschichte hat es eine derart intensive und breite theoretische Auseinandersetzung mit der Musik gegben, nie wieder sind musikalische Praxis und theoretische Reflexion so eng miteinander verzahnt gewesen wie in der Generation der um 1700 Geborenen. In der Geschichte des Liedes eilte sogar die theoretische Bemühung um seine Grundlagen und Stilmöglichkeiten der Neubegründung der Gattung um 1730/40 voraus. Johann Adolph Scheibe (1708–1776) griff die Materie als erster auf in seinem ›Critischen Musikus‹ vom 17. November 1739, „da die Oden oder Lieder anitzo sehr in Aufnahme kommen, die Erfahrung aber lehret, daß der wahre Charakter derselben den wenigsten bekannt ist". Über die praktischen Folgerungen aus seinen theoretischen Überlegungen wurde schon im Zusammenhang mit Telemanns ›Oden‹ von 1741 gesprochen. – Telemann selbst hatte sich höchst sarkastisch mit den Machwerken „einiger Mitarbeiter in dieser Schreibahrt" auseinandergesetzt und ihnen vorgeworfen, „daß sie ihre Gesangweisen aus dem heiligen Moder Griechenlands hervor geklaubet, sie nach Cirkel und Maßstabe, nach den Secten der Weltweisen ... eingerichtet" hätten.[43] Von Scheibe wissen wir, daß diese Polemik, die manchen „anstößig" erschienen war, auf die ›Sammlung auserlesener moralischer Oden‹ (1740) von Lorenz Mizler (1711–1778) zielte. Mizler hatte seinerseits die Gräfe-Sammlung, der doch angesichts der historischen Situation ein Verdienst an der Wiederbelebung des Liedes nicht abzusprechen ist, sozusagen gründlich verrissen[44] und seinerseits eine Sammlung Oden angekündigt, welche besser als die Gräfes sein sollte. Diese Sammlung, erst 1740 erschienen, geisterte bis vor wenigen Jahren als Phantom durch die Musikgeschichte, bevor sie 1972 neu vorgelegt wurde.[45] Jetzt läßt sich also nachprüfen, warum Scheibe ihre Melodien „unaussprechlich ekelhaft und fast ganz unsingbar"[46] nannte und sie in einer „Zugabe" zu Matthesons ›Ehrenpforte‹ erneut heftig unter Beschuß nahm.[47] Selbst Mattheson[48] und noch Marpurg[49] schlossen sich der Kritik an, die durchweg berechtigt ist, denn Mizlers Neukompositionen zeigen manchmal noch ärgere Schwächen als die Textunterlegungen der ›Singenden Muse‹, nur gehen ihnen deren Charme und Spritzigkeit gänzlich ab, und die satztechnischen und stilistischen Mißstände haben nun einmal bei Originalkompositionen eine andere Qualität. Darüber hinaus bekannte Mizler von seinen Liedern ausdrücklich: „Ich habe sie mit Fleiß schwer gemacht, und mit Vorsatz sonderlich ausgearbeitet" und kollidierte bei diesem elitären Kunstanspruch erneut mit den philanthropischen und kunstpädagogischen Zielen der Aufklärer.

Der Theoretiker, der mit seiner Kritik an der Vorherrschaft der italienischen Musik und seinem Eintreten für „eine edle Einfalt des Gesanges" das Liedideal Scheibes und Telemanns in die Berliner Aufklärung trug, war Friedrich Wilhelm Marpurg (1718–1795). Sein Liedideal war eindeutig orientiert an der Einfachheit der französischen Lully-Tradition: „Solche Gesänge waren es woran Lully ... drey Tage hintereinander arbeitete ... Seine Freunde fanden ihn oft in seinem Cabinette in vollem Schweiße und hinter solchen Melodien her, die ein jeder ohne einen Meister erlernen konnte ... Solche Werke sind Meisterstücke der Kunst. Sie kosten Mühe, aber das muß man ihnen um desto weniger ansehen."[50] Jeder Ausgabe seiner ›Historisch-Kritischen Beyträge zur Aufnahme der Musik‹ (1754–62) und den meisten seiner ›Kritischen Briefe über die Tonkunst‹ (ab 1759) fügte er ein Lied bei, bevor er seine eigene Theorie des Liedes vorlegte und sie Gotthold Ephraim Lessing widmete.[51]

Entgegen verbreiteten Anschauungen der Literaturgeschichte

war Aufklärung nicht nur eine Frage der Inhalte, sondern auch eine solche neuer Gattungen; das Lied ist eine davon, die Fabel eine weitere. Natürlich griffen die Komponisten auch zu dieser neuen Form zeitgenössischer Literatur und begründeten damit die Tradition des erzählenden Liedes neu, wobei für das Bewußtsein der Zeit der Schritt von der aufklärerischen lehrhaft-didaktischen oder reflektierenden Lyrik zu der neuen epischen Kleinform gar nicht so groß war; er erscheint nur so aus dem auf Erlebnislyrik verengten Blickwinkel der Literaturgeschichte. Marpurg etwa lehnte sie nicht wegen ihres epischen Charakters ab, sondern weil der auf eine Moral hin zugespitzte zeitliche Handlungsverlauf die Vertonung mit einer einzigen Melodie fragwürdig machte. Insofern hatte jedoch die musikalische Praxis die Theorie längst überholt.

Solche Fabelvertonungen nach Gellert wurden 1749 vorgelegt von Johann Ernst Bach (1722–1777),[52] Johann Sebastians Patensohn[53] und noch mehrere Jahre in dessen Haus herangewachsen. Er war gewiß der künstlerisch potenteste Kopf, der die Ansätze Görners zu größeren Formen weiterentwickelte. Aber die Vertonung von Fabeln erforderte stärkere musikalische Illustration einer erzählten Handlung, als mit den Mitteln des Generalbasses darzustellen war. Konsequenterweise forderte er die Klavierbegleitung durch mindestens eine weitere ausnotierte Stimme neben der Singstimme und dem bezifferten Baß. Damit wird die bis dahin übliche – und noch eine ganze Zeit weiterhin praktizierte – Notierung von Liedern auf zwei Systemen als unzureichend mehr und mehr aufgegeben. Relative Länge der Fabeltexte, die wegen der logisch fortschreitenden Handlung – im Gegensatz zu den mehrstrophigen Gedichten reflektierenden oder didaktischen Inhalts mit jeweils einem in sich geschlossenen Gedanken in einer Strophe – stets vollständig vorgetragen werden müssen, zwingt den Komponisten, stärker über die identische Vertonung parallelisierter Strophen hinauszudenken. Damit hat Bach der späteren Differenzierung der Liedgestaltung die Richtung gewiesen, und zwar sowohl zur Ballade als auch zum variierten Strophenlied, das lyrische wie epische Texte – einschließlich der Möglichkeiten der direkten Rede – aufzunehmen fähig war.

Wie leicht das Eingehen auf einen fortlaufenden Text den

Liedcharakter in Gefahr bringen kann, zeigt ein ›Musikalischer Versuch in Fabeln und Erzählungen des Herrn Professor Gellerts‹ (1759) des Magdeburger Domorganisten August Bernhard Valentin Herbing (1735–1766), der schon ein Jahr zuvor mit einer Liedersammlung ›Musicalische Belustigungen in dreyßig scherzenden Liedern‹ hervorgetreten war. Auch diese überschreiten teilweise die dem (Strophen-)Lied gesetzten Grenzen, erschließen zwar in ihrem Eingehen auf veränderte Situationen dem Lied neue Gestaltungsformen, bringen es aber gelegentlich an den Rand des rein Illustrativen. Insbesondere wird damit auch die Bedeutung der instrumentalen Begleitung in der Textvertonung angehoben, aber das Ganze erhält einen Zug von Bühnenmusik zu einer ablaufenden Handlung. Diese Gefahr ist in den Fabeln natürlich noch viel größer, und in der Tat reagiert Herbing auf die Herausforderung der Texte mit kleinen Tongemälden und läßt die Singstimme den Erzähltext in einem hochexpressiven Rezitativ vortragen. Geschlossene Gesangsformen durchaus liedhaften Charakters bleiben also eigentlich Episoden in einem größeren textbestimmten Zusammenhang, die Assoziation mit einer Bühnenmusik ist mithin beinahe zwingend.

Auch die intensive Aufbereitung der Theorie des Liedes durch aufklärerische Musikschriftsteller konnte im übrigen nicht verhindern, daß weiterhin Liedersammlungen erschienen, die man in einer fortwirkenden Tradition der ›Singenden Muse‹ zu sehen hat, Lieder, die sich in ihrer Überfrachtung mit „Manieren" weit eher zum Klavierspielen als zum Singen eigneten wie die ›Neuen Lieder‹ (1750) des Bach-Schülers Johann Friedrich Doles. Ein schlimmes Beispiel fortdauernder Übertragung instrumentalen Stils auf die vokale Gattung Lied sind die ›Oden und Lieder‹ (1756) des Braunschweiger Organisten Friedrich Gottlob Fleischer (1722–1806). Marpurg meinte 1760 dazu, er „kann seine Schuld auf keine andere Weise büßen, als wenn er der Welt gelegentlich ein Dutzend Arien, in dem simplen Geschmack der Telemannischen Oden vorlegt"[54]. Das belegt einerseits die lange Nachwirkung des Liedideals der Telemann-Oden, aber ebenso, wie gering doch seine Wirkung auf die Komponisten war, denn schließlich war Fleischer fast zwei Generationen jünger als der inzwischen beinahe achtzigjährige Telemann.

Noch während Marpurg solche Sätze zu Papier brachte, schlug

jedoch im Kreis der Berliner Aufklärung bereits in die Musikästhetik durch, was man in der Literaturgeschichte als „Anbruch der bürgerlichen Gefühlskultur" bezeichnet hat. Christian Gottfried Krause (1719–1770), der zum geistigen Vater der Berliner Liederschule wurde, formulierte in einer anonym veröffentlichten ›Musikalischen Poesie‹ (1753),[55] daß „die Stärke und Vollkommenheit unserer Tonkunst in genauer Abbildung der Herzensempfindungen ... bestehet"[56]. Gegen die Aufklärer Scheibe und Marpurg argumentierte er: „Von den Tönen ist eigentlich nicht zu sagen, daß sie die Vernunft beschäftigen. Niemand hat jemals bey einer Musik gedacht: das ist wahr; sondern allemal nur: das ist schön, angenehm, unangenehm, es rühret, oder es rühret nicht."[57] Nicht mehr Gehör und Vernunft sind die musikalischen Rezeptionsorgane, sondern „das Herz ist die Mutter musikalischer Empfindungen"[58]. Von dieser Zeit an datiert die seither, zumindest was das Lied angeht, eigentlich nicht mehr grundsätzlich in Frage gestellte Anschauung, man müsse Musik nicht hören, sondern fühlen. Aus ihr resultiert auch die positive Voreingenommenheit für vertonte Erlebnis-, insbesondere emotionalisierte Naturlyrik zu Lasten reflexiver oder narrativer Dichtung, welche die gängigen Vorstellungen vom Lied bis heute beherrscht.

Eine förmliche Berliner Liederschule in sehr viel strengerem Sinne, als es eine Hamburger Schule oder die von Kretzschmar so benannten sächsischen und thüringischen Schulen je waren, datiert vom Erscheinen einer anonymen Sammlung ›Oden und Melodien‹ im Jahre 1753. Marpurg benannte nachträglich im ersten Band seiner ›Historisch-kritischen Beyträge‹ den Herausgeber und die Komponisten. Urheber war danach Christian Gottfried Krause. Die geistesgeschichtliche Konstellation in Berlin war einer derartigen Schulbildung extrem günstig, wenn man sich vergegenwärtigt, daß die Wiederaufnahme der Liedkomposition ein Ergebnis der Aufklärung war.

In Berlin stimmten alle Voraussetzungen für die Ausbildung einer derartigen stilistisch kohärenten Schule: Seit der Thronbesteigung Friedrichs II. (1740) war Berlin eines der glänzendsten Zentren der europäischen Musik, in der Oper Unter den Linden waren europäische Spitzenkräfte engagiert, mit den Brüdern Carl Heinrich und Johann Gottlieb Graun, mit Carl Philipp Emanuel

Bach, Quantz, Agricola, Franz Benda und seiner Familie hatte der König Musiker von europäischem Rang unter Vertrag. So wie Friedrich Nicolai die bürgerliche Berliner Aufklärung um sich gruppierte, so bildete Krause die Nahtstelle zwischen dem Literatenkreis mit Ewald v. Kleist, Ludwig Gleim, Wilhelm Ramler und Johann George Sulzer sowie den Musikern der Hofkapelle, deren führende Mitglieder zugleich grundlegende Lehrwerke[59] vorgelegt hatten, und den Theoretikern Johann Philipp Kirnberger und Friedrich Wilhelm Marpurg.

Zwei Jahre nach den ersten 31 Liedern ließ Krause eine zweite Folge erscheinen, und ab 1756 edierte Marpurg eine weitere Reihe, die sogar die Herkunft im Titel betonte: ›Berlinische Oden‹, im gleichen Jahr legte er auch eigene ›Lieder mit neuen Melodien‹ vor; ferner entstammen dem Kreis ›Geistliche, moralische und weltliche Oden‹ (1758), ›Geistliche Oden in Melodien gesetzt von einigen Tonkünstlern in Berlin‹ (1758) und weitere Sammlungen, bevor mit den Gellert-Liedern Carl Philipp Emanuel Bachs (1759) und den ›Auserlesenen Oden‹ (1761) von Carl Heinrich Graun die Individualdrucke einsetzen. Wir haben es also tatsächlich zu tun mit einem geschlossenen Kreis, dessen Gemeinschaftsproduktionen einen Teil der bürgerlichen Musikpflege darstellten.

Die Lieder dieses Berliner Kreises sind sozusagen der Beitrag der Hofmusiker zur bürgerlichen Musikpflege der Stadt, in der sie lebten. Mit einer Ausnahme, die wieder den beschriebenen Generationensprung in der Liedpflege sichtbar macht, aber auch die lang anhaltende Resonanz, die sein Liedschaffen hatte: Telemann. – Alle einunddreißig Lieder der ›Oden und Melodien‹ tragen den Stempel der Ästhetik des französischen Vokalstils: sie sind sehr kurz, die Melodien erfordern einen geringen Stimmumfang, sind also zugeschnitten auf die gebildeten Dilettanten als Trägerschicht, sie zeigen ferner, neben der exakten Beachtung der sprachrhythmischen und syntaktischen Verhältnisse, die Entwicklung aus einem betont einfachen motivischen Kern, der Voraussetzung ist für die leichte Singbarkeit und Erlernbarkeit. Gerade in einer Zeit der Vorherrschaft des italienischen Gesangsstils und der konzertanten Arie waren sie aber darum von um so größerer Eindringlichkeit. – Inhaltlich sind sie verständlicherweise der Berliner Aufklärung verpflichtet, sie sollten die Gesel-

ligkeit der entstehenden städtisch-bürgerlichen Gesellschaft för-
dern, denn schließlich war die Glückseligkeit des Menschenge-
schlechts das wichtigste Ideal der Aufklärer neben der Gelassenheit. Ein Lied, das der Vermittlung einer solchen Ideologie dienen soll, darf eben nichts von seinem Reiz einbüßen, wenn es
vom einzelnen nachgesungen wird, denn gerade damit erfüllt es
seine Funktion der Vermittlung aufklärerischer Ideologie. Das
hat aber notwendigerweise Konsequenzen für die Ausgestaltung
der Klavierbegleitung: Im Sinne dieser Ästhetik wird gerade an
Stellen mit großem Nachdruck auf die Ausharmonisierung verzichtet, die Unisonobegleitung bekräftigt lediglich die Singstimme mit desto größerer Emphase; insgesamt dienen mithin
auch solche Techniken der Wiedergewinnung eines echten und
gattungsgemäßen Vokalstils.

Die Fortsetzung der Sammlung aus dem Jahre 1761 ist unein-
heitlicher als die erste Folge, insbesondere aber ändert sich der
Charakter des Inhalts, das Lob der Gelassenheit ist ihr Tenor.
Daher hat man auch auf einen Wechsel in der Redaktion von
Krause zu Marpurg geschlossen. Bei einer derartig in die Geistes-
geschichte eingebundenen Kunst darf man jedoch noch weniger
ihre konkrete historische Situation aus den Augen verlieren. Die
Sammlung erschien auf dem Höhepunkt der Krise des Siebenjäh-
rigen Krieges und zeigt somit eher, wie rasch und direkt diese
Kunst auf Zeitereignisse reagierte. Nur mit ihrer künstlerischen
Zielsetzung hat das nichts zu tun.

Der bedeutendste Komponist des Berliner Kreises war ohne
Frage Carl Philipp Emanuel Bach (1714–1788), der einzige auch,
der sich aus ihm löste, als die Hofmusikpflege nach dem Siebenjährigen Krieg erstarrte. Entgegen einer Vorstellung, die nur noch
den Schöpfer von Instrumentalwerken kennt, hat sich Bach relativ stark auch mit dem Lied auseinandergesetzt. Dabei bevorzugte er Texte eines einzigen Dichters, Christian Fürchtegott Gellert, und leitete damit eine bis zu Beethoven reichende Welle von
Vertonungen dieses neben Lessing zweiten Hauptvertreters der literarischen Aufklärung ein. Sie reichte bis weit in die achtziger
Jahre und – um nur Sammlungen zu nennen, die den Namen Gellerts ausdrücklich im Titel nennen – vom Thomaskantor Johann
Friedrich Doles (1758), einer Berliner Sammlung verschiedener
Komponisten (1759) und den schon erwähnten Fabelvertonun-

gen Herbings (1759) über Johann Christian Beyer (1760), den Quantz zugeschriebenen Kirchenliedmelodien (1760), Johann Schmidlin (1761), Heinrich Hesse (1774), Wernhammer (1777) bis zu Abbé Maximilian Stadler (1785) und Johann Heinrich Egli (1789) und letztlich zu Beethoven (op. 48; 1803); darin kommt auch die überkonfessionelle Akzeptanz gerade dieses Dichters geistlicher Lieder zum Ausdruck. ›Herrn Professor Gellerts Geistliche Oden und Lieder‹,[60] zuerst 1758 erschienen, erlebten in wenigen Jahren fünf Auflagen, und da bei einem Typendruck wesentlich höhere Auflagen möglich waren als bei den üblichen gestochenen Musikalien, kann man eine ungewöhnlich weite Verbreitung dieser Lieder voraussetzen. Von der dritten Auflage (1764) an ließ Bach den ursprünglich 54 Stücken einen Anhang von 12 weiteren beifügen.[61]

Wenn ein Mann wie Klopstock die Kühnheit der wortgebundenen Musik Bachs hervorhob – sie freilich hinter die noch größere seiner nicht an konkrete Vorstellungen gebundenen instrumentalen setzte –, wird erkennbar, worin die große Wirkung dieser Vertonungen auf die Zeit lag. Das bekannte ›Bitten‹ (S. 9) zeigt das sehr eindrucksvoll: Schon die engen Tonschritte von Melodie und Baß am Anfang sind sowohl ein musikalischer Topos der Demut, zugleich aber mit dem Dominantnonakkord ein Ausdruck moderner Harmonik, in Baß und Melodie durch jeweils einen Halbtonschritt in Gegenbewegung erreicht. Die weitziehenden Wolken sind mit dem einzigen Melisma des Stücks charakterisiert und weichen bereits im fünften Takt in die Wechseldominante aus. Am interessantesten aber wird die musikalische Textausdeutung der Anrufung „Herr, meine Burg, mein Fels, mein Hort": Ohne Bewegung der Melodie ist sie zugleich ins Liturgische gehobenes Gebet wie Symbol des Felsens, um den die Brandung in der Begleitung tost, eines der frühesten Beispiele einer expressiv verselbständigten Klavierbegleitung, die sich vom Generalbaß gelöst hat und zu einem eigenen, charakterisierungsfähigen Bedeutungsträger geworden ist. Von so großer Prägnanz ist diese Textausdeutung, daß noch Beethoven kein anderes Mittel ihrer Umsetzung zu Gebote stand. – Eindrucksvoll ist auch die konsequente Chromatik des ›Bußliedes‹ (S. 50), die buchstäblich jede Fortschreitung außer den Kadenzen erfaßt. Auch hier ist Bach an Kühnheit des Ausdrucks und der musikalischen Mittel von Beethoven nicht übertroffen worden. An solchen Stücken wird besonders deutlich, wie weit C. Ph. E. Bach gestalterisch bereits über die Mittel der Berliner hinaus vorgedrungen war und warum er diesen Kreis verließ. Insofern fügen die Lieder der Hamburger Jahre, Melodien zu einer Psalmenübersetzung (1774), die beiden Sammlungen geistlicher Lieder nach Christoph Christian Sturm (1780/81) und die postum erschienenen ›Neuen Lieder‹ (1789) diesem Bild keine entscheidend neuen Dinge mehr hinzu.

Ein Hindernis stand der Ausbreitung des neuen Liedes freilich entgegen: es blieb schichtenspezifisch auf den Kreis der bürgerlichen Kenner und Liebhaber beschränkt, solange es nur in diesem reproduziert wurde. Eine Möglichkeit, diese soziologisch definierbaren Grenzen zu überschreiten und in musikalisch nicht gebildete Schichten vorzudringen, eröffnete sich der Gattung Lied daher mit dem Aufkommen des volkstümlichen (komischen) deutschen Singspiels. Es entstand eine merkwürdige Wechselwirkung: das Singspiel wurde so rasch populär, weil es sich des einfachen Liedes im Sinne der Ästhetik der Berliner bediente, und erschloß diesem damit neue Schichten. Gerade weil das Bühnenlied seinerseits schichtenspezifisch war, konnte es aber auch die Gattung von den Resten mythologischer Bildungsüberfrachtung befreien und die Tendenz zur Ich-Aussage beschleunigen, denn in seinen Texten ging es ja stets um Aussagen und Gefühle der real gezeigten handelnden Figuren und nicht um die Rollenlyrik irgendwelcher fiktiver Schäfer.

Zu derselben Zeit, als Krause in Berlin seine Anthologie ›Lieder der Teutschen‹ (4 Bände mit 240 Stücken; 1767/68) herausgab, hatte in Leipzig Johann Adam Hiller (1728–1804) mit seinen Singspielen großen Erfolg. Wesentlichen Anteil daran hatte sein Textdichter, Christian Felix Weisse (1726–1804), dessen moralisch-didaktische Texte auch von den Berlinern vielfach vertont wurden. Der Einfluß von Weisses pädagogischen Bestrebungen und die Einsicht, daß man der Musik weitere Schichten nur erschließen könne, wenn man mit der musikalischen Erziehung früher und auf breiterer Basis beginne, veranlaßten Hiller, in Leipzig eine Singschule zu begründen, eine Didaktik des Gesangsunterrichts zu entwickeln und ein kindgemäßes Liedrepertoire zu schaffen. Seinen ›Liedern für Kinder‹ (1769) auf Texte von Weisse, rasch und mehrfach aufgelegt, folgten 1774 ›Fünfzig geistliche Lieder für Kinder‹ und 1782 eine Vertonung derjenigen Lieder aus Weisses ›Kinderfreund‹, „die noch nicht componirt waren". Damit erschöpften sich die Bemühungen Hillers um das Lied aber noch nicht; neben gedruckten Liedersammlungen aus seinen Singspielen, Choralvertonungen, Chorliedern erschien 1790 noch ein ›Letztes Opfer, in einigen Lieder-Melodien, der comischen Muse‹. – So bedeutsam Hillers Wendung zum Kinderlied kunstpädagogisch und -soziologisch auch war, so wenig darf man andererseits an der Tatsache vorbeisehen, daß der hausbackene, moralisierend-didaktische Grundzug der Texte und die gewollte Einfachheit der Melodien sehr wohl den Kunstcharakter der Lieder tangierten und die Gattung sicher nicht weitergebracht haben in Richtung auf die Erschließung neuer Ausdrucks- und Gestaltungsmittel.

Hiller blieb mit seinen Kinderliedern natürlich nicht allein: Scheibe gab 1766 und 1768 zwei Sammlungen heraus, 1773 erschienen ›Kleine Lieder für kleine Mädchen‹ und entsprechend vier Jahre später ›Kleine Lieder für kleine Jünglinge‹ von Burmann. Darum herum rankten sich spezielle Sammlungen für alle möglichen sozialen Gruppen von ›Frauenzimmern und Jungen Herrn‹ (1770), ›... das schöne Geschlecht‹ (so Dressler 1771, Reichardt 1775 u. a.), über ›... den Landmann‹ (anonym 1773), die ›Junggesellen‹ (Böklin 1775) bis hin zu ›Wiegenliedern für deutsche Ammen‹ (Wolf 1775) und andere mehr, vor allem in großer Zahl Freimaurerlieder. Neben solchen eher bizarren Zügen ist jedoch kunstsoziologisch bedeutungsvoller, daß die emanzipierten gebildeten Frauen der Aufklärung künstlerisch produktiv zum ersten Male ihre Ansprüche an die Öffentlichkeit durch Drucklegung von Werken anmeldeten, zunächst als Textdichterinnen, die nun ausdrücklich im Titel genannt wurden, wie Luise Gottsched (1763), Karoline Rudolphi (Vertonungen von Reichardt 1781), dann aber auch als Komponistinnen wie Juliane Reichardt (1782), Maria Theresia Paradis (1786), die sich schon an eine Vertonung von Bürgers ›Lenore‹ (1790) wagte, Corona Schröter (1786) oder Minna Brandes (1788).

DAS LIED IM ZEITALTER DER KLASSIK

Im Vordergrund des schöpferischen Interesses der Klassiker standen die Instrumentalmusik und die Oper, doch haben sie sich auch mit dem Lied auseinandergesetzt, allerdings mit großen regionalen Unterschieden. Eine Wandlung hatte sich inzwischen vor allem auf der literarischen Seite angebahnt: hatten weder die Schäferpoesie, noch die reflektierende und lehrhafte Dichtung den Komponisten entscheidende Impulse bei der Vertonung geben können, so stand nun zunehmend eine Dichtung zur Verfügung, welche die Verbindung mit der Musik beinahe forderte und selbst von hoher Musikalität der Sprache war. Um so erstaunlicher ist, daß die Musiker die Dichtung etwa des Göttinger Hains, aber auch Klopstocks so zögerlich aufnahmen.

Die lebhafteste Auseinandersetzung mit dem Lied ging immer noch von Norddeutschland, insbesondere von Berlin aus, und sie dominierte so stark, daß man für Süddeutschland und Österreich eine eigene Liedtradition förmlich bestritten hat; Hermann Kretzschmar glaubte, den Grund dafür in der Konfessionslage finden zu können. Doch kann man einen Zusammenhang von Liedpflege und Konfession schwerlich nachweisen, wohl aber mit der Ausbreitung der Aufklärung. Nun ist historisch erwiesen, daß die Aufklärung die geistlichen Kurfürstentümer am Rhein und das katholische Süddeutschland mindestens eine Generation später erreichte. Über den Zusammenhang zwischen (geistlichem) Lied und Protestantismus braucht nicht diskutiert zu werden; der Erfolg der Reformation sei der ihrer Lieder gewesen, hat man gesagt. Demgegenüber war die katholische Liturgie mit ihren festen musikalischen Formen unangetastet geblieben. Daß es daneben aber ein erhebliches Maß an außerliturgischen Formen der Volksfrömmigkeit gab, die sich von der amtskirchlichen Liturgie abgelöst hatten und ein Gemeinschaftsgefühl in Liedern zum Ausdruck brachten, zeigte sich recht drastisch, als die katholische Aufklärung diese Liedpflege energisch beschnitt und durch theologisch zweifelsfreie Gesangbücher ersetzte. Es kam zu Widerstand, in Kur-Mainz gar zum Einsatz von Truppen. Massiven Widerstand hatte auch Mozarts Dienstherr, der aufklärerische Salzburger Fürstbischof Hieronymus Colloredo, zu brechen. Das alles ist aber nur verständlich, wenn man eine starke Tradition des volkläufigen Liedes auch in den katholischen Bereichen des deutschen Sprachraums voraussetzt.

Die Wiederaufnahme einer eigenständigen (Kunst-)Liedproduktion um 1740 fällt zeitlich zusammen mit der Begründung neuer Musikzentren in Mannheim und Berlin, in denen die Tonsprache einer neuen Instrumentalmusik, insbesondere der Symphonie, sich ausbildete und die alte Technik des generalbaßgestützten Satzes überwunden wurde. Die Forschung hat inzwischen vielfach belegt, daß die Wiener Instrumentalmusik damals fast um eine Generation hinter der Entwicklung zurückgeblieben war. Folglich hat es hier gar keine Sonderstellung in der Geschichte des Liedes gegeben, sondern die Entwicklung in Österreich folgt derjenigen der nord- und westdeutschen Musikzentren vielmehr etwa im Abstand einer Generation. – Viele süddeutsche und österreichische Komponisten zur Zeit der Klassik haben auch Lieder vorgelegt, von Anton Eberl über Leopold Hoffmann mit vier Heften ›Deutscher Lieder‹ bis hin zu Jan Baptist Vanhal, der auch an der Welle der Liedkomposition beteiligt war. Das meiste ist hier freilich noch unerforscht, zumal Produktion und Verbreitung wohl stärker als anderswo über das Bühnenlied gingen. Da ist einmal die bis in die Endzeit der Opera seria beibehaltene soziale Scheidung zwischen Arie und Lied: Tamino, Pamina und die Königin der Nacht singen selbstverständlich Arien, Papagenos ›Ein Mädchen oder Weibchen‹ jedoch wurde mit Höltys ›Üb’ immer Treu und Redlichkeit‹ auf dem Umweg über Freimaurerliederbücher volkläufig. Daneben aber gab es wie in Norddeutschland ungezählte Lieder in Singspielen, die nicht nur gedruckt wurden, sondern – eine Wiener Spezialität – in ihrem Wiederauftauchen als Grundlage von Klaviervariationen einen zuverlässigen Maßstab für Beliebtheit und Verbreitung haben. Bei Joseph Gelinek, dem Spezialisten für diese Art Klavierunterhaltungsmusik der Wiener Salons, finden sich neben Variationen über Haydns ›Gott erhalte Franz, den Kaiser‹ Titel wie ›Ein Mädel und ein Glaserl Wein‹, ›Wann i in der Früh’ aufsteh‹ und andere zeitgenössische Bühnenlieder. Und noch der junge Bethoven beteiligte sich an dieser Modemusik mit Variationen über ›Das rote Käppchen‹ von Dittersdorf, der hier ebenso als Liedkomponist faßbar wird, obwohl er nie eine eigene Sammlung vorgelegt hat, wie Peter von Winter, von dem mehrere Liedsammlungen aus seinen Singspielen vorliegen,[1] aber auch drei Hefte ›Gesänge beym Klavier‹, und Anton Schweitzer, der schon vor André und Reichardt Goethes ›Erwin und Elmire‹ und ›Das Veilchen‹ vertonte. Im einzelnen bedürfen diese Zusammmenhänge aber noch der genaueren wissenschaftlichen Untersuchung.

Nach diesen Darlegungen erscheint es nicht mehr als so ungewöhnlich, daß nach Liedersammlungen, die einem einzigen Dichter gewidmet waren wie Hagedorn (Görner) oder Gleim (Breidenstein 1770 und Forkel 1773), nahezu gleichzeitig zwei Sammlungen mit Klopstock-Vertonungen herauskamen: Christian Gottlob Neefe (1776, [2]1779)[2] in Leipzig und Christoph Willibald Gluck in Wien (komponiert ab 1771, Teilveröffentlichungen 1774/75, Sammlung 1786). Glucks Lieder sind also nicht, wie man vermutet hat, Alterswerke, sondern reichen bis in die Kernphase seiner Reform der Musikdramatik zurück und sind für diese Zeit ebenso fortschrittlich wie die Lieder C. Ph. E. Bachs. Niemand vor Robert Schumann hat Singstimme und Begleitung so nahtlos miteinander verschmolzen, eines aus dem anderen herauswachsen lassen, Melodie und Begleitung so streng und zugleich differenziert aus einem einzigen Motiv entwickelt wie Gluck. Dabei beeindruckt die Präzision, mit welcher er die langen Zeilen und die differenzierte Metrik von Klopstocks ›Sommernacht‹ (Nr. 1)[3] musikalisch gestaltet und den ständigen arpeggierenden Wechsel von Begleitung und Singstimme als Ausdruck des „in die Wälder sich ergießenden Schimmers" des Mondes bis an die Grenzen des romantischen Ausdrucksliedes führt. Ähnlich genial im Wechselspiel zwischen Melodie und Mittelstimme zeichnet Gluck das Bild den Mond vorübergehend verhüllender Wolken in ›Die frühen Gräber‹ (Nr. 5)[4]. Das geht weit über alles hinaus, was in der Zeit an Zusammenspiel von Singstimme und Begleitung vorgelegt wurde und läßt die Vorherrschaft der Berliner mit ihrer anders orientierten Ästhetik bedauern. In ihrer ausdrucksvollen Strenge gehören die wenigen Gluck-Lieder zu den ganz großen Leistungen in der Geschichte des deutschen Liedes.

Die zweite Sammlung von Klopstock-Vertonungen stammt von Christian Gottlob Neefe (1748–1798), dem Lehrer Beethovens. So interessant dieser Gesichtspunkt gerade auch im Zusammenhang einer Geschichte des deutschen Liedes ist, so darf er selbstverständlich nicht dazu führen, seine Leistung nur noch aus dem Aspekt heraus zu beurteilen, was sich aus seinen Anregungen entwickelt hat. Bei einem Vergleich der beiden Klopstock-Vertonungen sollte es sich eigentlich von selbst verstehen, daß man von dem jungen Neefe nicht das an Durchdringung von Sprache und komplexer Metrik einfordern kann, was der reife Gluck mit dem Erfahrungshintergrund der Opernreform leistete. – Sicher sind seine Vertonungen konventioneller als die Glucks, aber da ist zugleich ein Ton spürbar, der sie abhebt vom zeittypischen Lied der Berliner, der freier ist und entschiedener in der Charakterisierung. Für die 3. Auflage (1785) hat Neefe die Klopstock-Oden umgearbeitet und das variierte Strophenlied wieder in die Gattung eingeführt, durch das ja erst die große Entwicklung des klassisch-romantischen Liedes möglich wurde.

Hoch interessant ist auch die weitere Entwicklung des Liedkomponisten Neefe von den ›Serenaten beym Klavier zu singen‹ (1777) über das ›Vademecum für Liebhaber des Gesangs‹ (1780) und die ›Lieder für seine Freunde‹ (1784) bis hin zu den expressiven ›Bildern und Träumen von Herder‹ (1798).[5] Wie hier mit den Möglichkeiten der strophischen Variation dem Text gefolgt wird, zeigt eine äußerst differenzierte Liedgestaltung. Zwischen- und Nachspiel haben sich zu Ausdrucksträgern eigener Art entwickelt. Das ausdrucksstärkste Stück aber ist fraglos das durchkomponierte ›Totenopfer‹, dessen erster Teil in Harmonik und Melodie vom verminderten Septakkord beherrscht wird, womit das Problem der Bindung von Horizontale und Vertikale eine neue, weil ausdrucksbedingte Dimension im Lied erhält. Vortragsbezeichnungen wie „heftig", „langsam", „stöhnend", „mit der höchsten Emphase" zeigen, daß auch in der Wiedergabe die Ebene der Unverbindlichkeit des für den gebildeten Liebhaber angelegten Vortrags zu Ende ist. Hart werden F-Dur und Des-Dur gegeneinandergesetzt; das in der Empfindsamkeit so häufige Spiel mit dem doppelten Leitton wird zu einem eigenen Ausdrucksmittel stilisiert und führt zu für die Zeit atemberaubenden harmonischen Fortschreitungen; Pausenfiguren drängen den Gesang an die Grenze des Rezitativischen und münden in eine Kadenz es-Moll – b-Moll ($^6_4$) – Ces-Dur – F-Dur – b-Moll. Und wenn darauf „mit Ergebung" die Bitte an die „Mutter Erde" um „sanfteste Ruhe" für die Verstorbene mit einer ganz schlichten Melodie im Sinne der Ästhetik der Berliner folgt, so hat das nur noch scheinbar Konventionelle dieses Schlusses durch das Vorhergehende eine neue Ausdrucksdimension hinzugewonnen, von der man in der Berliner Schule noch nichts ahnte.

Vorerst aber ging die Entwicklung in die Gegenrichtung. Tonangebend blieb weiterhin Berlin, wo eine neue Generation sich entschlossen von Hagedorn, Gleim und dem Umfeld des Geselligkeitsliedes abwandte. Zwar wurde an dem Kunstanspruch der Gattung festgehalten, aber der Idealtypus des Liedes nicht mehr nur in seiner leichten Nachsingbarkeit gesehen, sondern inzwischen hatte das aufkommende Geschichtsbewußtsein die Volkspoesie entdeckt und in ihrem Gefolge das „echte" und „alte" Volkslied. Dieses in einem verklärenden, romantischen Verständnis nachzugestalten, wird das neue Ideal des Kunstliedes, das von der Ausdrucksgestaltung wieder wegführt. Wortführer dieser zweiten Berliner Schule war Johann Abraham Peter Schulz (1747–1800), der als Schüler Kirnbergers in dem Kreis der Berliner Aufklärer herangebildet wurde und somit die Kontinuität der Berliner Liederschule repräsentiert. Er wurde zum Mittelpunkt dieser jüngeren Generation durch– wie Reichardt es schon in der Zeit formulierte – „die Reinheit seiner Natur" und die Entschiedenheit, mit der er sein ästhetisches Ideal vertrat. Dabei begründete eine einzige Sammlung seine weitreichende Wirkung: seine ›Lieder im Volkston‹ (1782/1785/1790), zu denen noch Lieder nach Johann Peter Uz (1784) und ›Religiöse Oden und Lieder‹ (1786) traten.

Die Texte seiner Lieder wählte Schulz aus Klopstock, dem Göttinger Hainbund bis hin zu den jungen Dichtern seiner eigenen Generation. Damit sind – zugleich für die ganze jüngere Berliner Generation – der lehrhafte Zug der Aufklärung ebenso aufgegeben wie die Rollenlyrik der Schäferpoesie und der Unterhaltungscharakter der Geselligkeitslieder nach Art Gleims. Der Zug zur Lyrisierung der ganzen Gattung, die ja eine Verengung der Thematik bedeutet, hat eingesetzt. Genauso entschieden wie die Textwahl ist der Charakter der Vertonungen, deren Melodie sich geradezu aus dem Sprachduktus ergibt, ohne jemals zu interpretieren. Eine solche Melodiefindung, die das Unverbindliche der älteren Berliner hinter sich läßt, setzt intensive Durchdringung des Textes voraus. Eine andere Qualität der Dichtung hat eine neue Dimension der Liedgestaltung ausgelöst, und insofern ist dies nicht einfach ein Rückschritt im Vergleich zu der gesteigerten Expressivität, wie sie von anderen Komponisten ausgebildet wurde, sondern gleichsam ein anderer Erfahrungsstrang, der sich eng an die Sprache der Frühklassik anlehnt. Erst das Zusammenschießen beider Entwicklungen hat die Blüte des klassisch-romantischen Liedes möglich gemacht.

In Sulzers ›Allgemeiner Theorie der schönen Künste‹ hat Schulz seine Ästhetik der „höchsten Simplizität und Faßlichkeit der Melodie" niedergelegt, die für den ganzen Kreis als vorbildlich gelten kann: „Nur durch eine frappante Ähnlichkeit des musikalischen mit dem poetischen Tone des Liedes, durch eine Melodie, deren Fortschreitung sich nie über den Gang des Textes erhebt, noch unter ihn sinkt, die, wie ein Kleid dem Körper, sich der Declamation und dem Metro der Worte anschmiegt, ... erhält das Lied den Schein ... des Ungesuchten, des Kunstlosen, des Bekannten, mit einem Wort den *Volkston*, wodurch es sich dem Ohre so schnell und unaufhörlich zurückkehrend einprägt." An seinem bekanntesten Abendlied, ›Der Mond ist aufgegangen‹ nach Matthias Claudius,[6] ist diese Zielsetzung abzulesen: es gilt als eines der bekanntesten deutschen „Volkslieder", obwohl es ein Kunstlied „im Volkston" ist. Es ist im Grunde aus einem einzigen Motiv entwickelt und dabei in der vollkommensten Weise dem Sprachduktus angepaßt. Auffällig ist allgemein die Zurückhaltung im Einsatz harmonischer Mittel, der Anfang ist häufig unisono gesetzt, ein Stilmittel, das noch Beethoven in seinem populärsten Lied einsetzt. Das bekannte ›Abendlied‹ von Schulz ist fast nur zwei- und dreistimmig gesetzt, lediglich in den Kadenzen wird vollstimmiger Satz verwendet. Allerdings kann die Hinzufügung des Baßregisters, die ja eine Eindunklung des Klangs bedeutet, auch zur Klangmalerei eingesetzt werden; so geschieht es bei der vierten Textzeile „der Wald steht schwarz und schweiget". So differenziert handhabt Schulz diese Technik der geringsten Kunstmittel. Eher zeittypisch ist die Aussparung der Subdominante und dafür die Häufung von Dominantseptakkorden, die vermehrte Verwendung von Leittonfortschreitungen im Baß verursacht und damit eine gewisse Weichlichkeit der Harmonik.

Die Typik der subtilen Variationskunst Schulzens wird vielleicht besonders deutlich an einem erzählenden Lied (Lieder im Volkston II, S. 16),[7] das wegen des Fortgangs der Handlung als variiertes Strophenlied behandelt ist: ein Mädchen fällt beim Haschen nach einem bunten Schmetterling in einen Bach, wird von einem jungen Burschen herausgezogen, verliebt sich in seinen Retter und „läuft nun keinem Schmetterling mehr nach". Zeile 1 schildert die Situation: Tal und Bach, zwei parallele Ortsangaben, die Schulz durch Sequenzierung desselben Motivs musikalisch ebenfalls parallelisiert. Eine hemiolisierende Dreiklangsbrechung malt (Z. 2) das Flattern des Schmetterlings in seiner Ziellosigkeit; das „Mädchen, das ihn gerne fing" (Z. 3), muß dieser Bewegung natürlich folgen: gleiche Melodie für Z. 4. Es „lief dem bunten Tierchen nach" (Z. 5), ein Kanon zwischen Melodie und Baß setzt diese zweifache Bewegung sinnfällig um. Mit Beginn der zweiten Strophe wird die Situationsschilderung zum reinen Aussagesatz, der die Übernahme des Anfangs der 1. Strophe ermöglicht. Ebenso geht es mit den beiden folgenden Zeilen: das ziellose Flattern eines Schmetterlings kann mit denselben musikalischen Mitteln dargestellt werden wie das Verheddern im Wurzelwerk des Bachufers; das Hineinfallen in den Bach aber verlangt eine Variante gegenüber der ersten Strophe: Schulz diminuiert die 1. Zeile als Erinnerung an die Ortsbeschreibung, zugleich aber ist die Bewegung beschleunigt, das Mädchen versinkt: eine absteigende Linie wird neu eingeführt. Ein Kabinettstück ist die Variante, mit der das Herbeieilen des Burschen dargestellt wird: Schulz setzt die Dreiklangsbrechungen ein, mit denen Herumflattern und Stolpern charakterisiert worden waren, aber die hemiolische Wirkung wird aufgehoben, aus der ziellosen ist eine zielgerichtete Bewegung geworden, zugleich aber der junge Bursche mit dem begehrten Schmetterling assoziiert. Das Herausziehen aus dem Bach ist mit dem Kanon aus der ersten Strophe wiederum sinnfällig umgesetzt. Selbst die Moral, keinem bunten Schmetterling mehr nachzulaufen, weiß Schulz musikalisch zu deuten: sie ist ja begründet aus der Erinnerung an den Fall in den Bach, und auf dessen Melodiezeile läßt er sie vortragen.

Wenn Schulz auch nicht zu den ganz großen Gestalten in der Geschichte der Liedkomposition gehört, so ist doch sicher die Konsequenz, mit welcher er den Verlauf von Sprachduktus, Metrum und Gedankenführung mit den sparsamsten Mitteln in Musik umsetzt, ohne dabei den Text zu interpretieren, eine notwendige Entwicklungsstufe der Gattung gewesen, denn eine derartig sparsame Verwendung musikalischer Kunstmittel setzt deren völlige Beherrschung voraus. Seine historische Wirkung kann nicht überschätzt werden; lediglich seine zeittypisch-weichliche Harmonik, so wie die starke Ausdünnung des harmonischen Satzes und die damit zusammenhängende Überstrapazierung des Unisono, die es als Ausdrucksmittel entwertet, waren eine zu starke Eingrenzung seiner Gestaltungsmittel und stehen auch einer breiteren Wirkung seiner Liedkunst im heutigen Musikleben entgegen.

Es ist kaum ein größerer Kontrast zwischen zwei führenden Repräsentanten ein und derselben Kunstschule denkbar als der zwischen J. A. P. Schulz und dem anderen Hauptvertreter der 2. Berliner Schule, Johann Friedrich Reichardt (1752–1814): bei Schulz eine einzige Liedersammlung mit klarer stilistischer Zielsetzung und ästhetischer Begründung, bei Reichardt über 700 Lieder in 30 verschiedenen Sammlungen mit stilistisch außerordentlich breiter Streuung und einem gewissen Eklektizismus; zugleich zu verschiedenen Zeiten Berufung auf absolut miteinander unvereinbare stilistische Ideale: einmal die prinzipielle Einstimmigkeit der griechischen Antike, andererseits die Harmonik als hervorragendsten Träger musikalischen Ausdrucks, ohne daß sich diese Vielfalt als bewußtes Ergebnis einer Entwicklung darstellen ließe.

Der aus Königsberg stammende und auf Empfehlung Kants zur Musik gekommene Reichardt, der bei Hiller studiert hatte, machte sich zunächst als musikalischer Reiseschriftsteller einen Namen, bevor er mit 23 Jahren Hofmusikdirektor Friedrichs II. von Preußen wurde. Er behielt das Amt auch unter dessen Nachfolger, ohne sich recht durchsetzen zu können, und reiste fortan – immer wieder glänzend geschriebene Reisebriefe veröffentlichend – quer durch Europa auf der Suche nach einem seinen Ansprüchen genügenden Wirkungskreis. Wegen allzu offen geäußerter Sympathie für die Französische Revolution wurde er schließlich in Berlin entlassen; der Hof entschädigte ihn jedoch später mit einem angesehenen Verwaltungsamt, das es ihm ermöglichte, seinen literarischen Interessen zu leben. Er machte, mit Goethe, Herder und Schiller gut bekannt, sein Gut Giebichenstein bei Halle zum Treffpunkt der literarischen Frühromantik mit Arnim, Brentano, Jean Paul, Novalis, dem mit ihm verschwägerten Tieck, aber auch den Brüdern Grimm, Fichte, Schleiermacher, Schlegel und vielen anderen. Bei der Bekanntheit von Reichardts Liedern und Liederspielen müssen die Gespräche in seinem Kreis die liedästhetischen Vorstellungen der literarischen Klassik und Frühromantik nachhaltig beeinflußt haben. Um so befremdlicher ist bei diesem literarischen Horizont, daß Reichardt immer noch Texte von Hagedorn und Weisse vertonte.

Angeregt durch seine literarischen Verbindungen wurde Reichardt der erste Komponist, der in nennenswertem Umfang Gedichte von Goethe vertonte; er ist sogar der am meisten vertretene Dichter in seinem Liedwerk. Die große Zahl seiner Liedkompositionen und die große Resonanz, die er als Schriftsteller wie als Gastgeber und Freund fast aller wichtigen Gestalten der Literatur seiner Zeit hatte, führten dazu, daß man in ihm das Haupt der Berliner Liederschule sah. Allein der literarische Rang der von ihm vertonten Texte verlangte und bewirkte in der Tat eine andere Qualität der Komposition als sie die Hagedorn-, Weisse-, Gleim- und Uz-Gedichte der Berliner Schule besaßen. Reichardt stand noch genug in der spätaufklärerischen Tradition, um sogar Kinderlieder zu schreiben, aber deren Ton und Charakter schlägt nicht mehr durch, wenn er Klopstock oder Goethe komponiert. Insofern setzt mit ihm ein Differenzierungsprozeß in der Berliner Schule ein, der gleichwohl nichts mit der Liedästhetik Schulzens zu tun hat, denn die war ja ihrerseits hoch literarisch. Der Unterschied liegt in den musikalischen Gestaltungsmitteln. – Daher muß Reichardt als Bindeglied zwischen der Berliner Liedtradition und Schubert gelten.

In mehrfacher Beziehung aufschlußreich – sowohl was die neuen Qualitäten, als auch was den verbleibenden Abstand angeht – ist Reichardts Erlkönig-Vertonung von 1794.[8] Mit g-Moll greift er zur bevorzugten Tonart der Zeit für Dämonie und Trauer. Mit dem penetrant festgehaltenen Dreiachteltakt für das daktylische Grundmetrum (mit Viertel und Achtel für den Spondeus, der dadurch ja eigentlich zum Trochäus verschoben wird) handelt er sich Fehlbetonungen, und zwar durchaus vermeidbare ein. Dagegen ist die Verlegung des gesamten Komplexes von Melodie und Harmonik bei den Worten des Erlkönigs in die Begleitung, bei gleichzeitiger Rezitation der Singstimme auf einem einzigen Ton im Pianissimo, ein höchst wirkungsvolles Ausdrucksmittel, das vom variierten Strophenlied im Klangbild schon ziemlich weit wegführt. Gleichzeitig behält er dessen musikalische Grundsubstanz streng bei und bewirkt so eine Dämonisierung des Ausdrucks, wie sie in der Berliner Schule sonst nicht denkbar war. Es zeigt zudem, daß Reichardt mit dem Wechsel von melodischen und rein rezitierenden Strophen, in welchen allein die Begleitung den musikalischen Zusammenhang sicherstellt, bereits auf dem Weg zu größeren Formen höherer Ordnung ist, während Schulz noch mit Stücken von nur acht Takten Länge gerade die äußerste Knappheit der Form anstrebte.

Am geringsten ausgeprägt unter den Hauptvertretern der zweiten Berliner Schule ist das Eigenprofil von Johann André (1741–1799). Er ist weniger literarisch geprägt als die beiden anderen, weshalb seine Melodiebildung zwar auch heute noch durchaus den Charakter des Populären, aber gelegentlich auch ausgeprägt instrumentale Eigenarten hat. Man ist versucht, gelegentlich wieder an das längst überwundene Tanzlied zu denken. Insofern fällt André ein wenig aus der Entwicklungstendenz der Berliner Liedtradition heraus.

Letzter bedeutender Vertreter der Berliner Liederschule, dessen Lebensdaten freilich über diejenigen Webers, Beethovens und Schuberts hinausreichen, war Karl Friedrich Zelter (1758 bis 1832), der vom Handwerk zur Musik kam, Mitglied der Singakademie unter Carl Friedrich Fasch wurde, dessen Nachfolge er später antrat. Mit seinem Festhalten an der Vorrangstellung des Strophenlieds und in seinen meist sehr knappen Stücken dieser Art blieb er zeitlebens auf dem Boden der Berliner Liedästhetik, in seinen größer angelegten Formen geht er aber auch darüber hinaus. Man darf jedoch bei der stilgeschichtlichen Einordnung seines Werkes nie vergessen, daß er zwar Schubert überlebte, aber fast zwei Generationen älter war. Seit 1796 publizierte er insgesamt 200 Lieder, darunter allein 75 seines Freundes

Goethe. Eine 1810–1812 erschienene Ausgabe ›Sämmtlicher Lieder, Balladen und Romanzen‹[9] enthält irreführenderweise in vier Heften nur je zwölf Stücke, weniger als ein Viertel seiner Liedproduktion; aber sie kann einen Eindruck von deren Spannweite vermitteln. Sie reicht von dem ›Jungen Jäger‹ (I, 9) nach Goethe, den wir heute noch mit einer Neutextierung als Kinderlied ›Der Kuckuck und der Esel‹ kennen, bis zu hochkomplexen Formen. Doch selbst bei diesem ganz einfachen Stück stellt die Verwendung der rhetorischen Figur der Suspiratio klar, daß es sich um ein Lied mit eindeutigem Kunstcharakter handelt. Als letztes Lied im ersten Heft steht Goethes ›Gretchen am Spinnrad‹, das in Schuberts künstlerischer Entwicklung eine Schlüsselstellung einnimmt. Auch Zelter legt seine Vertonung als variiertes Strophenlied an und nutzt das tonale Umfeld der Haupttonart für die Architektur der Großform. Ausgangstonart ist f-Moll; Gretchens Unruhe drückt sich in den Pausenfiguren der Melodie ebenso aus wie in der Komplementärrhythmik der Begleitung; die Sechzehntelbewegung der Anapäste freilich gerät mit ihrem hüpfenden Rhythmus mitunter an die Grenze zur unfreiwilligen Komik. Dagegen ist der Aufschrei „die ganze Welt" (… ist mir vergällt) mit den Sforzati und der Hemiole besonders ausdrucksstark. Von besonderem Nachdruck ist auch die schrittweise Höhersequenzierung „Mein armer Kopf" – „mein armer Sinn". Die Durparallele setzt Zelter für den Gedanken an den Geliebten ein, der Kontrast der eigenen Depression kehrt folgerichtig zum f-Moll zurück. Takt- und Tonartwechsel zur Durvariante sowie eindrucksvolle Verwendung der Synkope in einem Vivace ed agitato machen ihre Halluzination und ihre Sehnsucht künstlerisch glaubhaft bis hin in die Ekstase der Chromatik und des „Saltus duriusculus"[10] „… nach ihm", ein beinahe romantisch-expressives Stück, ließe Zelter es nicht in eine neuntaktige Koloratur münden, die all die zuvor so ausdrucksstark eingesetzten Stilmittel zur Opernstretta herabwürdigt.

Lange und liedwidrige Koloraturen (vgl. etwa II Nr. 6), die permanenten Akkordbrechungen in der Begleitung, die das Klavier an das Modeinstrument der Zeit, die Gitarre, annähern und die merkwürdige Vorliebe für Skalenfiguren in den Zwischenspielen sind durchgängige Schwachpunkte seiner Gestaltungsmittel. Und selbst wenn man unterstellt, daß die einfacheren Lieder im Zusammenhang mit der von ihm gegründeten Liedertafel stehen, bleibt schwer verständlich, warum er einerseits so ausdrucksstarke Stücke von riesigen Ausmaßen wie Schillers ›Teilung der Erde‹ (II Nr. 11) oder ›Die Braut am Gestade‹ (III Nr. 6) in es-Moll (!) schreibt, ein Stück wie die ›Abendphantasie‹ (IV Nr. 6) förmlich in expressives, wenn auch koloraturenreiches Rezitativ auflöst, also immer wieder an die Grenzen der Gattung vorstößt, aber andererseits eine so lange Ballade wie Goethes ›Sänger‹ (III Nr. 1) als schlichtes Strophenlied behandelt.

So problematisch manches an Zelters Liedwerk ist, so ernst zu nehmen sind seine musikpädagogischen und -organisatorischen Einflüsse, welche insbesondere die Liedpflege wesentlich befördert haben. Sein 1799 begonnener Briefwechsel mit Goethe hat das Musikverständnis des Goethe-Kreises im Positiven wie im Negativen nachhaltig geprägt. Er wies der bürgerlichen Musikpflege mit der Gründung der Liedertafel einen der wichtigsten Wege der musikalischen Volksbildung.

Die faktische Vorherrschaft der Berliner Liederschule hat zeitweilig den Blick dafür getrübt, daß es auch anderweitig eine Liedproduktion gab, nur ist sie regional ungleich verteilt. Die Konfessionalität ist allenfalls sekundär als Grund dafür anzuführen; jedenfalls ist Liedpflege offenbar gebunden an das Vorhandensein eines bürgerlich-städtischen Musiklebens, das wiederum nicht ohne weiteres gleichgesetzt werden darf mit öffentlicher Musikpflege. Und da waren nun einmal die Verhältnisse im aufgeklärten Berlin der Gattung günstiger als etwa im adelsorientierten Wien, wo die Aufklärung ohnehin erst eine Generation später Einzug hielt mit der Schlüsselfigur Gottfried van Swietens, der in seiner Berliner Zeit im engsten Kontakt zu den Musikern der Berliner Liederschule gestanden hatte.

Das tragischste Symbol für den Zusammenhang von Aufklärung und Liedpflege ist der schwäbische Schriftsteller Christian Friedrich Daniel Schubart (1739–1791), der von seinem württembergischen Landesherrn über die Grenze zurückgelockt und zehn Jahre eingekerkert wurde. Ganz „Originalgenie", sah er in Volkspoesie und -lied den Nährboden von Literatur und Musik schlechthin und rief zur Sammlung von Volksliedern auf. Als Autodidakt und wohl unabhängig von der Ästhetik der Berliner fand er so zum Volkston seiner eigenen Lieder. Eine zum Teil autographe Handschrift mit 57 teilweise ungedruckten Liedern liegt in der Stuttgarter Landesbibliothek, 14 Lieder wurden 1786 als ›Musicalische Rhapsodien‹ gedruckt. Die Überlieferung ist also von einer gewissen Zufälligkeit geprägt; der Begriff „Rhapsodie", hier wohl nur in einer sehr allgemeinen, romantisierenden Bedeutung als Vortrag eines Volkssängers gebraucht, hat dazu geführt, bei Schubart „Rhapsodisches" im Sinne des späteren 19. Jahrhunderts zu suchen. Gemeint ist jedoch nur der Volkston, aber weniger als ästhetisches Ideal des Kunstlieds wie bei den Berlinern, sondern aus genauer Kenntnis des Volksgesangs und des Umgangsliedes.

Künstlerisch bedeutender ist sicher Johann Rudolph Zumsteeg (1760–1802), Mitschüler Schillers auf der Karlsschule. Er hat nur wenige volkstümliche Lieder geschrieben, die sich ganz im Banne des zum aufklärerischen Freiheitssymbol gewordenen Schubart bewegen. Zumsteeg entwickelte vor allem das erzählende Lied, wie es aus der Tradition der Vertonung von Gellert-Fabeln im Prinzip schon vorhanden war, weiter mit Vertonungen der in der Klassik aufblühenden Gattung der Ballade. – Was in der Aufklärung noch gleichberechtigt und oft undifferenziert nebeneinandergestanden hatte, das (didaktisch-)erzählende oder reflektierende Lied neben dem lyrischen, spaltet sich mit der zunehmenden Lyrisierung der literarischen Gattung unter gleichzeitiger Verengung des Lyrikbegriffs in der deutschen Literatur auf Erlebnislyrik ab zu einer eigenen Gattung, der Ballade, mit eigenen Stilmitteln und einer eigenen Gattungstypik. Sie hat der Tatsache Rechnung zu tragen, daß in der Ballade ein Handlungsverlauf erfaßt werden muß, der ein Zeitmoment enthält, das Nichtumkehrbarkeit voraussetzt und der Lyrik fremd ist. Der epische Grundcharakter schließt ferner direkte Rede als Charakteristikum handelnder Personen mit ein bis hin zur Auflösung der gesamten Handlung in Dialog, wie in Herders ›Edward‹. Durch den epischen Handlungsverlauf bekommt die Musik notwendigerweise einen mehr deskriptiv-illustrierenden Charakter als bei der stimmungshafteren Lyrik, und die direkte Rede bringt zusätzlich Techniken musikdramatischer Charakterisierung ins Spiel.

Die Ballade ist mithin ihren Voraussetzungen nach eigentlich nicht als einfaches Strophenlied umsetzbar. Gleichwohl war die Haltung der Berliner zu dieser Frage unentschieden: Reichardt hatte bereits höchst differenzierte Mittel im Rahmen der strophischen Variation verwendet, während bei Zelter entwickelte Vertonungen und rein strophische, auch für längere Texte, nebeneinanderstehen. Zumsteeg hat sich konsequent für die große Form der Ballade entschieden: seine hoch dramatische Komposition von Bürgers ›Lenore‹ umfaßt nicht weniger als 950 Takte! Bis in Einzelheiten hinein folgt er illustrierend und tonmalend dem erzählten Handlungsablauf und hat damit außerordentlichen Einfluß auf die Balladenkomposition des 19. Jahrhunderts gehabt. Zumsteeg nutzt alle Gestaltungsmöglichkeiten, vom Rezitativ – auch für das Selbstgespräch – als textabhängigem Stilmittel innerhalb der Vertonung einer Strophe über häufigen Wechsel von Tempo- und Vortragsbezeichnungen bis hin zu selbständigen instrumentalen Abschnitten (vgl. etwa T. 93–105) und Elementen des Melodrams, bei dem die musikalische Illustration der Gestik *nach* dem zugehörigen gesprochenen Text erfolgte. Bezeichnenderweise geschieht ein solcher Rückgriff auf das Melodram nach einem Text wie „... mit wütiger Gebärde"; gelegentlich wird auch eine Geste wie das Flehen zum Himmel mit erhobenen Händen, das im Text nicht ausdrücklich erwähnt, aber als gestisches Ausdrucksmittel einleuchtend ist, unmittelbar durch die Musik suggeriert (vgl. T. 129 ff.). Dabei bedient sich Zumsteeg z. T. drastischer Mittel sowohl der Harmonik wie der Melodik, so wenn der Kontrast der Seligkeit mit dem Geliebten und der Hölle nach seinem Tode auf anderthalb Takten Länge mit einer Harmoniefortschreitung von D-Dur (als Zwischendominante zu G-Dur) nach f-Moll und einer Melodieführung $g''–es''–c''–as'–f'$ geschildert wird. Wie differenziert hier gearbeitet wurde, vermag nur die ausführliche Einzelanalyse zu zeigen. Daß bei allen neuen Gestaltungsmitteln, die hier der Gattung erschlossen werden, die Gefahr eines Zerfalls des formalen Zusammenhangs sehr deutlich aufscheint, ist nicht zu übersehen. Die Entwicklung ist deshalb in Richtung einer Rücknahme dieser Technik der Durchkomposition zu einer stärkeren formalen Konzentration verlaufen.

In den Relationen des Gesamtwerks von Haydn und Mozart nehmen selbständig veröffentlichte Lieder nur einen bescheidenen Platz ein. Aber diese Relationen sind unter dem Vorbehalt zu sehen, daß Lieder etwa im Zusammenhang dramatischer Werke erscheinen oder – und das trifft vor allem für Haydn zu – der

Liedcharakter auf instrumentale Werke, insbesondere deren langsame Sätze, durchschlägt. Manche langsamen Sätze zyklischer Instrumentalformen ließen sich ohne weiteres textieren und wären von echten Liedern nicht zu unterscheiden. Die ungeheure Popularität, die Haydn mit seiner ›Kaiser-Hymne‹ erlangte, deren Melodie er ja auch zum Kern des langsamen Satzes eines Streichquartetts machte, zeigt ebenso deutlich, welch treffsicherer Melodiegestalter Haydn war und wie austauschbar Lied und Instrumentalsatz für ihn waren.

Haydn hat jedoch auch zwei eigene Sammlungen mit Liedern herausgegeben und sie deutlich im Zusammenhang mit der Wiener Liedproduktion seiner Zeit gesehen, allerdings mit dem klaren Anspruch, bessere geschrieben zu haben. Während der zweiten Reise nach England ließ er dann noch einmal zwei Hefte mit englischen Liedern (1794/95) drucken. Zusammen mit einigen Einzelstücken, darunter die ›Kaiser-Hymne‹ von 1797, gibt es 34 als echt akzeptierte deutsche Lieder von Haydn,[11] darunter eines, das er selbst nur mit einem englischen Text veröffentlicht hat. – Die These von der verspäteten Aufnahme der Aufklärung in Wien bestätigt sich schon in der Textwahl: Zeitgleich mit den wichtigsten Sammlungen der zweiten Berliner Schule, die den Hainbund, Klopstock, Claudius vertont, greift Haydn wieder auf Christian Felix Weisse und Lessing zurück, aus dem Umfeld der ersten Berliner Schule ist Gleim vertreten, die meisten Gedichte von weniger bekannten Dichtern sind der Anakreontik zuzuordnen, wie sie den ersten Veröffentlichungen Krauses zugrunde lagen. Ein Anschluß ist weder an die Ästhetik der zweiten Berliner Schule mit dem Einfachheitsideal des Volkstons noch an die expressiveren und größeren Formen gesucht, wie sie etwa Neefe schon teilweise vorgelegt hatte, aber auch die Anregungen der Klopstock-Lieder Glucks wurden nicht aufgenommen. Auffällig ist vielmehr eine sehr viel freiere Behandlung des Klavierparts, der weniger Begleitungscharakter hat, sondern es entsteht der Eindruck, die Gesangsmelodie sei in einen Klaviersatz eingebettet, insbesondere die Zwischenspiele sind überwiegend nicht textlich begründbar und daher meist figurativ.

Die Plastizität der musikalischen Bildkraft Haydns zeigt sehr schön seine ›Sehr gewöhnliche Geschichte‹ (I, 4), eine von zahlreichen Versionen der Geschichte von einem jungen Burschen, der nachts bei seinem Mädchen Einlaß begehrt; für den Aufklärer Weisse kein Sündenfall, sondern ein gesellschaftliches Problem: der erst am Morgen wegschleichende Liebhaber verfällt dem Hohn der lauernden Nachbarn. – In der Romantik wird zumeist eine Tragödie mindestens eines der Beteiligten daraus. Haydn schildert die Situation zunächst auf einem Ton rezitierend. Das Klopfen an der Tür wird mit Höhersequenzierung der Melodie, frei eintretender Dissonanz, ständig größeren Sprüngen des Basses und schließlich Verdopplung der Bewegung in der Begleitung sehr handgreiflich geschildert. Diese beiden Zeilen hat Haydn auch dem Lied als instrumentale Einleitung vorangestellt, die ganz gut in die zunehmende Ungeduld des Liebhabers einführt, die Haydn durch dreimalige Wiederholung des Textes über die Textvorlage hinaus steigert. Der Bursche gibt sich zu erkennen, und Haydn setzt für diese wörtliche Rede und die Antwort den Lagenwechsel als Charakteristik ein, zugleich mit dem verminderten Septakkord eine Art von Unrechtsbewußtsein andeutend.

Ihr Nein ist aber von Haydn in eine so tändelnde Allerweltsfloskel gekleidet, daß jedermann gleich weiß, es handelt sich höchstens um ein kokettes Zieren, zumal Haydn die Floskel gleich darauf sequenzierend noch einmal bringt, diesmal auf eine Wiederholung der vorhergehenden Zeile, was nun vollends klarstellt, daß sie „Nein" gesagt, aber „Philint" gedacht hat: ein Genrestückchen von unmittelbarer Eindringlichkeit.

Wie differenziert Haydn mit einem metrisch komplexen reflektierenden Text umgeht, sei an Gleims ›Das Leben ist ein Traum‹ (II, 9) gezeigt. Er wählt sehr langsames Tempo (Largo) und hebt mit komplementären Rhythmen die metrische Grundstruktur beinahe auf. Das Anfangswort wird wiederholt und dadurch zweifach musikalisch interpretiert: das Leben währt lang (T. 6) und es endet abrupt, wenn der Mensch aus diesem Traum stürzt; „schlüpfen" und „schweben" werden tonräumlich dargestellt. Die Kurzzeilen werden noch einmal musikalisch beschleunigt und drücken so auf geradezu beklemmende Weise die Kurzatmigkeit des „Wahns" Leben aus, der nur ein Ziel kennt: „bis wir nicht mehr an Erde kleben", von Haydn mit einer Katabasis für das Niedersinken gezeichnet, aber gleich danach in der Begleitung aufgefangen durch eine rasche Figur, sichtlich für das befreite

Fliegen der Seele, eine deutliche Interpretation über den Text hinaus. Und dann die rhetorische Frage nach dem Sinn des Lebens: Haydn wiederholt sie drängender, läßt sie auf dem Spitzenton in es-Moll mit Fermate stehen, fügt in der Begleitung einen Akkord ein, der in allen drei Tönen ein Leittonverhältnis zum nächsten enthält, um dann den Aussagesatz des Anfangs durch Betonungsverschiebung gegen das Metrum der Dichtung noch einmal zu intensivieren: „das Leben *ist* ein Traum!" – Nach dem Geschilderten ist verständlich, daß die Berliner wenig Verständnis für diese Art der Interpretation über den Text hinaus und die extensive Beteiligung des Klaviers hatten; Reichardt hat das sehr deutlich gesagt. Daß jedoch eine so präzise Behandlung von Texten in dem historischen Umfeld eine außerordentliche Leistung war, ist ebensowenig zu bestreiten.

Auch bei Mozart spielt das Lied nur eine scheinbar untergeordnete Rolle, die 28 erhaltenen selbständigen deutschen Lieder[12] sind nur ein Teil der von ihm komponierten Stücke, manches ist verlorengegangen, so schon das früheste Lied des Sechs- oder Siebenjährigen. Das liegt daran, daß die selbständigen Lieder wahrscheinlich sämtlich als Gelegenheitsstücke, häufig auf äußere Veranlassung, entstanden sind, obwohl Mozart selbst sich vertonbare Gedichte abschrieb. Nur 13 Stücke wurden überhaupt zu seinen Lebzeiten publiziert. – Da die selbständige Kunstgattung bei ihm so offensichtlich weniger Interesse fand als bei Haydn, darf man wohl zwei hauptsächliche Berührungspunkte mit dem Lied annehmen: das Freimaurer- und das Bühnenlied. Dessen Soziologie ist für Mozart völlig unverändert geblieben bis in die letzten Werke hinein: Papageno singt so echte Lieder, daß eines davon sogar volkläufig wurde, Pamina, Tamino und die Königin der Nacht singen Arien, und Sarastro und die Isispriester artikulieren sich im Stil feierlicher Freimaurerlieder.

Wie präzise und zupackend der Dramatiker Mozart sich aber auch der selbständigen kleinen Kunstform bemächtigt, ist an beinahe jedem Stück zu zeigen. Seine Textwahl allerdings ist nicht unproblematisch, Weisse spielt die größte Rolle, selbst Hagedorn und Uz kommen noch immer vor. Unbekümmert um alle Theorie von Liedmelodik und -satz beginnt er ein Lied ausschließlich mit Dreiklangssprüngen, eine ganze Oktave hinauf und wieder herunter, zwei volle Takte lang, und doch wurde das Resultat eines unserer populärsten Mailieder (›Komm, lieber Mai und mache ...‹; KV 596, aus dem Todesjahr 1791 stammend). – Mozart ist allgemein ziemlich freizügig mit seinen Textvorlagen umgegangen, ohne viel Verständnis dafür, daß der ästhetische Rang eines Gedichtes Veränderungen verbieten könne. Der berühmteste Fall ist Goethes ›Veilchen‹ (KV 476), auch ein erzählendes Lied, fast eine kleine Ballade. Mozart hat ihm die berühmte rezitativische Klage und die Wiederholung der dritten Zeile angefügt, was stets als eine Art naiver Emotionalisierung interpretiert worden ist. In einer Phase der Eingrenzung des Liedbegriffs auf (Erlebnis-)Lyrik und Abspaltung des erzählenden Liedes zur Sondergattung der Ballade ist eine derartige Emotionalisierung auch unter dem Gesichtspunkt interessant, daß sie eine Lyrisierung des Textes darstellt: eine erzählte Geschichte wird vom Komponisten nachträglich in die Darstellung einer Gefühlshaltung umgedeutet, die Vergangenes schmerzhaft erinnert: „... es war ein herzig's Veilchen!"

Sichtlich in seinem Element ist der Musikdramatiker Mozart da, wo er auch im Lied Personen- und Situationscharakteristik betreiben kann bis in die Vortragsweise. „Ein bischen durch die Nase" lautet sie für das Hagedorn-Gedicht ›Die Alte‹ (KV 517), die ewige Klage über die Schlechtigkeit der Jugend und den Verlust der guten alten Zeit. Mozart entlarvt sie musikalisch außer mit der buffonesken Darbietungsvorschrift durch ein monoton sequenziertes Motiv als ewig alte Leier, die moralinsaure Entrüstung als scheinheilig durch die Heraushebung des „Doch": früher sei „alles mit Bescheidenheit" vor sich gegangen.

Eher bühnengemäß, dem Sänger auch den Sprachduktus vorschreibend, verfährt Mozart auch in der mit 110 Takten sehr langen durchkomponierten lyrischen ›Abendempfindung‹ (KV 523); scharf setzt er die mondbeglänzte Abendstimmung gegen die von ihr ausgelösten Todesgedanken über die Flüchtigkeit des Lebens ab. Da sie am Anfang der zweiten Strophe weitergeführt werden, beginnt Mozart diese auch in seiner Vertonung mit der dritten Melodiezeile der ersten Strophe, um dann vollends zur gestisch-szenischen Illustration überzugehen: das Ende des Spiels, in dem wir alle nur Darsteller sind, wird zur dreimaligen, resignierten Geste, das letzte Mal in Moll. Klagevorhalte beim Gedanken an das eigene Grab kontrastieren hart mit der

Atemlosigkeit des Lauschens auf die Ahnung von einem Weiterleben nach dem Tode, deren mit eher pathetischen Seufzern gedacht wird. Ähnlich dramatisch ist das dreimalige Synkopenmotiv für den „seelenvollen Blick" (Strophe 5). Deutlich hörbar fallen die Tränen (ebd.), reine Bildlichkeit ist das „Diadem" (Str. 6), und mit der Ablösung des Begriffs der „schönsten Perle" vom Kontext, seiner Verselbständigung, ist der Schritt in die Opernhaftigkeit vollends getan, denn der Bezug des Bildes zur Träne eines Freundes auf das eigene Grab ist inzwischen verlorengegangen.

Obwohl Mozarts Verhältnis zur Gattung Kunstlied so offensichtlich gespalten ist, sind Sanglichkeit, ja sogar Liedhaftigkeit so charakteristisch für seinen Personalstil, daß es in keiner anderen Werkgattung so viele unterschobene Stücke gibt; die Zahl der unterschobenen Lieder ist größer als die der authentischen: darunter befand sich auch das ebenso bekannte wie beliebte ›Schlafe, mein Prinzchen, schlaf ein‹, das von dem Berliner Arzt Johann Bernhard Fließ komponiert wurde. Selbst nachdem 1897 die Autorschaft geklärt worden war,[13] hat es noch mehr als ein halbes Jahrhundert gedauert, bis die Musikpraxis von ihrer Lieblingsvorstellung Abschied genommen hat, dieses Lied als von Mozart komponiert anzusehen.

Ein echter Ausgleich zwischen dem dramatisierend-illustrativen Element, das ja zugleich ein Übergewicht des Musikalischen bedeutet, dem detaillierten Textbezug, wie ihn die Berliner ausgebildet hatten, und den neu erschlossenen Dimensionen des Gefühlsausdrucks ist erst mit Beethoven wirklich erreicht. Er steht eindeutig auf dem Boden der Berliner Schulen bis in einzelne Stilelemente hinein, wie dem Unisonoanfang (›Die Flamme lodert‹; ›Die Himmel rühmen‹), aber schon von seiner historischen Stellung her konnte er auch die bereits darüber hinausführenden Tendenzen aufnehmen; daß er die schöpferische Kraft besaß, diese einander widerstrebenden Tendenzen zu einer neuen Schicht zu verschmelzen, macht seine künstlerische Größe aus. Der Grenzfall der ›Chorphantasie‹ op. 80, deren Liedmelodie zunächst rein instrumental erfunden und gestaltet wurde, zeigt, daß es Beethoven eigentlich nicht auf den Gehalt des für eine bestimmte Melodie noch zu schaffenden Textes ankam, sondern nur auf das Vorkommen eines bestimmten Wortes (oder wenigstens eines Wortfeldes) an einer ganz bestimmten Stelle konzentrierten Ausdrucks.

Die Zahl von etwa 80 deutschen Liedern, dazu die fremdsprachigen Stücke und solche mit Orchesterbegleitung sowie die Lieder in Bühnenmusiken (v. a. ›Egmont‹), ferner 16 verlorengegangene Stücke sowie rund 200 Volksliedbearbeitungen zeigen, daß in den Relationen von Beethovens Werk das Lied eine ungleich gewichtigere Rolle spielt. Die Auseinandersetzung mit ihm reicht auch über die Gattung selbst hinaus, wie die ›Chorphantasie‹ und die 9. Symphonie zeigen, von den liedhaften Instrumentalsätzen zu schweigen.[14] Die Gestaltungsprobleme einzelner Lieder haben ihn über lange Zeit hinweg beschäftigt; mit Schillers Freuden-Ode hat er schon in Bonn gerungen. Ungewöhnlich viele Liedkompositionen wurden abgebrochen, teilweise später wieder aufgenommen, umgearbeitet oder neu komponiert; manches blieb auch dann unvollendet. Nur so ist zu erklären, daß die Beethoven-Forschung fast ein Jahrhundert lang übersehen hatte, daß ein an sich bekanntes Skizzenblatt ein vollständiges weiteres Gellert-Lied enthält, das nicht in op. 48 aufgenommen worden war. Die Mehrzahl der Lieder blieb ohne Opuszahl; das bekannte ›Adelaide‹ jedoch erhielt bei einem Nachdruck die versehentlich freigebliebene Werkzahl 46, die historisch völlig irreführt. Das erschwert die stilgeschichtliche Analyse, zumal Zufallsfunde bis in die jüngste Zeit historische Korrekturen erforderten, wie etwa bei den Gellert-Liedern, die schließlich vom Tode der Gattin des Widmungsträgers als Anlaß ihrer Entstehung abgelöst und Beethovens eigener Biographie zugeordnet werden mußten, was sie in das Umfeld des Heiligenstädter Testaments rückte.

Unter den Textdichtern erscheinen immer noch die Aufklärer wie Lessing und Gellert, sogar Christian Felix Weisse, letzterer sogar mit der ganz späten Opuszahl 128. Aber diese „Ariette" ›Der Kuss‹ reicht nachweislich bis mindestens 1798 zurück, gehörte also eigentlich zwischen die Streichquartette op. 18. Aber unter den frühesten Liedern befinden sich schon Hölty und Bürger, nach 1798 auch Herder und Claudius sowie als meistvertoner Dichter Goethe. Obwohl Beethoven durchaus literarisches Qualitätsbewußtsein besaß, bestimmt nicht allein dieses seine Textwahl. Abgesehen von der ›Kuss‹-Ariette op. 128 und Texten wie dem Flohlied aus ›Faust‹ (op. 75,3) oder ›Mit Mädeln sich vertragen‹ (WoO 90), ist sie viel mehr auf die großen Menschheitsideale gerichtet, auf Freiheit, Humanität, Treue; der adäquate musikalische Ausdruck für Schillers Freuden-Ode hat ihn fast sein ganzes Leben lang beschäftigt. Um dieser Themenkreise willen vertonte er in nachrevolutionärer Begeisterung Gottfried Konrad Pfeffels eher von pädagogischem Pathos als literarischer Qualität bestimmtes ›Der freie Mann‹ (WoO 117), während er Dichtungen vom ästhetischen Rang des ›Erlkönigs‹ und des ›Heidenrösleins‹ trotz jahrelanger, anhand von Skizzen verfolgbarer Bemühungen schließlich unbewältigt aufgab. Seine Textwahl ist mithin eher ethisch als ästhetisch oder gar literarisch motiviert gewesen.

Beethovens Erfahrungen mit dem Lied gehen auf seine Bonner Jugendjahre zurück. Aus dieser Zeit kommen die ersten erhaltenen Lieder des 13jährigen, die ›Schilderung eines Mädchens‹ und ›An einen Säugling‹. Kurz nach 1785 entstand ›Wenn jemand eine Reise tut‹, das er erst 1805 in seinem op. 52 veröffentlichte, und das 1790 komponierte Lied ›An Laura‹ wurde gar den Bagatellen op. 119 in einer Klavierbearbeitung angehängt, deren Authentizität freilich nicht ganz gesichert ist. – Es ist zu vermuten, daß Beethovens Lehrer Neefe seinen Schüler in besonderer Weise auch mit den Problemen dieser Gattung bekannt gemacht hat, denn als Schüler Hillers und Kapellmeister einer Bühnentruppe, die Singspiele aufführte, stand er ebenso in der aufklärerischen Tradition des norddeutschen Liedes wie er als Leipziger Student wohl noch bei Gellert gehört hatte und daher sicherlich die Kenntnis der Vertonungen C. Ph. E. Bachs vermittelt hat, womit die Verbindung zur Berliner Schule geschaffen war. Aber Neefe war eben auch als Komponist hochexpressiver Lieder und Überwinder der Berliner Ästhetik des Volkstons im Kunstlied vorgestellt worden, schwer denkbar also, daß er den heranwachsenden ungestümen Komponisten nicht auch mit seinen kühnen, noch neuen Ideen bekannt gemacht haben sollte.

Bevorzugter Dichter war zunächst Friedrich Matthisson, dessen glatte Verse der Vertonung zwar sehr entgegenkommen, aber selbst die berühmte ›Adelaide‹ op. 46 (1895) besteht eigentlich aus einer versatzstückhaften Aufzählung unvereinbarer Naturbilder, abgesehen von der manierierten „Blume der Asche meines Herzens". Interessant ist an dem variierten Strophenlied der Ansatz zur tonalen Zyklusbildung unter den Variationen:

während die erste und letzte Strophe in B-Dur stehen, moduliert der Mittelteil sehr stark nach Des- bzw. Ges-Dur und kehrt über b-Moll zur Ausgangstonart zurück. Ebenso interessant ist aber die Melodiebildung, die den Meister der thematischen Arbeit erkennen läßt, wenn Beethoven die zweite und dritte Melodiezeile zusammenfaßt und durch variierende Erweiterung der ersten gewinnt; diese thematische Identität macht bei aller sanglichen Innigkeit die formale Geschlossenheit des Stückes aus.

Beethoven ist nach dem Schwerpunkt der Goethe-Vertonungen wieder zu dem Aufklärer Gellert zurückgekehrt. Dies hat aber offenbar persönlichere Gründe als lange Zeit angenommen und ist wiederum von Inhalt und aufklärerisch-quietistischer Religiosität der Texte bestimmt. Beethoven vertonte sie, als er sich bewußt wurde, daß sein Gehörleiden zur völligen Ertaubung führen müsse. In dieser Krise nach ihnen zu greifen, geht sicher ebenso auf die persönliche Nähe seines Lehrers Neefe zu Gellert wie allgemeiner auf die Prägung durch die rheinisch-katholische Aufklärung mit ihren irenischen Bestrebungen zurück. So wurden die Gellert-Gedichte als Selbstbekenntnis zur musikalischen Manifestation seiner Weltanschauung, seiner Bitten um göttlichen Beistand, seiner Ethik (Nr. 2), des Bewußtseins seiner unmittelbaren Krankheit (›Vom Tode‹), seines Pantheismus (›Die Himmel rühmen‹), seines Gottvertrauens (›Gott ist mein Lied‹) und seiner Ergebung (›Bußlied‹): „Dir ist mein Fleh'n, mein Seufzen nicht verborgen, und meine Tränen sind vor Dir!" Aber es geht in diesem Falle nicht nur um die Adaption dieser reflektierenden Lyrik zum höchst emotionalen Ausdruck eigenen Erlebens, sondern Beethoven hat sie in einer konkreten musikalischen Gestalt, den Vertonungen C. Ph. E. Bachs, als Vorlage genommen, was nicht ausschließt, daß für die Auswahl der Strophen auch eine Textausgabe herangezogen wurde. Gleich das erste Lied zeigt ebenso deutlich, wo er neue Gestaltungsmittel sucht, wie es die Kontinuität deutlich macht: undenkbar in der Berliner Tradition ist die Baßführung – die Auflösung der Heterolepsis vorausgesetzt – über drei Oktaven als Symbol der allumfassenden Liebe Gottes, mit der ein beinahe barockes Element in die Vertonung kommt, das mit den betont einfachen Verhältnissen der Berliner unvereinbar gewesen wäre. Dagegen übernimmt Beethoven von Bach die Rezitation auf einem Ton in der zweiten Hälfte der Strophe, sowohl als Ausdruck des Betens in der Form der Liturgie als zugleich für das Vertrauen auf Gott als den Fels des Glaubens.

Selbst da, wo Beethoven einzelne Stilmomente aus dem Repertoire der Berliner Schule übernimmt – so etwa den unvollständigen Nonenakkord mit doppeltem Leitton (Nr. 2 T. 20) oder die Unisonoeinleitung (›Die Himmel rühmen‹) –, erhalten sie durch den veränderten Kontext einen anderen Stellenwert: die weichliche Harmonik mit der Scheu vor der Subdominante ist aufgegeben; so erhält der unvollständige Wechseldominantnonakkord einen besonderen Nachdruck, der mit Sforzato noch herausgehoben wird, und der Unisonoanfang wird zum Ausdruck des für Beethoven personaltypischen Pathos, das nicht wenig dazu beigetragen hat, das Lied zu einem Lieblingsstück aller Männerchöre zu machen.

Handelt es sich bei den Gellert-Liedern noch lediglich um eine Folge, so ist ›An die ferne Geliebte‹ (op. 98; 1816)[15] ausdrücklich als „Liederkreis" bezeichnet. Um einen geschlossenen Kreis handelt es sich in der Tat, auch wenn das Wort wohl nur eine modische Eindeutschung[16] von „Zyklus" war. Die Texte stammen von dem Wiener Medizinstudenten Alois Jeitteles. Beethoven hat die sechs Lieder sowohl ihrer tonalen Anordnung wie der melodischen Gestaltung nach zum Kreis gefügt: ausgehend von Es-Dur werden sie über G-, As- und C- wieder nach Es-Dur geführt, und mehr noch, er setzt die letzte Strophe des letzten Liedes auf die Melodie des ersten, so die Geschlossenheit betonend. Charakteristisch für Beethoven ist dieser Schluß nicht nur durch die Steigerung, die geradezu hymnisch-jubelnde Gewißheit, daß vor der emotionalen Wirkung der Musik Grenzen, Hemmnisse und Entfernungen bedeutungslos werden, sondern auch in der Art, wie das metrische Gefüge der Dichtung um des Nachdrucks der Aussage willen aufgebrochen wird, Wörter, Satzteile wiederholt, bestätigend Wörter wie „ja" eingefügt werden, liegt ein weiterer Beweis, daß es ihm letztlich nicht auf das dichterisch geformte Wort ankommt, sondern auf die Eindringlichkeit der Aussage. Andererseits zeigt diese eher symphonische Schlußsteigerung seine Tendenz, über die Textgebundenheit hinaus zu musikalisch begründeten Formen zu gelangen.

Beide Feststellungen sollen jedoch nicht davon ablenken, daß Beethoven mit faszinierender Genauigkeit die sprachliche und poetische Struktur seiner Textvorlagen erfaßte und umsetzte. Das zeigt geradezu kraß ein Vergleich der beiden Fassungen von ›An die Hoffnung‹ (op. 32 und 94; 1805 und 1815 entstanden, die letztere möglicherweise eher). Die Charakteristika Beethovenscher Textbehandlung beginnen damit, daß aus Tiedges ›Klagen des Zweiflers‹ eine Hymne ›An die Hoffnung‹ wird und er dabei auch bleibt, als die zweite Fassung die in der früheren ausgelassene erste Strophe mitvertont. Diese erste Strophe widerstand der schlichten Strophenliedvertonung der ersten Fassung, ihre Auslassung jedoch war eine um so unbefriedigendere Lösung, als sie die für Beethovens Denken so wesentliche Frage nach der Existenz Gottes stellt. Um diese in Musik umzusetzen, bedurfte es dann wohl besonderer Mittel: er gestaltete sie als Rezitativ von b-Moll aus, erreicht aber noch vor Textbeginn über die chromatische Schärfung der Molldominante mit fis′ auch G-Dur, um sogleich die Zweifelsfrage „ob ein Gott sei?" in dem tonal nicht einzuordnenden verminderten Septakkord zu stellen. Das „ob" wird mit einer Pausenfigur abgetrennt, das Wort „Gott" erhält eine taktfüllende ganze Note, und damit verschiebt sich die Frage nach dem Sein Gottes auf den folgenden Taktschwerpunkt mit dem zusätzlichen Akzent des melodischen Spitzentons. Aus dem alternierenden Metrum Tiedges macht Beethoven den verzweifelten Aufschrei des Zweiflers, „ob ein Gott *sei*?". Insgesamt moduliert das mit vielen Alterationen versehene Rezitativ sehr stark, und wenn auch das als Extrem – von b-Moll aus – berührte Cis-Dur durch unorthographische Notation zustande kommt, so ist doch der psychische Eindruck extremer Harmonik wohl beabsichtigt; das „Weltgericht" als fragwürdige Möglichkeit der Selbstmanifestation eines Gottes wird von Beethoven mit einem saltus duriusculus (verminderte Sept abwärts) als Entelechie des Kleinmütigen diffamiert. Klare tonale Verhältnisse werden erst erreicht mit dem moralischen Imperativ „Hoffen soll der Mensch! Er frage nicht!" – und bei Beethovens Tonartencharakteristik ist es sicher kein Zufall, daß er hier dasselbe D-Dur einsetzt, mit dem die Freudenmelodie in der 9. Symphonie auftritt, nachdem es zuvor geheißen hatte: „O Freunde, nicht diese Töne!"

Die schon in op. 32 vertonten Strophen zwei bis vier werden von Beethoven durch die Wiederkehr der zweiten Strophe am Ende zur geschlossenen Form gerundet, die auch in der tonalen

Anlage G – Es/c – d – G ihre Entsprechung findet. Gerade bei so engem Textbezug bildet also wieder die übergeordnete „absolut" musikalische Form das Gegengewicht. Die mehrfachen Textwiederholungen, die Verdopplung des „o Hoffnung" und seine akklamatorische Wiederholung belegen erneut Beethovens Freizügigkeit im Umgang mit Texten im Interesse des Ausdrucks. Diese Subjektivität macht vergessen, daß es sich zu einem guten Teil dabei um Versatzstücke der Figurenlehre handelt wie die engen Schritte auf „Gram" (T. 31) und „Dulder" (T. 35), die Seufzer (T. 33, 37), die Katabasis auf „versunk'ne Urnen" (T. 57), die Anabasis bei der „nahen Sonne" (T. 66 f.) und „emporgehoben" (T. 34 f.). Aber auch sie werden subjektiviert, etwa in der Weise, wie er die Seufzermotive unmittelbar in die Akklamation „o Hoffnung" (T. 33) überführt. Personaltypisch ist schließlich das Aufbegehren, „das Schicksal anzuklagen" (T. 58). Erst die Synthese in der Dialektik von absoluter musikalischer Formgebung und textgebundener Expressivität macht den ästhetischen Wert der Liedkompositionen Beethovens aus. Aber dieses Gleichgewicht zwischen Wort und Ton ist seiner Natur nach instabil, auch wenn der Ausgleich auf einem Niveau erfolgt ist, das zuvor nie erreicht wurde.

FRANZ SCHUBERT

Was bis zu und insbesondere bei Beethoven zu einzelnen und durchaus polaren prägnanztypischen Erscheinungen im Lied geführt hatte, mit Schulzens „Lied im Volkston" als dem einen und einem Stück wie Beethovens ›An die Hoffnung‹ op. 94 (oder Neefes ›Totenopfer‹) als anderem Extrem, wobei das Problem der großen erzählenden Ballade ausgeklammert bleiben soll, das verfestigte sich im Lied Franz Schuberts (1797–1828) zu einem Idealtypus, der bis heute die allgemeine Vorstellung vom Lied beherrscht. Hinter dieser Feststellung über eine ästhetische Typologie verbirgt sich jedoch eine tektonische musikgeschichtliche Verschiebung: das Lied ist dem entwachsen, was die Ästhetik des 18. Jahrhunderts unter der „niederen Schreibart" verstand, sein Kunstcharakter steht außer Diskussion, denn auch der „Volkston" der Zweiten Berliner Schule war eine ästhetische Kategorie. Die ansteigende Bildung breiterer Kreise im Zusammenhang mit der zunehmenden Verstädterung ermöglichen eine weitergehende Rezeption dieses Kunstlieds, zumal sich parallel dazu der Charakter der Kammermusik verschiebt in Richtung auf bürgerliche Haus- und auf Darbietungsmusik, und zwar ungeachtet ihrer zunehmenden Artifizierung. Graf Rasumofski erhielt die von ihm in Auftrag gegebenen und honorierten Beethoven-Quartette nur noch auf ein Jahr zur ausschließlichen Nutzung, die späteren Quartette wurden sämtlich in allgemein zugänglichen Veranstaltungen uraufgeführt.

Verhängnisvollerweise wirkt nun in der Musikliteratur, selbst in der zu Schubert, jene Tendenz nach, die letztlich auf die Polemik Richard Wagners und der Neudeutschen Schule um die „wahre" Beethoven-Nachfolge zurückgeht, als deren Vollendung die Wagnersche Konzeption des Gesamtkunstwerks legitimiert werden sollte. Zumindest Schuberts erste sechs Sinfonien seien danach „nicht über das innere Format des Privaten hinaus"-gekommen, mit der Konsequenz, sie hätten „nur das Äußere des Beethovenschen Habitus angenommen".[1] Nun kann man aber

109

sicher nicht die Sinfonik des neunzehnjährigen Schubert mit den sieben Sinfonien des fast fünfzigjährigen Beethoven vergleichen, die damals – wie seine Kammermusik bis op. 97 einschließlich – tatsächlich das Wiener Musikleben beherrschten, während die späteren Werke bereits auf mehr oder weniger großes Unverständnis stießen. – In diesem Zusammenhang ist die These von der Annahme nur der Äußerlichkeit „des Beethovenschen Habitus" nicht zu diskutieren, aber die Anschlußthese vom privaten und Liebhaber-Charakter[2] der Musik Schuberts ist sicherlich nicht auf Dauer haltbar, auch dann nicht, wenn man seine Instrumentalmusik damit gegen sein Liedschaffen ausspielt. Beethoven und Schubert haben fraglos mit dem gleichen Kunstanspruch für dasselbe Publikum geschrieben. Dabei soll keineswegs verwischt werden, daß der eine ganze Generation Ältere dies naturgemäß früher erreicht hat und als Stipendiat eines Mitglieds des Kaiserhauses es dabei leichter hatte als der Abkömmling aus der vorstädtischen Unterschicht. Aber Schuberts Problem der künstlerischen Identitätsfindung bestand eben nicht darin, „das Äußere des Beethovenschen Habitus anzunehmen", sondern in dem von Beethoven beherrschten Wiener Musikleben Ausdrucks- und Gestaltungsformen zu entwickeln, die nicht als durch Beethoven personaltypisch besetzt galten.

Stärker als alle anderen Musiker der Zeit kam Schubert als Schüler des Internats der Hofkapelle unter Salieri von der Vokalität her, und angesichts seines kurzen Lebens hat diese Erfahrung eine größere Bedeutung behalten. So entsteht im Werdegang des Komponisten eine merkwürdige Diskrepanz zwischen dem raschen und sicheren Zugriff auf die Gattung Kunstlied, der klaren Bewußtheit seines Stilwillens hier und dem tastenden Suchen in der Instrumentalmusik sowie den immer wieder vorgenommenen Ansätzen zur Musikdramatik, deren Dialektik wohl nicht den Grundstrukturen seines Denkens entsprach. Zu den musikalischen Grunderfahrungen des jungen Schubert zählte aber nicht nur das Lied, wie es die Berliner Tradition ausgebildet hatte, sondern wir wissen auch, daß die Balladen Zumsteegs im Konvikt gesungen wurden; und deren handlungsorientierte Texte mit ihrer beinahe naturalistischen Gestaltung und ihren starken Emotionen machen nun einmal auf Jugendliche einen stärkeren Eindruck als noch so stimmungsvolle oder gar reflektierende Lyrik. Es ist also vielleicht doch mehr als Zufall, daß die älteste erhaltene Liedkomposition des vierzehnjährigen Schubert eine Ballade (›Hagars Klage‹ D. 5) ist. Titel wie ›Leichenfantasie‹ (D. 7), ›Der Vatermörder‹ (D. 10), ›Geistertanz‹ (D. 15) oder ›Totengräberlied‹ (D. 44), alle vor dem 16. Lebensjahr geschrieben, zeigen, was seine Fantasie erregte, wobei eine Art Überkompensation der klösterlichen Erziehung eine gewisse Rolle gespielt haben mag. Isoliert steht darunter Schillers ›Jüngling am Bache‹ (D. 30), dessen erste beiden Strophen pubertäres Lebensgefühl so treffend in Worte fassen. Der Sechzehnjährige wagt sich bereits an Schillers ›Taucher‹ (D. 77), auch wieder eine Ballade.

Auffällig ist überhaupt der sehr früh durchbrechende Drang zur kompositorischen Selbstäußerung, der jedoch sich zunächst auf Instrumentalmusik richtet (fünf Streichquartette, erste Klavier- und Orchesterwerke), Lieder aus dieser Zeit sind wohl eher zufällig überliefert. – Erste Aufmerksamkeit der musikalischen Öffentlichkeit erregte der Siebzehnjährige mit seiner Messe F-Dur (D. 105). Das Jahr 1815 bringt dann als Ertrag geradezu eruptiven Schaffens nicht weniger als zwei Sinfonien, vier Bühnenwerke und 145 Lieder, darunter Schillers ›Bürgschaft‹ sowie Goethes ›Heidenröslein‹ und ›Erlkönig‹. Es bildet sich um Schubert ein Freundeskreis, der diese Werke begeistert aufnimmt und den Namen des Komponisten rasch in Wien bekannt macht. Im Jahr darauf kommt die Verbindung mit dem Bariton Michael Vogl zustande, der als erster Berufssänger sich der Lieder Schuberts annahm. Er machte sie zur Attraktion der Wiener Salons und hat damit ebensoviel getan für die Gattung des Kunstlieds wie für Schubert, auch wenn er seine Lieder mit italienischen Verzierungen sang. Der erste öffentliche Vortrag des ›Erlkönigs‹ in Wien im Jahre 1820 machte dessen Druck möglich, und von dem Erlös konnten weitere Stücke veröffentlicht werden.

Als die Komposition, mit welcher der Typus des Schubert-Liedes manifest wird, gilt ›Gretchen am Spinnrade‹ (D. 118; Oktober 1814) aus Goethes ›Faust‹ (I. 3375 ff.). Schubert hat das als op. 2 veröffentlichte Lied ganz vom Typus des Arbeitsliedes her angelegt, obwohl von einem Spinnrad nur in einer szenischen Anmerkung die Rede ist; aus dem Text selbst ergibt sich nicht, daß beim Spinnen gesungen wird. Bei dieser Tätigkeit kommt es nämlich auf die Gleichmäßigkeit des Bewegungsablaufs an, und um ihn nicht zur Eintönigkeit werden zu lassen, wurden Unterhaltungsbedürfnis – Spinnen am Abend, erquickend und labend[3] – und Regelung des Arbeitsrhythmus verknüpft durch Gesang.[4] Schubert hat nicht nur den dazu notwendigen Dreierrhythmus, sondern er zeichnet die Drehbewegung des Rades und sogar die Anschläge des Pedals realistisch nach. – Die zwischen Anapästen und Jamben unregelmäßig wechselnden Kurzzeilen Goethes zieht Schubert jeweils paarig zusammen und umgeht damit das Problem, daß die zweite und fünfte Strophe in allen Zeilen reimen, die übrigen jedoch nur auf der zweiten und vierten; er macht sie zu Binnenreimen. Von Goethe angelegt ist der Rondocharakter der zweimaligen Wiederholung der ersten Strophe (als vierte und achte), Zutat Schuberts sind die Verdopplung der letzten Strophe und die Wiederkehr ihrer ersten Zeile am Schluß des Liedes. Die formale Spannung zwischen wiederkehrendem Gleichem und emotionaler Steigerung ist also bereits im Text angelegt, Schubert hat sie nur verstärkt. Aus inhaltlichen Gründen hat er ferner die gedanklich ineinander übergehenden Strophen 6 und 7 sowie 9 und 10 zusammengezogen.

Von der Basis des variierten Strophenliedes aus ergibt sich danach ein sehr komplexer Aufbau, nach welchem die Strophen 1, 4, 8 und der von Schubert zugefügte Anhang ein Moment rondoartiger Wiederkehr von textlich und musikalisch Gleichem sind, während die zusammengefaßten Strophen 6/7 und 9/10 ein Element höherer Ordnung bilden. Schubert wirkt dem entgegen nicht nur durch die vereinheitlichende Rhythmik und Motivik des Spinnerlieds, sondern v. a. auch strukturell durch die formbildende Kraft der Tonalität. Er legt d-Moll zugrunde und führt die erste Strophe nach C-Dur;[5] die ganze Strophe hat nur diese beiden Akkordgrundtöne als Baß. Die zweite Strophe führt bei schon bewegterem Baß, dessen Quartfolgen wieder ein Moment der Formstabilisierung bilden, über e- nach a-Moll, die unmittelbar anschließende dritte Strophe legt e-Moll zugrunde und wird über a-Moll nach F-Dur geführt; aber Schubert steigert den Ausdruck über diese Höhertransposition hinaus dadurch, daß er die Singstimme von der Quinte der Grund- auf die Tonika der Zwischentonart verlagert und sie damit eine Quinte höherlegt. Um so stärker wirkt die unveränderte Wiederholung der ersten Strophe im Pianissimo als Rückfall in die Resignation und Verzweiflung des Anfangs. Die 5. bis 7. Strophe sind als mehr oder weniger durchgehender Steigerungskomplex behandelt, der von der Ausgangstonart in klassischer Regelmäßigkeit zur Dominante führt, dann jedoch, ausgehend von der Tonikaparallele F-Dur über g-Moll nach As-Dur und, die 7. Strophe unmittelbar anschließend, über B-Dur in den tonal nicht mehr zuzuordnenden verminderten Septakkord mündet. Die Drehbewegung des Spinnrads ist in der sich steigernden Ekstase immer ausladender geworden, bricht dann vollends ab: „... und ach, sein Kuß!" Mit der Ekstase ist die verzweifelte Routine des Weiterarbeitens nicht mehr vereinbar, das Motiv des Arbeitslieds wird dialektisch zum Ausdrucksträger, aber auch die Unterbrechung der Arbeit, ihr stockendes Wieder-in-Gang-Kommen. Die zweite unveränderte Wiederkehr der 1. Strophe wirkt nach diesem Ausbruch nun als Festhalten an einem sinnentleerten, mechanischen Zeit- und Arbeitsablauf, der zeigt, daß die Wiederkehr von scheinbar Gleichem durch ihren Einsatz nach dem Stillstand und Ausbruch in Wirklichkeit ein übergeordnetes Steigerungsmoment geworden ist.

Es folgt der längste zusammenhängende Komplex, die 9. und die doppelt vorgetragene letzte Strophe, die nach der Dynamik der Steigerungsform über den Höhepunkt der 7. Strophe hinausgeführt werden müssen. Schubert bestreitet diese Steigerung im wesentlichen mit der ersten Melodiezeile, läßt sie einen Halbton höher beginnen als sie dem Hörer nach so häufigem Hören nun schon im Ohr klingt und sequenziert sie über c, d, es und e bis zum fis, mit welchem (auf „küssen") wieder der verminderte Septnonakkord auftritt. Steigerung durch Reduktion ist auch das Gestaltungsmittel für die Wiederholung der letzten Strophe: Schubert beschränkt sich auf die Wiederholung der ersten Melodiezeile auf d, nur das Baßfundament darunter wechselt noch, wobei diese Stereotypie des melodischen Verlaufs die Resignation und Verzweiflung charakterisiert, aus denen der Gedanke an die Aufgabe des eigenen Ich auf dem Spitzenton in doppeldeutiger Weise herausgehoben wird, indem die Selbstaufgabe in der Liebesekstase als Vorahnung des Todes gedeutet wird. – Dies alles wird entwickelt aus einem melodischen Kern, der so eng dem Text nachempfunden ist wie das je bei Schulz der Fall war. – Es ist also nicht nur eine Frage der historischen Stellung Schuberts, sondern die Stilanalyse bestätigt, daß er auch faktisch die unterschiedlichen Traditionsströme in seinen Gestaltungsprinzipien zusammenfaßte. Nachdem in der Schubert-Literatur ihr Zusammenhang mit der Sprache so stark betont worden ist, muß wohl ebenso deutlich gesagt werden, daß Schuberts Bewußtheit der musikalischen Gestaltung zwar das phänomenale poetische Empfinden des Siebzehnjährigen zur Voraussetzung hat, sie aber fraglos nicht erklärt. Was diese Komposition als Begründung eines Typus so über die vorausgegangene historische Entwicklung erhebt, ist das Ineinandergreifen von Umsetzung des dichterischen Wortes und immanent musikalischer Struktur der Vertonung. Ihr ästhetischer Rang bemißt sich danach, in welchem Ausmaß bei Schubert textgezeugte Vertonung und autonome musikalische Gestaltung deckungsgleich geworden sind.

Schuberts ›Erlkönig‹ ist vielleicht das spektakulärste Opus 1 der Musikgeschichte, allerdings stellt seine Nummer 328 in dem chronologischen Werkverzeichnis klar, daß es sich nicht um ein Erstlingswerk handelt. Es entstand auch nicht spontan, sondern Schubert hat insgesamt vier Versionen davon entworfen. Er wählte g-Moll, in der Klassik die Tonart der Trauer und des Schmerzes, bevor Beethoven mit seinen c-Moll-Werken diesen Ausdruckscharakter prägnanztypisch belegte, ein Hinweis neben vielen anderen, daß Schubert bei der vorbeethovenschen Klassiktradition ansetzte. Mit rasenden Achteltriolen der leeren Oktave, verstärkt durch eine anstürmende Baßfigur, führt er in die Stimmung des nächtlichen Ritts ein. Schubert hat die wörtliche Rede innerhalb der erzählten Handlung unterschiedlichen Stimmregistern zugewiesen, um die Plastizität des Dialogs zu steigern. Die Vorlage erleichtert dies dadurch, daß nur zwischen Vater und Sohn ein realer Dialog geführt wird, während die Fieberphantasien der Worte des Erlkönigs jeweils eine ganze (3. und 5.) bzw. halbe (7.) Strophe umfassen. Außer durch die Lage ist der Dialog charakterisiert durch die überwiegend schrittweise Bewegung der Worte des Vaters, wohingegen das fiebernde Kind überwiegend durch aufgeregte große Sprünge geschildert wird. Ganz anders als Reichardt, der den Erlkönig vom Geisterhaften her melodielos anlegte, ist er bei Schubert der Verführer, der in rasendem Walzerrhythmus mit einschmeichelnder Melodik zu betören sucht, die deswegen so hintersinnig ist, weil sie mit der Dur-Variante der ersten angstvollen Benennung der Fieberphantasie des

„Erlenkönigs mit Kron' und Schweif" beginnt und somit das immanent musikalische Element der Substanzgemeinschaft zwischen zwei Strophen konträren Inhalts zum Ausdrucksträger umdeutet. Damit ist das Strukturelement bezeichnet, das den Ausdruckscharakter der Ballade prägt und sie zugleich zu einem in sich so kohärenten Stück Musik macht: der Modulationsplan, nach welchem die Ballade als tonal geordneter Variationenzyklus angelegt ist, erweist sich nämlich als Ausdrucksträger für die zunehmende Fiebererregung des Kindes. Der gesamte Satz rückt immer höher, von g-Moll und B-Dur über h-Moll und C-Dur nach d-Moll und Es-Dur zurück nach g-Moll. Entscheidende Ausdrucksfunktion hat dabei wieder das Auftreten des tonal nicht zuordnungsfähigen verminderten Septakkords. Dieses Höherrücken des gesamten Satzes schlägt sich besonders in der expressiven Melodik der Worte des Kindes nieder, die von d über es und f schließlich auf ges und g kulminiert. Was zunächst als ausdrucksbedingte Steigerung der immer enger und gepreßter werdenden Intervalle bei den Worten des Kindes auffällt, erweist sich zugleich als Ergebnis eines ganz rationalen Modulationsplans, der die Komposition auch unabhängig von dem vertonten Text zum straff organisierten und immanent begründeten Musikwerk macht. Und wieder ist die phänomenale Sicherheit zu bewundern, mit welcher der achtzehnjährige Schubert die Dialektik von Form und Ausdruck zur Synthese gebracht hat.

Während Schubert anfänglich noch sehr viel von Matthisson, gelegentlich auch von Schiller – zumeist handlungsorientierte Texte wie den ›Taucher‹ (D. 77 und 111) – vertont hatte, entzündet sich seine künstlerische Gestaltungskraft, wenngleich offenbar völlig intuitiv, an der Sprache Goethes. Wichtig für die spätere Textwahl wurde ein Lesezirkel des Schubert-Kreises, der ihn auch an die moderne Literatur heranführte. Auch für die Verbreitung des Werks wurde der Kreis zunehmend wichtig mit seinen „Schubertiaden", ab 1823 auch öffentlich zugänglichen Aufführungen, während andererseits schon seit 1818 die unerhört produktive Phase der beginnenden öffentlichen Resonanz durch zunehmende Krankheit überschattet war, die im Winter 1822/23 akut wurde.

Nach dem ertragreichsten Jahr in Schuberts Schaffen brachte das folgende, 1816, noch einmal 60 Lieder; und von den über 200

Liedern dieser beiden Jahre wurden allein 27 auf Gedichte von Goethe geschrieben, darunter die Klärchen-Lieder aus ›Egmont‹, die Mignon-Lieder aus ›Wilhelm Meister‹ und das ›Heidenröslein‹ (D. 257). Letzteres wurde von Schubert als reines Strophenlied angelegt und eignet sich daher besonders aufzuzeigen, warum nicht seine ästhetisch sicher höherwertige Version volkläufig werden konnte, obwohl sie bereits zu den ersten, 1821 im Sog des ›Erlkönig‹-Erfolgs publizierten Liedern gehörte, sondern die bekannte des sonst völlig vergessenen Heinrich Werner (1800–1833). Schubert rechnet bei seinen zahlreichen einkomponierten Vorschlägen, der Modulation in die Dominante, insbesondere aber bei den Spitzentönen auf unbetonten Silben mit dem geschulten Sänger, der diese einkomponierten Hochtonakzente durch seinen Vortrag ausgleicht. Dagegen ist Werner dem „Volkston" deutlich näher, bewegt sich überwiegend in Schritten, moduliert nicht innerhalb so weniger Takte und verzichtet gänzlich auf Verzierungen, zumal auf alterierte (vgl. den Vorschlag mit folgendem Überschlag auf „vielen Freuden" bei Schubert), und dann tut schließlich die Verschiebung des Hauptakzents vom Objekt „Röslein" auf das Subjekt „Knab'" der Liebe keinen Abbruch mehr: die Melodie Werners kommt den Fähigkeiten des ungeschulten Sängers einfach mehr entgegen.

Ebenso abrupt wie die Goethe-Vertonungen einsetzten, hören sie auch wieder auf, und es kommt zu einer dritten Schicht im Liedschaffen Schuberts, die Jahre 1817–1820 umfassend und mit Johann Mayrhofer als Hauptdichter (47 Lieder), einer widersprüchlichen Natur, der als Zensurbeamter das zu unterdrücken hatte, wofür er privat lebte, die ungehemmte Entfaltung der Literatur. Er war es gewesen, der Schubert die Dichtung des späten Goethe nahegebracht hatte. Schubert steht in dieser dritten Schicht auf dem Höhepunkt seiner Gestaltungskraft. Markiert wird ihr Erreichen durch ›Der Tod und das Mädchen‹ (D. 531) nach Matthias Claudius. Kein Lied zuvor hat so gedrängt und spezifisch Schuberts Stilmittel gezeigt wie dieses dialektische Lied, dessen erste Strophe die Todesangst eines jungen Menschen so widerzuspiegeln hat wie die Besänftigung des als Freund und sanfter Schlaf kommenden Todes. Nichts ist bezeichnender für die Knappheit des Ausdrucks im Lied als die Tatsache, daß Schubert die in ihm liegenden Möglichkeiten Jahre später erst in einem Streichquartettsatz (D. 810) voll entfaltete, womit ein Seitenlicht fällt auf den Zusammenhang der im Lied schon so früh gewonnenen Sicherheit der Gestaltung mit der seiner großen „späten" Instrumentalwerke. ›An die Musik‹ (D. 547) und ›Die Forelle‹ (D. 550) gehören zu den bekanntesten der relativ wenigen Lieder dieser Jahre. Die Austauschbarkeit von Lied – bei ›Der Tod und das Mädchen‹ handelt es sich eigentlich sogar nur um dessen „Begleitung" – und selbständigem Instrumentalsatz belegt den erreichten Stand seiner stilistischen Entwicklung: die Begleitung hat sich verselbständigt zu einem Ausdrucks- und Bedeutungsträger von eigener Aussagekraft, die Singstimme, ebenso eng um die Sprache der Dichtung geschlungen wie bei J. A. P. Schulz, ist darüber hinaus in ihrem Wesen psychologisiert.

Eine neue Schicht der Auseinandersetzung mit dem Lied beginnt, als Schubert bei einem Bekannten zufällig die ›Sieben und siebzig Gedichte aus den hinterlassenen Papieren eines reisenden Waldhornisten‹ in die Hand fallen, deren vorgeblicher Herausgeber Wilhelm Müller der Autor der Sammlung ist. Sie enthielt die Gedichte ›Die schöne Müllerin‹ (deren Urbild Luise Hensel gewesen sein soll), die ursprünglich zu einem Liederspiel geschrieben wurden (vgl. S. 130). Schubert war von der Dichtung so ergriffen, daß er das Heft an sich nahm und noch in der folgenden Nacht drei Lieder daraus vertonte. Er ließ den Prolog, den Epilog und drei der 23 Lieder fort und erhielt so den Reflex einer nicht real in Erscheinung tretenden erzählten Handlung in lyrischen Liedern, von denen jedes ein in sich geschlossenes Einzelbild darstellt. Auch strukturelle Elemente einer Zyklusbildung fehlen; der rote Faden, der sich durch die Sammlung zieht, ist ausschließlich die ideelle Handlung, durchgehendes Stilelement allenfalls das Rauschen des Mühlbachs. Nur als Erfahrungsqualität spürbar ist dagegen der enge Bezug, den die Lieder zu seiner persönlichen Situation, seinem Selbstgefühl haben, und der ihn im einzelnen Töne finden läßt – besonders deutlich wohl in dem bekannten ›Lindenbaum‹, weniger ausgeprägt in ›Ungeduld‹ –, die ihn über die erreichte hohe Expressivität hinaus wieder näher an den „Volkston" heranführen[6]: der erst 26jährige Schubert hat den klassischen Ausgleich aller Stilmittel erreicht.

Aber auch die tiefe Depression, die ihn damals beherrschte, ist aus den Liedern spürbar; mindestens seit 1822 war seine Gesundheit untergraben, die letzten Müller-Lieder sind wohl auf dem Krankenbett entstanden. In der allegorischen Erzählung ›Mein Traum‹ hat er die Wandlung seines Selbstverständnisses, die sich auch aus der Symphonie h-Moll, der sog. ›Unvollendeten‹, heraushören läßt, niedergeschrieben: „Wollte ich Liebe singen, ward sie mir zum Schmerz. Und wollte ich wieder Schmerz nur singen, ward er mir zu Liebe." In dieser Zeit entstanden Lieder, die von Todessehnsucht singen wie ›Der Zwerg‹ (D. 771), das Hin- und Hergerissensein zwischen Stimmungen beschreiben wie ›Lachen und Weinen‹ (D. 777) oder von verklärender Resignation geprägt sind, wie man sie vom hohen Alter erwarten würde (›Du bist die Ruh'‹; D. 776), aber Schubert war damals erst 26 Jahre alt. – Von der materiellen Not sah er sich 1824 so in die Enge getrieben, daß er die Rechte an seinen sämtlichen bisherigen Kompositionen an den Verleger Diabelli verkaufte; wenig später kam es zum Bruch, der Weg zum kontinuierlichen Aufbau einer Existenz als freischaffender Komponist war jedoch verbaut, und derselbe unerfreuliche Kreislauf begann von neuem. Daraus wird verständlich, daß 1824 das liederärmste Jahr in Schuberts ganzem Schaffen wurde: nur fünf Stücke sind ihm zuzuordnen; zwischen März und Jahresende entstand überhaupt kein Lied mehr.

Anfang 1825 begann dann mit ›Die junge Nonne‹ (D. 828) die letzte Phase in Schuberts Liedproduktion. Es ist wieder ein Text der Resignation nach Stürmen, die das Leben in seinen Grundfesten erschüttert haben, und Schubert findet dafür mit der – auch wenn man die enharmonischen Verwechslungen auflöst – kaum noch tonal zuzuordnenden Harmonik, insbesondere aber mit der konsequenten Imitation zwischen Singstimme und Instrumentalbaß frappierende neue Gestaltungsprinzipien, deren Konsequenz auf die Identität von Melodie und Baßfundament hinausläuft. Die ›Gesänge aus Walter Scotts Fräulein vom See‹, darunter das berühmte ›Ave Maria‹, als op. 52 publiziert, brachten sogar einen gewissen finanziellen Erfolg. Ende 1825 war Schubert aber schon wieder krank, und auch das folgende Jahr förderte nicht mehr als 27 Lieder zutage.

Seine desolate Stimmung jener Zeit fand er widergespiegelt in zwölf Liedern des Dichters der Müller-Lieder, Wilhelm Müller, die 1823 in dem Taschenbuch ›Urania‹ unter dem Titel ›Wanderlieder. Die Winterreise‹ veröffentlicht worden waren. Er vertonte sie im Frühjahr 1827. Erst nach dem Abschluß dieser Serie muß Schubert die zweite Folge dieser Gedichte in die Hand gekommen sein,[7] denn im weiteren Verlauf des Jahres, möglicherweise schon im Spätsommer in Graz, spätestens im Oktober, begann er auch mit deren Vertonung, ordnete die nachkomponierten Lieder jedoch nicht in die Folge der Gesamtausgabe der Gedichte ein, sondern ließ sie als zweite Gruppe stehen.

Die düstere Stimmung der Lieder hat ihn erkennbar stärker aufgewühlt als sein gesamtes vorausgegangenes Werk. Das war schon den Freunden aufgefallen, die ihn „durch einige Zeit düsterer gestimmt und angegriffen"[8] fanden. Schließlich lüftete er selbst das Geheimnis: „... ich werde euch einen Zyklus schauerlicher Lieder vorsingen ... Sie haben mich mehr angegriffen, als dieses je bei anderen Liedern der Fall war." Die Freunde reagierten ziemlich ratlos, aber Schubert war seiner Sache völlig sicher: „Mir gefallen diese Lieder mehr als alle, und sie werden euch auch noch gefallen."[9] Johann Mayrhofer ordnete ihre psychische Ausgangslage so ein: „Er war lange und schwer krank gewesen, er hatte niederschlagende Erfahrungen gemacht, dem Leben war die Rosenfarbe abgestreift; für ihn war Winter eingetreten. Die Ironie des Dichters, wurzelnd in Trostlosigkeit, hatte ihm zugesagt; er drückte sie in schneidenden Tönen aus. Ich wurde schmerzlich ergriffen."[10] – Für die Freunde war in einer Wechselwirkung, die man heute als psychosomatisch bezeichnen würde, „unzweifelhaft, daß die Aufregung, in der er seine schönsten Lieder dichtete, daß insbesondere seine ›Winterreise‹ seinen frühen Tod mitveranlaßten"[11].

Anders als in den Müller-Liedern liegt der ›Winterreise‹ keine unausgesprochene Handlung zugrunde. Schubert hat ja auch die nachkomponierten Lieder nicht in der Weise zwischen die erste Gruppe geschoben, wie das die Gesamtausgabe der Gedichte getan hat. Jedes Lied steht daher stärker für sich und variiert das Thema des Weiter-Wandern-Müssens als eines sinnlosen Zwanges, der kein Ziel mehr kennt; und diese Wirkung ist sicher beabsichtigt, gehört zu den Ausdrucksmomenten der Sammlung. Arnold Feil hat in diesem Zusammenhang auch darauf hingewiesen,[12] daß die Vor- und Nachspiele der Lieder ineinander zurück- oder ohne eigentliche Schlußwirkung auslaufen und so das Moment des Im-Kreise-Gehens, des Wanderns und Nicht-von-der

Stelle-Kommens verstärken. Und dieses Prinzip findet sich als Strukturelement bis in einzelne Stilzüge eines Liedes hinein bestätigt. Die Einleitung des ersten Liedes markiert mit ihrem schwerblütigen Marschrhythmus zugleich die Monotonie des winterlichen Wanderns. Schubert benutzt wieder das Stilmittel des melodischen Spitzentons auf metrisch unbetonter Silbe, um das eigentlich unbetonte „fremd" herauszuheben; die Bewegung der Melodie ist ausschließlich nach unten gerichtet, unmittelbarer resignativer Gestus der Musik, und sie endet mit der Vollkadenz auf der Tonika, in sich geschlossen, ohne jede Öffnung zur Dominante und zur Fortführungstendenz: Resignation endet in sich, ohne über sich hinauszuführen. Die wehmütige Erinnerung an vergangene Liebe vermag nur kurz in die Dur-Parallele der Haupttonart und deren Subdominante abzulenken, dann konzentriert Schubert die ohnehin im Kern identischen ersten beiden Melodiezeilen zu einer einzigen, die Fremdheit bei Einzug und Auszug resümiert er zu „Nun ist die Welt so trübe": Ausdruck und Textinterpretation durch musikalische Strukturelemente.

Handelt es sich bei dem Beschriebenen um Gestaltungsmittel, die beim „späten" Schubert in unterschiedlicher Ausprägung allenthalben auftreten, so kommen in anderen Liedern Ausdrucksmomente hinzu, die gelegentlich schon an die Grenzen des Vokalstils gehen und einen sehr geschulten Sänger voraussetzen, sich also vom klassischen Lied wieder abwenden. Das hat zwangsläufig ein verändertes Verhältnis zwischen Singstimme und Begleitung zur Folge und läuft zugleich auf eine stärkere Instrumentalisierung der Singstimme hinaus, wie schon am zweiten Lied deutlich wird und wie es sich steigert über das ›Irrlicht‹, die punktuelle Auflösung der Begleitung in ›Letzte Hoffnung‹, die Identität von Singstimme und Begleitung bis hin zu dem letzten Lied, ›Der Leiermann‹.

Dieses Lied steht in gewisser Weise außerhalb der Reflexionen einer schicksalhaften Winterreise, folgt ihnen nach, indem es die Existenz der vorhergegangenen Lieder bereits voraussetzt mit der Frage, ob der Leiermann und Bettler, dieser Außenseiter der Gesellschaft, dem die Musik zum rein mechanischen, ohne Sinn und Wirkung ausgeübten Bewegungsablauf degeneriert ist, diese selbstzerstörerischen Lieder als Ausdruck der Trostlosigkeit begleiten mag. Das gesamte Lied steht über der ohne Unterbrechung durchgehaltenen Bordunquinte einer Drehleier, Harmonik und damit Spannung und Entspannung gibt es hier nicht mehr: das Wandern ohne Fortkommen als Stilmittel des Zyklus hat zum Stillstand geführt. Das bedeutet für Schubert zugleich Dissoziation von Textvortrag, der nur über der Bordunquinte erfolgt, und (Instrumental-)Musik, die nicht mehr begleitet, sondern nur noch einzelne Aussagesätze mechanisch voneinander trennt. Die Melodik selbst, der damals noch verbreiteten Drehleier abgelauscht, in einer rhythmisch differenzierten instrumentalen Variante und eintönig-gleichförmigem Textvortrag, läßt noch die alte Hexachordspaltung in e–a–c und a–e–f deutlich erkennen, sie ist urtypisch, allem romantischen Ausdruck enthoben. Nur am Schluß bricht Schubert aus dieser gewollten Starre aus: der wunderliche Leiermann erfährt menschliche Zuwendung, die gleichförmige Achtelbewegung wird fast rezitativisch frei, harmoniegestützt: der Dichter/Sänger des Kunstlieds kehrt zur Urtypik der Volksmusik zurück. – Dieses Lied hat mit dem romantischen Ausdruckslied nicht mehr viel gemein: die Grenzen zwischen Singstimme und Begleitung, Vokalität und Instrumentalität sind unscharf geworden, die Harmonik als bevorzugter Ausdrucksträger außer Funktion gesetzt. Schubert ist hier fraglos bis an die Grenzen der Gestaltungsfähigkeit der Gattung zu seiner Zeit gegangen. Der Typus des Schubert-Liedes ist verlassen, die Gestaltung in Dimensionen vorgestoßen, welche die Gattung in Frage stellen.

Schubert hat danach nur noch wenige Lieder geschrieben. Vierzehn von ihnen wurden von dem Verleger Diabelli unter dem Titel ›Schwanen-Gesang‹ veröffentlicht; Titel und Zusammenstellung der Lieder gehen also nicht mehr auf Schubert zurück, doch lassen sich deutlich zwei Gruppen unter diesen Liedern ausmachen: die ersten sieben nach Ludwig Rellstab und die folgenden sechs nach Heine, deren geschlossene Publikation Schubert bereits ins Auge gefaßt hatte. Diese Auswahl aus den letzten Liedern reicht vom Anschluß an den Charakter der Müller-Lieder (Nr. 1, ›Liebesbotschaft‹) über das ›Ständchen‹ (Leise flehen meine Lieder) als eines der populärsten und melodienseligsten Schubert-Lieder bis hin zu der Eruption des Leids und der Schmerzen in ›Der Atlas‹, noch immer in dem für diesen Ausdruck in der Klassik bevorzugten g-Moll und mit dem verminderten Quartsprung abwärts als charakterisierendem Intervall. Auch hier geht Schubert an die Grenzen des tonalen Zusammenhangs, zumal er das Lied in den zweimaligen verminderten Quartsprung auslaufen läßt. – In ›Die Stadt‹ (Nr. 11) ist es vor allem der Mittelteil mit nichts als dem – tonal nicht gebundenen – verminderten Septakkord über einem ostinaten C im Baß, der die Tonalität in Frage stellt und das Lied dem Zugriff eines musikalischen Laien weitgehend entzieht. Damit bestätigt sich die Tendenz zunehmender Professionalisierung in Schuberts Liedstil, die ja zugleich eine Abkehr vom ästhetischen Konsens der Liedtheorie seit der Wiederbelebung der Gattung im 18. Jahrhundert ist, weil sie eine Verschiebung des Gattungsbegriffs in Richtung auf einen verabsolutierten Kunstbegriff einschließt.

Mit dem ›Doppelgänger‹ (Nr. 13) hat Schubert das Lied vollends in die Gestaltungsprinzipien seines „späten" (Instrumental-)Stils integriert. Wieder spielt der unsangliche verminderte Quartsprung eine wesentliche Rolle, aber Schubert bindet ihn hier in eine Chaconne ein. Die Singstimme darüber bewegt sich zunächst fast rezitierend, nur die Zeilenschlüsse durch melodische Bewegung markierend, im Pianissimo. Um so heftiger wirkt dann der Ausbruch auf das Wort „Schmerzensgewalt", wenn Schubert der Begleitung zwei wuchtige Schläge im „fff" hinschreibt und die Singstimme dieses eine Wort auf der Oberoktave gleichsam herausschreien läßt, um sie unmittelbar darauf wieder in den Rezitationston zurückfallen zu lassen. Nie zuvor – und bis zum späten Brahms nicht wieder – ist die Dialektik von strengster autonomer musikalischer Formbildung und Ausdruck derart zielbewußt als musikalisches Gestaltungsprinzip im Lied eingesetzt worden.

Damit ist in gewisser Weise schon Position bezogen in der Frage, ob mit Liedern wie dem ›Leiermann‹ aus der ›Winterreise‹ und dem ›Doppelgänger‹, vielleicht auch dem ›Atlas‹ Schubert seinen Liedtypus verlassen und etwas stilistisch Neues angebahnt habe und wie dieses dann zu bezeichnen sei. Unausgesprochen steht dahinter die spekulative Frage, wie es denn nach derartigen Stücken mit seinem Liedtypus hätte weitergehen können, wäre sein Leben nicht unmittelbar danach schon zu Ende gewesen. – Ein neuer Liedtypus jedenfalls wurde mit dem ›Leiermann‹ sicher nicht schon geschaffen, dagegen sprechen die meisten Rellstab-Lieder aus der ›Schwanengesang‹-Sammlung, insbesondere auch die ihr offenbar um des zahlenmäßigen Gleichgewichts willen als letztes angefügte ›Taubenpost‹ und vielleicht noch stärker das letzte datierbare Lied, ›Der Hirt auf dem Felsen‹ (D. 965; mit obligater Klarinette) in seiner überbordenden Melodienfreude. Unbestritten ist hingegen, daß den „späten" Liedern, sichtlich ausgelöst durch seine schmerzvollen Lebenserfahrungen mit der ›Winterreise‹ und den benannten folgenden Stücken, eine neue persönliche Ausdrucksdimension zugewachsen ist, die frieren macht, in der Tragik sich so unmittelbar ausspricht, daß man sich scheut, davon noch als (romantischem) Stimmungslied zu sprechen. Aber die gestalterische Krise, die bei den großen zyklischen Formen zum Abbruch ungewöhnlich vieler Werke geführt hatte, war zu dieser Zeit überwunden. Das Jahr 1828, in welchem die große C-Dur-Symphonie zum endgültigen Abschluß kam und noch die drei großen Klaviersonaten in c-Moll, A-Dur und B-Dur entstanden, ist auch das Jahr der letzten Lieder. Und diese zeigen – unterschiedlich klar ausgeprägt – im Detail doch recht deutliche Gemeinsamkeiten in den Gestaltungsprinzipien mit den instrumentalen „Spät"-Werken, wobei selbstverständlich zu berücksichtigen ist, daß sie in den kurzen Liedern nur im einzelnen sich so prägnant manifestieren können wie in den großdimensionierten zyklischen Werken. Das würde auch ihr – wohl eher scheinbares – Fehlen in einigen Liedern des letzten Jahres verständlich machen. Insofern erübrigte sich die Frage nach der Benennung dieser neuen Züge, auch wenn es nicht an Versuchen dazu gefehlt hat, etwa dem, Lieder wie den ›Leiermann‹ und den ›Doppelgänger‹ als Vorwegnahme des musikalischen Impressionismus zu deuten.

Die Rezeption von Schuberts Liedschaffen vollzog sich sehr zögernd, was der Verbreitungsart der Gattung zu einem guten Teil zuzuschreiben ist. Mehr als ein Viertel der Lieder erschien überhaupt erst im Zusammenhang der Gesamtausgabe 1895–1897 im Druck. Den Liederabend heutigen Gepräges gab es während des ganzen 19. Jahrhunderts noch nicht. Lieder wurden in öffentlichen Konzerten höchstens als Einzelstücke in den sog. „Mischprogrammen" zwischen Orchester- und Kammermusik vorgetragen; die Zyklen traten als solche mithin gar nicht in Erscheinung. Die Verbreitung der Lieder Schuberts blieb bis um die Jahrhundertwende der privaten Musikpflege in den Salons vorbehalten. In das öffentliche Musikleben drangen sie eher über die Klaviertranskriptionen Franz Liszts. Einen ersten Höhepunkt des öffentlichen Interesses für Schubert gab es Anfang der 1840er Jahre im Zusammenhang mit Schumanns Eintreten für sein Werk, das meiste wurde jedoch erst mit der in den 80er Jahren begonnenen Gesamtausgabe zugänglich. Ein glanzvoller Höhepunkt der Schubert-Pflege sollte schließlich die 100. Wiederkehr seines Geburtstages 1897 werden. Da starb am 3. April Johannes Brahms, und was als Schubert-Centenarfeier begonnen hatte, endete als Brahms-Gedenkjahr, zumal der eigentliche Geburtstag im Januar bereits vorüber war.

DAS LIED NACH SCHUBERT

Das erzählende Lied spaltete sich in der Folgezeit von dem die Szene beherrschenden lyrischen so deutlich ab, daß mit der Bezeichnung Ballade nicht nur ein eigener Gattungsbegriff dafür entstand, sondern sogar eine gewisse Spezialisierung von Komponisten eintrat. Als literarischer Gattungsbegriff kam das Wort um 1770 in Deutschland auf und steht zunächst in Konkurrenz zu Romanze. Der Sprachgebrauch hat sich dann sehr bald über höchst theoretische Unterscheidungsversuche hinweggesetzt und bezeichnet als Ballade die epische Darstellung herausragender, häufig tragischer Schicksale in Liedform, d. h. in Strophen gleicher Bauart. Herder und Bürger vor allem machten sie in der deutschen Literatur heimisch, und Rudolph Zumsteeg erschloß ihr das ganze Repertoire musikdramatischer Stilmittel einschließlich des Rezitativs zur musikalischen Darstellung der erzählten Handlung, allerdings um den Preis der Gefährdung des formalen Zusammenhalts, der literarisch wegen des einheitlichen Strophenbaus ja nicht gefährdet war.

So wurde Carl Loewe (1796–1869) zum eigentlichen Schöpfer der Ballade als musikalischer Gattung. Er befreite sie von der zu engen Bindung an eine für alle Strophen gleichen Melodie, an der noch Zelter festhielt, aus der auch Versuche, wie sie etwa Reichardt unternommen hatte, mit zwei wechselnden Melodien nicht grundsätzlich herausführten, auch wenn im Grunde Schuberts ›Erlkönig‹-Vertonung darauf beruht. Loewe folgt mit seinen Vertonungen aufs engste dem Handlungsablauf, seine Musik wird von der erzählten Handlung bestimmt, aber vor der Zerfaserung der Form bewahrt durch Festhalten am epischen Grundzug. Loewe wahrt durchweg bestimmte thematische Ideen und bewältigt erst durch dieses Festhalten an Hauptmotiven die epische Breite seiner Balladen. Er war ein gesuchter Konzertsänger, und diese Erfahrung schlägt sich fraglos nieder in seiner Erfindung von schlagkräftigen und aussagefähigen Gesangsmelodien, die freilich nicht immer vor der Grenze zur Sentimentalität haltmachen oder in die Banalität abgleiten, so wenn er Matthias Claudius' milde Ironie für den Stolz des jungen Vaters über den ersten Zahn seines Sprößlings überhörte und in ein martialisches Kriegstriumphlied umdeutete.

In Loewes Balladen lassen sich drei Stilschichten unterscheiden, beginnend mit den als op. 1 (1824) veröffentlichten drei Balladen ›Edward‹, ›Der Wirtin Töchterlein‹ und ›Erlkönig‹. Diese ›Edward‹-Ballade hat den Gattungsbegriff merkwürdig stark geprägt, obwohl sie eigentlich atypisch ist, weil sich die ganze grausige Wahrheit des Vatermordes auf Anstiften der Mutter schrittweise Strophe für Strophe als Dialog zwischen Mutter und Sohn herausschält und erst die letzte Zeile klarstellt, daß beide sie von Anfang an gewußt haben, so daß der ganze Dialog nur ein Ausweichen voreinander und eine Flucht vor der Wahrheit war, eine unerhörte Herausforderung an die Gestaltungskraft des Zweiundzwanzigjährigen. Nur zu bewundern ist dabei wie bei dem jungen Schubert, mit welcher instinktiven Treffsicherheit hier bereits ein Grundtypus herausgearbeitet wird, der dieses Seelendrama aus zwei Kernmotiven entwickelt, die sich niemals zur eigenen Melodiegestalt konkretisieren. Als Carl Loewe seine ›Erlkönig‹-Vertonung schrieb, war diejenige Schuberts noch nicht gedruckt, er kann mithin von ihr nichts gewußt haben. Loewe findet durchaus eigene Ausdrucksmittel, zunächst mit der immer wieder auftretenden Hemiolenbildung des ersten Taktes als Bewegungsmerkmal des nächtlichen Rittes, die nach der vierten Strophe beschleunigend in punktierte Achtel übergeht. Auch Loewe trennt in der wörtlichen Rede die Stimmregister von Vater und Sohn, setzt aber den Erlkönig durch ein stereotypes, mechanisch klingendes Dreiklangsmotiv gegen die realen Personen ab. Obwohl er wie Schubert die Erlkönig-Worte in Dur setzt, zeichnet er den Erlkönig nicht von der Verlockung her, sondern betont den Charakter des Gespenstischen, der auch schon mit der ersten Melodiezeile anklingt, wo jeder Ton des aufsteigenden Mollakkords mit Leitton von unten angegangen wird und der fremdartige, tragisch-gespenstische Charakter des übermäßigen Schritts auch da assoziiert wird, wo eigentlich die Terz intoniert wird. – Wenn die Loewe-Version nicht den ästhetischen Rang derjenigen Schuberts erreicht, so eigentlich nicht wegen der Umsetzung des Textes, sondern weil Schubert seine Fassung in einer so faszinierenden

Weise auch noch aus der immanenten Gesetzlichkeit der Musik heraus zwingend gestaltete. – Zu dieser ersten Schicht von Werken Loewes gehören auch viele Lieder und die Komposition von Byrons ›Hebrew Melodies‹ (4 Teile).

Eine zweite Schicht beginnt etwa 1830 mit den ›3 Balladen‹ nach Goethe op. 20, darunter als ein Höhepunkt seiner Balladenkunst das ›Hochzeitlied‹ mit seinem überaus anspruchsvollen Klavierpart: Professionalisierung also auch hier. Alle Strophen sind wieder aus einem gemeinsamen Kern in höchst effektvoller Weise charakterisierend abgewandelt, bis ins Parlando der Singstimme hinein, während die Klavierbegleitung Goethes tonmalerische Wortbildungen für das Festgewusel des Zwergenfestes in ein Furioso umsetzt. Darüber hinaus wird aber die tonale Spannung zur Bildung größerer musikalischer Zusammenhänge eingesetzt: die Erzählebene ist E-Dur mit e-Moll als stimmungsbedingter Variante, während die tonale Ebene des Zwergenfestes das terzverwandte C-Dur bildet. Auch mit Annäherungen an die Sonatenform hat Loewe experimentiert.

Zu derselben Schicht gehören so bekannte Balladen wie ›Heinrich der Vogler‹, ›Der Sänger‹, ›Die Heinzelmännchen‹ und ›Prinz Eugen‹, die um das Volkslied kreist, bis sie schließlich in seine Melodie mündet. Es gehört aber auch wieder eine Anzahl Lieder zu dieser Schicht, so Chamissos Zyklus ›Frauenliebe‹ op. 60 und der „Liederzyklus in Balladenform" ›Esther‹ op. 52. – Die Legende ist als geistliches Gegenstück zum erzählenden Lied der Ballade eng verwandt, und so lag es nahe, daß Loewe sich auch dieser Variante zur Ballade annahm. Sein ›Gregor auf dem Stein‹ nach Kugler gehört sicher zum besten, was er geschrieben hat.

Die Werke der Jahre ab etwa 1850, darunter so bekannte wie ›Archibald Douglas‹ op. 128 und ›Tom der Reimer‹, zeigen eine gewisse Neigung zu Sentimentalität und Plattheit der Erfindung (›Der Nöck‹ op. 129, 2). Das gilt im wesentlichen auch für die späten Lieder, von denen ›Die Uhr‹ (op. 123, 3) lange Zeit zu den beliebtesten Salonstücken gehörte.

Von den um 1810 geborenen Komponisten ist Felix Mendelssohn Bartholdy (1809–1847) merkwürdig unberührt geblieben von der Entwicklung des Liedes in Wien. Sein Liedideal blieb der Berliner Schule verhaftet mit der Folge, daß Stilmomente und

Ausdrucksformen, die Beethoven und Schubert dem Lied erschlossen hatten, nicht aufgenommen wurden. Natürlich ist er auch im Lied über Reichardt und Zelter hinausgegangen, auch Vorstöße in romantische Bereiche (›Die Liebende schreibt‹) sind nicht zu verkennen. Aber es bleibt die Vorliebe für das Strophenlied. Durchkomposition ist ganz selten. Die Begleitung nimmt allenfalls gelegentlich illustrative Züge an, aber von der Expressivität und Darstellungskraft, die sie schon bei Beethoven gelegentlich hat und dann bei Schubert durchgehend gewinnt, ist Mendelssohn noch ziemlich weit entfernt. Selbst die romantischen Züge beschränken sich eigentlich auf die Harmonik. Obwohl Schumann Mendelssohn sehr geschätzt hat, ist dessen differenzierte Behandlung der Klavierbegleitung offenbar nie in Mendelssohns Blickfeld gekommen. Dazu verharrt die Melodik in einer gewissen Unverbindlichkeit, selbst in einem so relativ modern-expressiven Stück wie op. 86, 3 findet sich seine Vorliebe für Sequenzfolgen, die eigentlich eher instrumental und in aller Regel ohne Textbezug sind. Tatsächlich hat er zumindest seine Lieder op. 19 auch für den rein instrumentalen Vortrag vorgesehen. Vielleicht hängt es damit zusammen, daß er im ›Frühlingslied‹ op. 19, 1 betont: „Ín dem Wàlde süße Tône / Síngen klèine Vôgelèin", wobei er dem rein syllabischen Vortrag völlig unmotiviert eine dreitaktige Koloratur anhängt. Tatsächlich ist er mit den ›Liedern ohne Worte‹, die rezeptionsgeschichtlich eine viel größere Bedeutung hatten, den Weg ins rein instrumentale „Lied" als Charakterstück für Klavier gegangen.

Eine merkwürdig unverbindliche Glätte, manchmal auch geradezu sentimentale Anwandlungen zeigen selbst die wenigen Lieder Mendelssohns, die eine größere Verbreitung gefunden haben, so ›Auf Flügeln des Gesanges‹ (op. 34, 2) oder Heines ›Gruß‹ (op. 19, 5) mit seinen nur neun Takten, die dennoch seine andere merkwürdige Vorliebe, die für Melodieführung in Dreiklangsbrechungen, zeigt, hier vielleicht noch durch das „liebliche Geläute" motiviert. – So groß der Einfluß der ›Lieder ohne Worte‹ auf die Ausbildung des Klavierstücks im 19. Jahrhundert gewesen ist, die Gattungsgeschichte des Liedes hat Mendelssohn nicht wesentlich beeinflußt.

Während Orchester- und Kammermusik bereits weitgehend professionalisiert waren und sich durch ihre technischen und gestalterischen Anforderungen der von Liebhabern getragenen Musikpflege weitgehend entzogen, blieb das Lied auch weiterhin überwiegend genau diesem Kreis vorbehalten, was nicht ausschließt, daß zwei der bedeutendsten Sänger der Zeit, Jenny Lind und Julius Stockhausen, Entscheidendes für die Akzeptanz neuer Kompositionen geleistet haben. Die rapide fortschreitende Verstädterung und die mit ihr einhergehende Erweiterung der Trägerschicht des Liedes, insbesondere durch die Verbreitung der Bildung, brachten eine ungeahnte Ausweitung des Liedgesangs mit sich.

Ausgehend von der Liedästhetik der Mitte des 18. Jahrhunderts hatte sich die Vorstellung allgemein festgesetzt, daß Musikhören kein Vorgang des Bewußtseins, sondern des Herzens sei, daß man Musik fühlen müsse. Musik wurde so zur romantischsten aller Künste, denn da sie nicht begrifflich ist, konnte sie viel stärker als die stets im Begrifflichen verharrende Sprache oder die immer gegenständliche bildende Kunst jener unbestimmten Sehnsucht Ausdruck geben, die das Wesen der Romantik bestimmte. Daß die Entwicklung der Literatur mindestens seit Herder ebenfalls zur gefühlshaften Erlebnislyrik ging, führte beide Künste näher zueinander. – Spätestens mit dem Geniekult des Sturm und Drang hatte sich zudem die Meinung weitgehend durchgesetzt, eine zunftgemäße Ausbildung, wie sie in der Musik früher selbstverständlich war, sei eigener Produktivität eher hinderlich. Ein Mann mit so hoher Leitbildfunktion wie Beethoven, der so eindeutig von Mozart und Haydn geprägt war, hatte dem durch Betonung seines autochthonen Künstlertums noch Vorschub geleistet und damit gleichsam jedermann legitimiert, seinen Gefühlen musikalisch Ausdruck zu geben. Und dies war nirgends leichter möglich als durch Anempfinden von Gefühlen, die bereits in sprachliche Form gebracht waren. Der Respekt vor wirklich großer Dichtung und das Gefühl eigener Unzulänglichkeit ihr gegenüber gingen dabei weitgehend verloren. Allein von Goethes ›Erlkönig‹ sind mehr als 130 Vertonungen bibliographisch nachweisbar. Und da die unheilige Allianz von Geniekult und romantischem Gefühlsausdruckswillen auch die Literatur erfaßt hatte, war an neuer Ausdruckslyrik kein Mangel. Im Gegenteil: die künstlerische Überhöhung durch die Vertonung war ein gesuchtes Mittel, den Reiz neuer Poesie zu steigern. Befreundete

Musiker oder auch Musikliebhaber wurden gebeten, neue lyrische Hervorbringungen in Musik zu setzen. So ergoß sich eine wahre Springflut insbesondere an Liedern in das Musikleben. Allein die gedruckte Produktion entzieht sich ihres Umfangs wegen einer stilgeschichtlichen Darstellung im einzelnen; dabei stellt sie nur einen Teil dessen dar, was im 19. Jahrhundert an Liedern geschrieben wurde.

Die Entstehungsgeschichte der Gedichte zu den Müller-Liedern, aus denen Schubert seinen Zyklus zusammenstellte, zeigt sehr anschaulich, wie im frühen 19. Jahrhundert Lieder entstanden. Im Salon des Berliner Staatsrates Stägemann vergnügte sich ein Freundeskreis um die literarisch ambitionierte Dame und die Tochter des Hauses mit einem Gesellschaftsspiel um die erfundene Figur von Rose, der schönen Müllerin, die gleichzeitig von einem Müller- und einem Jägerburschen umworben wird, wobei auffällt, daß der städtisch-bürgerliche Salon das Landleben idyllisch-romantisch verklärte. Jeder der Beteiligten, darunter Wilhelm Müller, hatte nun die Aufgabe, die wechselnden Stimmungen einer der handelnden Personen, ihre Reaktion auf Worte und Tun der anderen in Liedern auszudrücken. Daß in diesem Falle der dichterische Produktionsdrang eines der Beteiligten so stark war, daß er seinen Anteil daran ergänzte zu einem eigenen Liederzyklus und diesen drucken ließ, macht hier die Besonderheit aus.

Die schon bei Schubert zutage tretende und sich in der Folgezeit erheblich verstärkende Tendenz zur Artifizierung und Professionalisierung auch des Liedes führte naturgemäß zu einer Repertoireverengung auf wenige, dafür um so bekanntere Stücke wie etwa das ›Ave Maria‹ von Schubert. Andererseits ist die Rolle der Männerchöre für die Verbreitung und Popularisierung solcher Stücke, die sich zur Bearbeitung für Chor eigneten, nicht zu übersehen: Schuberts ›Lindenbaum‹ und Beethovens ›Die Himmel rühmen‹ verdanken dem ihre Verbreitung und ihren Bekanntheitsgrad. Der Bedarf an Sätzen, die Männerchören erreichbar waren, war groß, denn die Männerchorbewegung wuchs beträchtlich und erreichte ihren Höhepunkt erst kurz vor dem Ersten Weltkrieg. Der Tübinger Universitätsmusikdirektor Friederich Silcher (1789–1860), der sich so große Verdienste erwarb mit seinen Volksliedbearbeitungen für Chor, welche das Volkslied, nachdem ihm der Nährboden infolge der fortschreitenden Verstädterung auszugehen begann, in die städtische bürgerliche Musikpflege hinüberretteten,[1] und der mit rund 250 eigenen Liedern einen bedeutsamen und zu Unrecht vernachlässigten Beitrag geleistet hat,[2] versuchte, dem Mangel auch durch das höchst fragwürdige Mittel der Textierung Beethovenscher Instrumentalsätze abzuhelfen.[3] Übrigens geht auch die Chorbearbeitung von Schuberts ›Lindenbaum‹ auf ihn zurück. Das ästhetische Extrem, aber keineswegs das Ende dieser Vokalisation von Instrumentalwerken bildete Gounods in jeder Hinsicht problematische, aber vielleicht eben darum unverwüstliche ›Méditation‹ (Ave Maria; 1857) über das C-Dur-Präludium aus dem ersten Teil des ›Wohltemperierten Klaviers‹.

Auf die Dauer führte diese Repertoireverengung durch Professionalisierung zu einer Mischgattung, die sich zwar der Notationsform des klavierbegleiteten Sololieds bediente, aber von der Faktur her so beschaffen war, daß sie auch von mehreren Sängern zugleich gesungen werden konnte. Das ›Kommersbuch‹ ist voll solcher Lieder der Geselligkeit und des Gemeinschaftsgefühls, ohne daß hier von den Entstehungs- oder Überlieferungsbedingungen des Volkslieds die Rede sein könnte. Es handelt sich vielmehr stets um eine literarische Existenz- und Verbreitungsweise. Ein signifikantes Beispiel ist das patriotische ›Rheinlied‹ Nikolaus Beckers. Als sich in Frankreich 1840 nach der nationalen Hochstimmung bei der Rückführung der Gebeine Napoleons aus St. Helena eine heftige Kriegshysterie mit der Forderung nach Annektion des linken Rheinufers entwickelte, machte sich die Empörung der deutschen Rhein-Romantik Luft in Beckers ›Sie sollen ihn nicht haben, den freien deutschen Rhein‹, das in kurzer Zeit mindestens 70 Vertonungen erfuhr, darunter noch im selben Jahr eine von Robert Schumann, die zeigt, daß auch der Komponist höchst differenzierter Kunstlieder zu diesem mittleren Stil griff, wenn es galt, breitere Schichten zu erreichen. Die weitere Überlieferungsgeschichte dieser Schumann-Vertonung belegt übrigens dann recht plastisch, wie so ein ›Patriotisches Lied‹, so der Originaltitel, ohne Mitwirkung seines Urhebers in seinem Anspruch verändert wurde: ein Dutzend Jahre später wurde es vom Verleger durch eine fiktive Opuszahl (27 b) im Rang aufgewertet, nach 1870 gar

mit dem preußischen Adler und einem schwarz-weiß-rot kolo-
rierten Titelblatt herausgebracht.

Aus den geschilderten Gründen können für die weitere Darstellung aus der gewaltigen Liedproduktion des 19. Jahrhunderts
nur noch diejenigen Komponisten behandelt werden, welche für
die Entwicklung der Stilgeschichte des Liedes Leitbildfunktion
hatten und deren Gang wesentlich beeinflußt haben.

ROBERT SCHUMANN

Bei Robert Schumann (1813–1856) ist die Situation der Forschung besonders mißlich, weil es weder ein thematisch-bibliographisches Werkverzeichnis gibt, noch eine Sammlung und kritische Sichtung des Quellenbestandes vorgenommen wurde, geschweige denn eine quellenkritisch abgesicherte Ausgabe seiner Werke vorliegt. Das alles wurde vor so kurzer Zeit in Angriff genommen, daß erst auf längere Sicht die Lieder in modernen Ausgaben vorliegen werden, denn bei ihnen sind die editionstechnischen Schwierigkeiten am größten und der Quellenbestand am unsichersten. Das Letztere hängt mit der urheberrechtlichen Situation seiner Zeit zusammen und ist bei den übrigen Komponisten nicht grundsätzlich anders, nur daß Sammlung und Sichtung da schon um bis zu zwei Generationen früher einsetzten. Mit dem Verlagsvertrag gingen damals alle Rechte an den Werken samt Autographen an den Verleger über. Verantwortungsbewußte große Häuser archivierten schon damals sorgfältig, kleinere teilweise gar nicht. Zumindest gingen die Einzelblätter von Liedern leichter verloren – oder wurden an Sammler gegeben – als die Konvolute mit zyklischen Werken. Ganz allgemein ist daher die Quellenlage bei Liedern meist ungünstiger. Bei Schumann tritt erschwerend selbst für den Fall, daß ein Autograph vorhanden ist, seine spezifische Arbeitsweise hinzu, vor allem bei Liedern zunächst nur die kompositorischen Grundzüge festzulegen, das Rohmanuskript dann für den Druck kopieren zu lassen und dann erst Vortragsbezeichnungen und andere Feinheiten hineinzuschreiben. Diese Zwischenstufen besaßen naturgemäß geringeren Sammlerwert, da nur teilautograph, sind aber als eigentliche Druckvorlagen zugleich quellenkritisch besonders wichtig und andererseits Fehlerquelle eigener Art gewesen, denn selbstverständlich unterliefen beim Abschreiben von Schumanns nervösfeingliedriger Handschrift Irrtümer, die – von ihm unbemerkt – in den Druck eingingen.

Aber unabhängig von diesen Fragen der Textgestalt werden im

Zusammenhang mit Schumanns Liedern auch längst widerlegte historische Angaben immer noch weitergegeben. Schumann ist nicht so ausschließlich Klavierkomponist gewesen wie die auf die gedruckten Werke fixierte ältere Musikgeschichtsschreibung angenommen hat. Schon sein op. 1, die ›Abegg-Variationen‹, war nach dem ursprünglichen Konzept für Klavier mit Orchester vorgesehen; in seinen Studienbüchern lassen sich Entwürfe zu mindestens vier Klavierkonzerten und drei Sinfonien nachweisen. Schumanns Ziel war also wie bei allen Romantikern der farbigere Orchesterklang, aber die Probleme der Gestaltung großer Formen und mangelnde Beherrschung der Instrumentation ließen diese Pläne scheitern. In den Studienbüchern finden sich jedoch auch schon Lieder, die Auseinandersetzung mit der Gattung hat also früher begonnen als in dem berühmten Liederjahr. Bei den ausgeprägten literarischen Interessen des jungen Schumann wäre alles andere auch schwer verständlich, und tatsächlich sind wohl Text und Vertonung eines Liedes von ihm, das vermutlich an Agnes Carus gerichtet war, deren Liedgesang das Interesse daran bei ihm weckte.

Deutlicher als jeder andere Liedkomponist vor ihm näherte sich Schumann der Gattung von der literarischen Seite. Das rührt einmal von seiner literarisch-musikalischen Doppelbegabung her. Es hängt aber fraglos auch mit seinen Vorstellungen von der Poetisierung der Musik zusammen, so schwer diese Konzeption aus seinen Schriften hinreichend genau definierbar ist; jedenfalls hat sie nichts mit Programm und Überschriften zu tun, wie die Assoziation mit den ›Kinderszenen‹ und speziell der ›Träumerei‹ in der Literatur immer wieder suggeriert haben. – Schumann war der erste Komponist, der Lyrik konsequent nach sprachstilistischer Kohärenz vertonte: Eichendorff, Chamisso, Rückert, Kerner, Heine, während solche Fragen etwa für Beethoven bei den Gellert-Liedern überhaupt nicht im Blickfeld standen und Schuberts Zyklen rein vom Inhalt bestimmt sind oder allenfalls von der gemeinsamen Herkunft der Texte (Goethes ›Wilhelm Meister‹) oder einfach nur aus zufälliger Verbindung mit dem Urheber (Mayrhofer).

Die Wendung Schumanns zum Lied im Jahre 1840 ist in der Literatur stets biographisch begründet worden mit der bevorstehenden Erfüllung seiner Liebe zu Clara. Aber das ist offenbar auch nur ein Teil der historisch-biographischen Faktizität. 1838 war Schumann nach Wien gegangen, vorrangig um durch erhofften Auslandserfolg seine Position in den Auseinandersetzungen mit Wieck zu verbessern. Aus verschiedenen Gründen wurde dies ein Fehlschlag, und er kehrte 1839 nach Leipzig zurück, wo der Streit mit Wieck Schumann so zusetzte, daß 1839 eines seiner unproduktivsten Jahre wurde. Es folgte 1840 das berühmte Lieder- (und Hochzeits-)Jahr mit 150 komponierten Liedern, mehr als der Hälfte des Gesamtbestandes. Aber dem Liederjahr schloß sich 1841 das Symphoniejahr an, das den Durchbruch bei den zuvor nicht bewältigten großen zyklischen Orchesterformen brachte, und 1842 das Kammermusikjahr mit genau demselben Durchbruch. Beide sind nicht biographisch begründbar. Wenn es aber nicht nur *eine* derartige plötzliche Ausweitung in zuvor nicht behandelte oder nicht bewältigte Gattungen gegeben hat, sondern drei parallele, wird deren monokausale biographische Begründung aus einem bloßen Stimmungsumschwung fragwürdig.

Die Suche nach möglicherweise allen drei Gattungen gemeinsamen Gründen begegnet allerdings weiteren, für die Schumann-Forschung spezifischen Hindernissen, weil die stilanalytische Untersuchung seines Werkes erst in jüngster Zeit überhaupt in Gang gekommen ist. Es gibt jedoch schon jetzt gute Gründe für die Annahme, der Durchbruch in den großen zyklischen Werken hänge mit der Schubert-Rezeption, insbesondere des Jahres 1839 zusammen. Bei der großen C-Dur-Symphonie (D. 944) ist durch die eigene Besprechung deutlich, daß sich sein Interesse vor allem auf die großen Dimensionen des Werkes richtete. Schumann hatte in Wien bei Schuberts Bruder Ferdinand, der als Lehrer Autographenschnippsel von Schubert als Fleißkärtchen an seine Schüler verteilte, gesehen, was noch an unveröffentlichten Werken vorhanden war, und zunächst selbst den Druck einer Reihe bis dahin unbekannter Werke, nicht nur der C-Dur-Symphonie, veranlaßt. – Nachdem die intensivere Schubert-Rezeption die Bewältigung großer zyklischer Formen beeinflußt hat, liegt der Schluß nahe, daß zu dem biographischen Anlaß der bevorstehenden Vereinigung mit Clara auch die eingehendere Auseinandersetzung mit Schubert als auslösender Faktor für die Produktion des „Liederjahres" getreten ist.

Bei der Hinwendung zum Lied zahlte sich nun allerdings aus,

daß Schumann sich in seiner Klavieristik eine Fülle von – weitgehend lyrischen – Ausdrucksmitteln angeeignet, z. T. neu geschaffen hatte. Die erreichte Souveränität ihrer Handhabung machte ihn bei primär vom lyrischen Wort bestimmten Kompositionen erstmals von der Erfindung und Entwicklung am Klavier unabhängig. – Es gab damit auch kein Stadium des Suchens und Experimentierens mehr; der Liedkomponist Schumann tritt uns schon fertig entgegen in dem berühmten ›Nußbaum‹ (op. 25, 3), der noch vor der Kompositionsfülle des „Liederjahres" entstand und ganz offensichtlich mit Blick auf Clara ausgewählt wurde. Die ersten drei Strophen sind gleich vertont, die vierte ist nach Moll transponiert, die fünfte eine Abwandlung der drei ersten und die sechste wird als eine Art Coda neu vertont, das Prinzip des variierten Strophenlieds ist also frei gehandhabt. Die Singstimme rezitiert zunächst lediglich, die erste Zeile ist ja auch nur erzählend angelegt.

Phänomenal erscheint aber schon an der Einbettung der ersten Zeile in Vor- und Zwischenspiel, wie die Singstimme aus diesem Klaviersatz herauswächst und er sie aufnimmt, reflektiert und zugleich weiterführt. Der Klaviersatz ist bei Schumann nicht mehr Begleitung, und sei es auch kommentierende und ausdeutende, sondern es kommt zu einer Art Symbiose zwischen lyrischem Klavierstück und Lied. Darin geht er von vornherein über seine Vorgänger, Schubert eingeschlossen, hinaus. Das betrifft auch die tonartlich straff organisierte Binnenstruktur: 2. und 3. Zeile werden wegen des Enjambements zusammengezogen,[1] so daß sich ein Wechsel zwischen dem motivisch einheitlichen Ritornell und der ebenfalls auf einem Motiv beruhenden, aber dem Sprachverlauf angepaßten Melodiezeile ergibt. – Die Transposition der vierten Strophe führt in Zeile 1 zu einem Hochtonakzent auf dem unbestimmten Artikel, der jedoch metrisch kaum ins Gewicht fällt; dagegen spart Schumann das Ritornell zwischen der ersten und zweiten Zeile aus und nimmt sogar den Binnenreim der zweiten Zeile motivisch auf. Mit der emotionalen Erregung geht so eine innere musikalische Beschleunigung einher, das Naturstimmungsbild geht in die Darstellung von Gefühlen über. In Zeile 3 schiebt er einen Takt ein, um das Wort hervorzuheben, das Anlaß der Vertonung war, die Hochzeit im „nächsten Jahr", und noch einmal wiederholt er diese äußerste Subjektivierung eines Textes, macht die lyrische Objektivation zu einer höchst persönlichen Ich-Aussage, die über seine und Claras Heiratspläne hinaus keinen Sinn macht. Nachdem die fünfte Strophe das instrumentale Ritornell nach jeder Zeile gebracht hatte, fehlt es in der letzten gänzlich, statt dessen läuft die Gesangsmelodie in das instrumentale Ritornell aus. Obwohl also im Prinzip eine akkordische Begleitung dem Gesang unterlegt ist, hat es eine derartig enge Verwebung von Singstimme und Klavierbegleitung, die zugleich an Formbildung und Textgliederung beteiligt ist, nie zuvor im Lied gegeben.

Als erste Frucht des „Liederjahres" erschien zur Hochzeit Robert und Clara Schumanns am 12. September 1840 die Sammlung ›Myrten‹[2] mit der Jubiläumsopuszahl 25 und 26 Liedern verschiedener Dichter; aber es handelt sich nicht um einen Zyklus im eigentlichen Sinne, allenfalls teilweise sind Lieder durch Kontrast aufeinander bezogen. Die Probleme dieser subjektiven Sammlung zeigen sich schon an der ›Widmung‹ (Nr. 1) nach Rückert, einem der tiefsten und innigsten Liebeslieder der gesamten Liedliteratur. Aber vom Text her handelt es sich keineswegs um die emotionale Erlebnislyrik, zu der Schumann es machte, sondern um reflektierende Dichtung von einem Abstraktionsgrad, der häufig genug zur ungewollten Veränderung des Textes führt. Die ersten vier Zeilen des Gedichts sind aus der Antithese gestaltet Wonne – Schmerz, Welt – Himmel, und diese insgesamt positiv besetzten werden den Zeilen 5/6 entgegengestellt mit dem Begriff des Grabes, das allen Kummer aufnimmt. Die zweite Strophe jedoch ist ohne Antithesen gebaut und erfordert daher eine grundsätzlich andere Anlage der Vertonung, abgesehen davon, daß eine Aussage wie „Daß du mich liebst, macht mich mir wert; dein Blick hat mich vor mir verklärt" eigentlich überhaupt unvertonbar ist. – Schumann legt die Strophe denn auch prinzipiell anders an, deutet den Schlußton aus der ersten Strophe als Gis in E-Dur und parallelisiert damit trotz der Transposition in die (durch enharmonische Verwechslung verschleierte) terzverwandte Tonart die Anfänge beider Strophen. Auffällig ist die Häufung von Sekundreibungen als Umkehrungen des Septakkords, die jedoch nicht eigentlich als dissonant behandelt und häufig nicht regelmäßig aufgelöst werden: die freie Dissonanz ist ein Mittel der Stimmungseintrübung geworden. Die letzten beiden Zeilen des

Gedichts verlassen jedoch diesen quietistisch-biedermeierlichen Charakter bereits wieder, was Schumann zur Vorbereitung der Rückmodulation durch Wiedereinführung der Begleitung der ersten Strophe nutzt. Nun kann man zwei so heterogene Strophen musikalisch nicht einfach nebeneinander stehen lassen, und so hat er den Umschwung am Ende der zweiten Strophe musikalisch weitergeführt in eine Wiederholung der ersten und auf diese Weise dem Lied eine geschlossene musikalische Form gegeben.

In der Opuszahl noch vor dem biographischen Schlüsselwerk der ›Myrten‹ liegt der ›Liederkreis von H. Heine‹ op. 24 mit neun Liedern ohne inhaltlichen Zusammenhang, aber in einer klaren tonalen Ordnung: D–h–H–e–E E–A–d–D, ein Hinweis, wie entscheidend die Tonart in Schumanns Vorstellungen für den strukturellen Zusammenhang ist. Mit den Heine-Liedern beginnt Schumann zugleich die Vertonungen eines Dichters und setzt sie in den folgenden Opera fort mit solchen nach Geibel (op. 29 für mehrere gleiche Stimmen bzw. Chor und op. 30). – Gemessen an der Vorstellung vom romantischen lyrischen Lied ist der Anteil an reflektierender Dichtung relativ hoch, und von ihr ist es nur noch ein Schritt zur erzählenden. Sie erscheint in den drei Balladen nach Chamisso op. 31, auch hier also wieder Texte eines einzigen Dichters.

Clara Schumann hatte, vornehmlich für den Bedarf ihrer eigenen Konzerte, eine Anzahl von Kompositionen geschrieben, war sich aber ihrer Grenzen durchaus bewußt.[3] Es kann somit keine Rede davon sein, daß ihre produktiven Fähigkeiten von ihm unterdrückt worden seien. Es war wohl eher ein Akt der Selbstüberwindung und Beweis ihrer Liebe, wenn sie ihm zu Weihnachten des Liederjahres 1840 drei eigene Lieder schenkte. Daraus wurde der Plan eines gemeinsam zu gestaltenden Liederzyklus entwickelt, der aus Friedrich Rückerts ›Liebesfrühling‹ zusammengestellt werden sollte. Obwohl dies auch Gedichte der Brautwerbung sind, muß man sie wegen Rückerts Sprachartistik eher dem Bereich artifizieller Lyrik zurechnen, als solche romantischer Musikästhetik nicht eben entgegenkommend und individueller Ausdrucksgestaltung fähig. Schumann selbst vertonte neun Texte, suchte weitere für Clara aus, offensichtlich eher stimmungshaft angelegte, und gab Hinweise zu ihrer Vertonung. Doch Clara tat sich weiterhin schwer: „... es will gar nicht gehen

– ich habe gar kein Talent zur Komposition" (Tagebuch). Abhandengekommen war freilich wohl nur die Naivität des Herangehens. Schließlich schenkte sie ihm doch vier Lieder zum Geburtstag, von denen drei zum Druck ausgewählt wurden. Zum ersten Hochzeitstag am 13. September, der zugleich Claras 22. Geburtstag war, erschienen die ›Zwölf Gedichte aus Fr. Rückerts Liebesfrühling‹ op. 37, aus denen die Nummern 2, 4 und 11 von Clara stammen,[4] jedoch dem Stil der Sammlung so angeglichen sind, daß die unterschiedliche Autorschaft nicht heraushörbar ist. Gegen die Ausdrucksintensität der anderen Zyklen fallen sie entschieden ab, was wohl durch die Blutarmut der Texte bedingt ist und zur Folge hat, daß die von Clara vertonten Frauenlieder aufgrund der lebendigeren Sprache den Liedern Roberts an kompositorischem Schwung überlegen sind.

Die bedeutendste Liedersammlung Schumanns ist unbestritten der ›Liederkreis von … Eichendorff‹ op. 39 vom Mai 1840, damals allerneueste Literatur, denn Eichendorff hatte erst 1837 seinen ersten Gedichtband veröffentlicht. Sein romantischer Drang zum Dunklen und Unnennbaren, gepaart mit hohem Form- und Sprachniveau ergriffen Schumann zutiefst und regten verwandte Saiten bei ihm an, befähigten ihn zum Höchsten, was er an Liedlyrik geschaffen hat.[5] – Als Nr. 5 enthält der ›Eichendorff-Liederkreis‹ Schumanns berühmtestes Lied und nach der ›Träumerei‹ das am stärksten mit seinem Künstlertum verbundene Werk, die ›Mondnacht‹, zum Geburtstag von Claras Mutter 1840 komponiert. Das variierte Strophenlied, dessen zweite und dritte Strophe er zusammenzog, ist gekennzeichnet durch sparsamste Verwendung musikalischer Mittel. Entsprechend der Reimstellung sind nur zwei Melodiezeilen vorhanden. Die Begleitung beginnt, vom zweiten Ton an dissonant, mit einem absteigenden Dominantseptnonakkord, dem im zweiten Takt eine chromatische Abwärtsverschiebung folgt. Über der Dominante setzt die Singstimme dissonant mit der sechsten Stufe ein; die Sekundreibungen, die irreguläre freie Einführung der Dissonanz, die Häufung dissonanter Zusatztöne stehen wohl für die Irrealität der Dinge im Mondlicht. Die zweite Strophe weist nur minimale Änderungen der Begleitung auf, so den zusätzlichen Vorhalt auf „durch"; in T. 38 legt Schumann ihn sogar noch eine Oktave höher, über die Singstimme. – Die dritte Strophe, wegen des Beginns mit

„und" ohne Ritornell angeschlossen, bringt die Umdeutung des Naturbildes auf das lyrische Ich und dementsprechend eine neue Melodie, die formal eingebunden wird durch die Überlagerung mit dem Ritornell (ab T. 47), welches durch das Textwort „spannte" (die Flügel aus) eine nachträgliche Sinndeutung erfährt. Mit den Zeilen 3 und 4 kehrt Schumann in die ursprüngliche Melodie zurück: die Ich-Beziehung wird mit dem Naturbild verschmolzen.

Die vielleicht reinste Ausprägung des Typus des romantischen, an Naturerlebnis und psychischer Stimmung orientierten Liedes ist das ›Zwielicht‹ (Nr. 10). Alles an ihm ist unbestimmt: übermäßige Intervalle, der zunächst nur zweistimmige Satz und Querstände erschweren die harmonische Orientierung, die Verzögerung zwischen der Bewegung der Stimmen macht die Rhythmik diffus wie ein unbestimmtes, tastendes Suchen; die Konturen aller musikalischen Mittel verschwimmen in Dämmerung und Grauen und vermitteln unbestimmte Angstgefühle. Das Verhältnis der im Kern gleichen ersten beiden Melodiezeilen zeigt wieder die charakteristische Variantenbildung, die Emotionalisierung des Naturbildes (Z. 1): in der zweiten Zeile werden die Intervalle nach unten und oben enger, Beklommenheit wird spürbar („schaurig"), das Herz krampft sich zusammen, und mit den „schweren Träumen" wird der Gesang fast zur Rezitation. Wo aber die Beziehung zu Naturerscheinungen auf die zwischenmenschlichen übertragen und das Zerstörerische des Zwielichts zur Sprache kommt, verengt Schumann den Ambitus der zweiten Melodiezeile nicht, sondern verändert sie zur Höhersequenzierung der ersten, Beklommenheit wandelt sich in Erregung. – Ist die Begleitung der drei ersten Strophen bloße Umspielung der Gesangsmelodie, so geht Schumann mit Beginn der letzten Strophe zum akkordischen, tonal bestimmten Satz über, wenn von der Zuversicht auf das Morgen die Rede ist, weicht aber sogleich in die tonale Unbestimmtheit des verminderten Septakkords aus bei dem Gedanken an das, was sich in Nacht verliert; die Warnung an den Menschen gar (mit vermindertem Septsprung abwärts) läßt er unbegleitet, nur eine Kadenz schließt sich noch an.

Ganz im Schatten der Eichendorff-Lieder stehen die ›Zwölf Gedichte von Justinus Kerner‹ op. 35, die inhaltlich so eng bei jenen stehen, aber doch wohl nicht ganz deren Sprachstand erreichen, was sich auch in den Vertonungen niederschlägt. Hier sei nur auf eine der bedeutendsten Liedschöpfungen Schumanns hingewiesen: ›Stirb, Lieb' und Freud‹ (Nr. 2), eine sprachlich-musikalisch höchst komplexe Sache, denn hier erzählt ein junger Mann von der Weihe eines jungen Mädchens zur Nonne, in der letzten Strophe aber wird das erzählende Lied zum lyrischen umgedeutet mit einem Fürbittegebet des Erzählers für die junge Nonne, die er – ohne ihr Wissen – geliebt hat, das alte romantische Motiv der Fernliebe also, die durch ein Gelübde endgültig unerreichbar wird. Da der Erzähler in diesem Falle auch als lyrisches Ich in Erscheinung tritt, ergibt sich für die Vertonung das Problem der Umsetzung der wörtlichen Rede des Mädchens als erkennbares Zitat in einem Männerlied. – Schumann hat die romantisch überzuckerte Geschichte – mit dem altertümlichen 4/2-Takt schon von der Notation her – im Charakter einer Legende behandelt und ihr gleichsam ihre Unschuld zurückgegeben, das Keuschheitsgelübde der jungen Nonne, Glockenläuten, dem Treuegelöbnis des jungen Mannes, ohne Glocken, gleichgesetzt; aber er scheut sich auch nicht, die Männerstimme bei der wörtlichen Rede des Mädchens ins Falsett zu führen.

Die Produktion des Liederjahres 1840 war so umfangreich, daß erst nach und nach an die Publikation zu denken war. So erschienen nach der 1. Symphonie die Andersen-Lieder op. 40, dann aus dem Kammermusikjahr 1842 der wieder biographisch bestimmte Zyklus ›Frauenliebe und Leben‹ op. 42 nach Chamisso, eine Folge vom Erwachen der Liebe, der Hingabe, von Mutterglück und Trauer um den Mann. Gemessen an den ›Myrten‹, den Eichendorff- und Kerner-Liedern rühren sie an das Problem der Identifizierbarkeit mit einer (biedermeierlich-gefühligen) Textvorlage, nicht zuletzt auch im Hinblick auf deren literarische Qualität. Obwohl dem Biedermeier zuzurechnende Züge bei Schumann klar zunehmen, waren sie hier wohl doch zu dominant, um ihm die persönliche Anverwandlung dieser Texte zu ermöglichen.

Die ›Dichterliebe‹ op. 48 nach Heine ist sicher ebenso sentimental und irreal, aber eben nicht spießbürgerlich, sondern ironisierend und übertreibend, Romantik und deren Überwindung durch Übersteigerung in einem, in dieser Gebrochenheit nur zu vermitteln auf hohem literarischem Niveau. Es wird geweint wegen des Traumes vom Tod der Geliebten und beim Bewußtwerden, daß sie ja lebt, wegen der Angst, von ihr verlassen zu werden und weil sie ihn noch liebt, geweint wird wegen des Liebesbekenntnisses, es weinen die Blumen, die Nachtigall und die Sterne und über die Hochzeit der noch immer Geliebten weinen sogar die Engel. – Natürlich hat Schumann das auch gesehen; aber die Musik ist nun einmal des uneigentlichen Sprechens und somit der Ironie nicht fähig. Er deutet den ad absurdum geführten Liebesüberschwang zur romantischen Ich-Aussage um und gestaltet ihn zum innigsten Liebesliederzyklus der Romantik. Die Tonart der Lieder wechselt häufig und sprunghaft entsprechend dem Charakter des Lieds. – Eine Sonderstellung in Schumanns Liedschaffen und gerade im sonst so differenzierten Klaviersatz der ›Dichterliebe‹ nimmt das ›Ich hab' im Traum geweinet‹ ein. Die Angstträume der beiden ersten Strophen vom Tode und Weggang der Geliebten läßt Schumann fast tonlos, stockend, mit langen Pausen und ohne jede Ausharmonisierung und Begleitung vortragen, lediglich in die bis zu zweitaktigen Pausen hinein tritt das Klavier mit Kadenzformeln, die aber noch durch die tiefe Lage und den liegenden oberen Ton charakterisiert sind. Das Lied bezieht seine Ausdruckskraft mithin aus der Minimalisierung der Mittel, insbesondere die bei Schumann sonst so ausgeprägte Klavierbegleitung ist aus ihrer eigentlichen Funktion herausgenommen und lediglich intermittierend eingesetzt. In der letzten Strophe jedoch harmonisiert er die Melodie wieder voll aus, allerdings bleibt das Klavier auf die reine Stützfunktion beschränkt. Da wird aber nicht mehr von den Albträumen, sondern von dem seligen Traum fortdauernder Liebe gesungen.

Schumanns Lieder wurden außerordentlich positiv aufgenommen und im Musikleben rasch rezipiert. Schon nach Veröffentlichung der ersten Sammlungen hieß es in den Hamburger ›Blättern für Musik und Literatur‹, er werde „... durch den Gesang ... als der erste Komponist der Zukunft dastehen". Der neudeutschorientierte Franz Brendel stellte in seiner ›Musikgeschichte‹[6] seine besten Lieder ohne Umschweife an die Spitze der gesamten Gattung. – Dagegen ist die Akzeptanz der „späten" Lieder deutlich geringer, keines von ihnen hat den Bekanntheitsgrad so vieler der früheren Lieder erreicht, obwohl ein stilistischer Wandel nicht erkennbar ist. Einzig im Bereich der Ballade hat Schumann experimentiert, zunächst durch Erweiterung des Apparats auf Soli, Chor und Orchester,[7] dann auch in Richtung auf eine Wiederbelebung des Melodrams mit klavierbegleiteter Deklamation.[8] Im übrigen sind auch da die späteren Lieder von einer nie zuvor dagewesenen Präzision der musikalischen Textbehandlung. Das zeigt besonders ›Resignation‹ nach Julius Buddeus op. 83, 1 mit seinen vielen Enjambements und metrischen Tükken. Hier sind es insbesondere die großen Sprungintervalle, selbst da, wo sie zunächst wie eine Heterolepsis aussehen, die als Bedeutungsträger Assoziationen zwischen unterschiedlichen Begriffen herstellen. Da die Fähigkeit Schumanns zur Bewältigung hoch komplexer Texte und zur Erfindung prägnanter Formeln so offensichtlich nicht nachgelassen hatte, muß man die Ursache für das Fehlen herausragender Stücke in den späteren Liedern wohl eher bei den Texten suchen, was angesichts ihres hoch literarischen Charakters auch plausibel ist. Auffälligerweise sind die Lenau-Lieder op. 90 die letzte literarstilistisch begründete Gruppe. Daß die gleiche Urheberschaft zu deren Konstitution nicht ausreicht, belegen die Lieder nach Elisabeth Kulmann op. 103/104. Texte wie ›Mond, meiner Seele Liebling‹ oder ›Reich mir die Hand, o Wolke‹ sind eben mit thematisch ähnlichen von Eichendorff nicht vergleichbar und werden auch in den literarisch so hochsensiblen Vertonungen Schumanns nicht zu großer Lyrik. Da werden dann auch Grenzen der literarischen Determinierung der Gattung Lied sichtbar.

JOHANNES BRAHMS

Johannes Brahms (1833–1897) ist schon sehr früh als Nachfolger Schumanns gesehen worden. Die „Schumannsche Schule" wurde zum feststehenden Begriff, obwohl stilistische Untersuchungen bei Schumann noch viel später einsetzten als bei Brahms. Erst wenn wir bei beiden über einen hinreichend gesicherten Erkenntnisfundus verfügen, könnte jedoch auf dieser Basis der methodologisch gesicherte Vergleich beginnen. Brahms ist stilgeschichtlich in manchem ein Rückschritt hinter Positionen Schumanns gewesen. Zumindest war er weniger literarisch orientiert, steht seinen Textvorlagen naiver gegenüber. Obwohl durchaus von wachem literarischem Wertbewußtsein, versagte seine Kritikfähigkeit völlig gegenüber dem Thema der untergegangenen oder erloschenen Liebe, das ihn offenbar zu nahe persönlich anging, ein Indiz für den traumatischen Charakter des Bruchs mit Clara Schumann. Hier hat er gelegentlich Texte von bösartiger Trivialität vertont. – Ganz generell sind seine Vertonungen wesentlich stärker musikimmanent begründet als textbezogen.

An sich ist schon erstaunlich, daß der junge Brahms, der sozialen Unterschicht des Hamburger Gängeviertels entstammend, sich überhaupt in so frühen Jahren so intensiv literarisch orientierte, daß er zu einem der bedeutendsten Lyriker in der Musikgeschichte werden konnte, ausschließlicher vielleicht als der universellere Schumann. Hier ist auf den verbissenen Kampf gegen die proletarische Assimilation des in der Großstadt entwurzelten Landkindes ebenso hinzuweisen wie auf den großen Schatz an Liedern und Balladen, den die aus heruntergekommener Pastoren- und Lehrerfamilie stammende Mutter auswendig beherrschte. Sie war es auch, die den Jungen an neueste Literatur der Zeit – er selbst nannte einmal „den ganzen Eichendorff" – heranführte. Brahms hat seine Jugendwerke, darunter auch viele Lieder, später sorgfältig vernichtet. Unter den Sachen, die er schließlich 1853 Schumann vorlegte und aus denen dieser dann eine Auswahl für die Publikation traf, befanden sich auch Lieder, die folglich vor der eigentlichen Schumann-Rezeption bei Brahms stehen. Schumann hatte sie sogar noch vor die beiden Klaviersonaten setzen wollen, die Brahms selbst für die stärksten Werke hielt und schließlich als op. 1 und 2 herausgab. Man wird davon ausgehen können, daß er mit der Anordnung der Lieder analog verfuhr; und in der Tat zeigt das erste Lied, mit dem er an die Öffentlichkeit trat, die ›Liebestreu‹ (op. 3,1), bereits eine ganze Reihe von Konstanten seines Liedschaffens: 1. das Thema der untergegangenen Liebe, das folglich nicht erst durch den Bruch mit Clara bei ihm aufkam, 2. es ist ein Dialoglied, wie er es später öfters vertonte, obwohl die Gattung der Dramatik, ja sogar Dialektik, durchaus nicht seine Sache war, und 3. es kehrt zur Rahmensatzanlage des vorschubertschen Liedes zurück. Eines der wichtigsten Elemente seiner Formgestaltung zeigt sich ebenfalls an dem ersten Lied, mit dem er die Musikszene betrat: der strukturelle Zusammenhang zwischen thematischer Gestaltung und Baß, der zugleich Träger der Harmonik ist. Brahms stellte ein Lied an die Spitze, das die strengstmögliche Verbindung zwischen Thema und Baß einsetzt, die Identität beider im Kanon. Die romantische Ich-Bezogenheit des Textes wird in der konsequenten rationalen Überformung der musikalischen Struktur wieder aufgehoben, der romantische Gefühlsausdruck des Liedes durch Rationalisierung seiner Mittel gebrochen. Ist aber einmal dieser Zusammenhang dem Hörer bewußt geworden, wird er in der Konsequenz des Kanons entbehrlich: die Melodie wird freier, nur der Baß passacagliaähnlich beibehalten.

Aus seiner Vorliebe für das Dialoglied hat Brahms bereits ab op. 20 die Konsequenz gezogen, zum echten Duett oder gar Quartett überzugehen, die bei ihm eine viel größere Rolle spielen als bei jedem anderen Liedkomponisten. Den 216 Sololiedern muß man also eigentlich noch die 20 Lieder für zwei und weitere 60 für vier Stimmen hinzuzählen. Da die letzteren aber kaum von den 48 Chorliedern[1] stilistisch zu unterscheiden sind, wird man diese hinzurechnen müssen und kommt so auf ein Corpus von 344 Liedern bei Brahms, der damit der am stärksten zur Lyrik tendierende Komponist der Zeit war; nur in diesem Bereich scheinen für ihn Dialektik oder gar Dialog gestaltbar gewesen zu sein.

Die gestalterische Krise, die Brahms nach den Anfangserfolgen erfaßte und die zumeist mit den großen zyklischen Formen in

Verbindung gebracht wird, erstreckte sich verständlicherweise auch auf das Lied. Und obwohl sie erst seine eigentliche Schumann-Rezeption umfaßt, führte sie ihn bei der Gattung Lied von diesem eher weg. Er beginnt nicht nur, sich in gestalterischen Grundfragen an Schubert zu orientieren, sondern greift im Liede noch hinter diesen zurück und bekennt schließlich: „Das Lied segelt jetzt so falschen Kurs, daß man sich ein Ideal nicht fest genug einprägen kann. Und das ist mir das Volkslied",[2] nicht das historisch „echte", sondern ein romantisch-verklärtes; nur: nach Weiterentwicklung Schumanns klingt dies Selbstverständnis nicht.

Tatsächlich verschwinden aus seinen Liedern die emotionalen Vortragsbezeichnungen und ausdrucksbedingten Tempoänderungen. Im Gegensatz zur allgemeinen stilistischen Entwicklungsrichtung der breiteren Liedproduktion in der zweiten Hälfte des 19. Jahrhunderts verlegte er die Expressivität seiner Lieder vom Vortrag in die Komposition selbst und hat damit wahrscheinlich seinen Liedern im Gegensatz zu der Produktion vieler seiner Zeitgenossen das Überleben gesichert. – Die erste Liedveröffentlichung nach diesem Bekenntnis zum Ideal des Volkslieds zeigt die Umorientierung beinahe kraß: von den acht Texten sind sechs neuvertonte Volkslieder, die beiden anderen Übertragungen fremdsprachlicher mittelalterlicher Gedichte. Von da an hat Brahms wirklich große Lyrik weitgehend gemieden. Nach seinem Verständnis bedeutete jede Vertonung, einem Gedicht eine zusätzliche Dimension beizugeben. Nun ist es aber Kennzeichen großer Dichtung, daß sie in sich vollkommen ist; die Vertonung kann ihr mithin nur noch Un-Wesentliches hinzufügen. Das aber widersprach seinem Verständnis des Sprachkunstwerks.

So ist unter seinen Texten Georg Friedrich Daumer mit 53 Gedichten[3] am stärksten vertreten, wohl weil Brahms seine Übertragungen aus orientalischer Poesie wie auch den spätmittelalterlichen Minnesang als Volkspoesie mißverstand. Er hat relativ häufig zu solchen Nachdichtungen, insbesondere auch aus dem Ungarischen und aus slawischen Sprachen gegriffen. Wie sehr das gegenüber solchen Nachdichtungen besonders prekäre positive Vorurteil für Erlebnislyrik durchschlug, zeigte sich geradezu in absurder Weise, als Brahms den (Nach-)Dichter so feuriger Liebeslyrik aufsuchte und es als Widerspruch empfand, einem kränkelnden und ältlichen religiösen Fanatiker gegenüberzustehen. – Mit op. 33 schrieb Brahms seinen einzigen Liederzyklus, ›Romanzen aus L. Tiecks Magelone‹, 15 Lieder, mit denen Tieck seine Nachdichtung eines okzitanischen Volksbuches romantisiert und lyrisiert hatte. Auch hier ist die Wahl der Textvorlage vom Inhalt bestimmt.

Dieser Vorrang des Inhaltlichen kann in seiner romantischen Ich-Beziehung gelegentlich so weit gehen, daß er nur noch von der Biographik her aufzuschlüsseln ist. Dies ist der Fall bei Brahms' populärstem Lied, dem Wiegenlied ›Gut'n Abend, gut' Nacht‹ (op. 49,4), dessen schwebende Begleitung sich namentlich in der zweiten Zeile so hörbar hervordrängt. Brahms hat es einer jungen Frau zur Geburt ihres ersten Kindes gewidmet, deren Charme ihn Jahre zuvor wohl mehr beeindruckt hatte, als er selbst ihr gegenüber zugestehen mochte. Und die Begleitung ist ein Ländler, den er von ihr kannte, mit dem beziehungsreichen Text: „Du moanst wohl, du glaabst wohl, die Liab' laßt si zwinga?" Brahms hat ihn hier, nur für die Beteiligten erkennbar, hineingeheimnist. – Wenig später tritt – dokumentierbar an der ›Alt-Rhapsodie‹ op. 53 und dem Schluß der ›Neuen Liebeslieder‹-Walzer – ein neuer Zug in Brahms' Wesen hervor: Das Werk, insbesondere das Lied, bleibt romantisch-ichbezogenes Mittel persönlichsten Ausdrucks, aber die rationale Überformung gewinnt die Oberhand; zwischen die Person des Komponisten und den von ihm gestalteten Ausdruck tritt die Distanz der Ironie. Wieweit er damit bereits in den 70er Jahren des 19. Jahrhunderts Kunstanschauungen der Moderne präformiert hat, liegt auf der Hand.

Der vollkommene Ausgleich von „objektiver" musikalischer Gestaltung und Ausdrucksfülle, den Brahms in diesen Jahren erreicht hatte, schloß andererseits nicht aus, daß gerade in diesen Jahren, auf der Basis des Erreichten, gleichsam befreit von dem rationalen Legitimationszwang, unter den er sich selbst gesetzt hatte, Lieder beinahe hymnischen Überschwangs und freier Melodik entstanden, ›Meine Liebe ist grün wie der Fliederbusch‹ seines Patensohnes Felix Schumann, Klaus Groths ›O wüßt ich doch den Weg zurück‹ (beide aus op. 63), ›Das vergebliche Ständchen‹ aus op. 84, wieder ein typisches Dialoglied, die ›Waldeinsamkeit‹ (op. 85,6) und die ›Feldeinsamkeit‹ (op. 86,2), das zu seiner Zeit meistgesungene Brahms-Lied, gehören dazu. Gerade dieses so eingängige Lied zeigt jedoch, wie sehr die kompositorischen Probleme des reifen Brahms selbst in die Kleinform des Liedes hineinreichen. In der dritten Zeile der zweiten Strophe führt eine winzige Variante die Melodie an die Terzenkette als Symbol der Unausweichlichkeit des Todes heran, die ihn in der ›Nänie‹ op. 82 ebenso intensiv beschäftigte wie als konstruktives Prinzip in den Instrumentalwerken jener Zeit.

Ich-Bezogenheit und inhaltlich bestimmte Textwahl bleiben bis ins Spätwerk hinein Konstanten seiner Lyrik und führen dazu, daß die Gruppierung nach Opuszahlen keineswegs zufällig erfolgt. Er selbst regte eine Anthologie der von ihm vertonten Lyrik als reine Sammlung zum Lesen an, aber in der von ihm konzipierten Zusammenstellung der Texte. In mindestens einem Falle sind auch zwei Gruppen mit direkt folgender Opuszahl aufeinander bezogen: In op. 94 vertont er Lieder der schwärzesten Resignation, die sein Lebensgefühl aus diesen Jahren widerspiegeln, in denen ja tatsächlich „mit 40 Jahren der Berg erstiegen", der Höhepunkt des Lebens überschritten war, „und eh du's denkst, bist du im Port" der Ruhe des Todes. Das zweite Lied beschwört den Geist des verstorbenen Lebenspartners, ein Trauma des alternden Brahms, von dem er sich bezeichnenderweise wieder durch Ironie distanzierte.[4] Das dritte Lied ist eines seiner bekanntesten: ›Mein Herz ist schwer ...‹ von bedrängenden Erinnerungen, als letztes folgt jenes ›Kein Haus, keine Heimat‹, das so sehr seinem Lebensgefühl entsprach.

Brahms hat die Folge der Lieder seines op. 94 auf dieses Stück hin zugespitzt und verzichtet noch radikaler als Schumann mit seinem ›Ich hab' im Traum geweinet‹ auf alle Mittel des romantischen Stimmungsliedes, und gerade dadurch wird es konzentriertester Ausdruck. Das zweistrophige Lied ist insgesamt nur zehn Takte lang, die Singstimme hat keine Gesangsmelodie im eigentlichen Sinne mehr, sondern stößt ihren Schmerz über die trostlose Verlassenheit nur noch in einzelnen Wörtern heraus. Die Klavierbegleitung ist reduziert auf isolierte Schläge. Der Kunstcharakter des Liedes manifestiert sich also eigentlich durch Fehlen aller Elemente romantischer Liedgestaltung. Von Geschichte und Ästhetik des romantischen Liedes her gesehen ist dieses op. 94 Nr. 5 ein Nicht-mehr-Lied, ein Endpunkt, hinter dem sich eine weitere Differenzierung bisheriger Mittel selbst als gekünstelt denunzieren würde.

Das erste Lied des folgenden Opus 95 war ursprünglich als Chorsatz angelegt. Trotz präzisester Nachzeichnung der Textstruktur wird das Stück von einem einzigen Motiv bestimmt, das im 7/4-Takt in einer drei- und einer vierteiligen Grundform auftritt. Das Phänomen des Stücks ist die vollständige Formalisierbarkeit seines Verlaufs. Vom ersten bis zum letzten Takt unterliegt das Lied dem Zwang vom Material selbst bestimmter Abläufe und läßt keinen Raum mehr für intuitiv gestaltbare Ausdrucksmelodik. Das Material ist für den Komponisten nicht mehr frei verfügbar nach seinem Ausdruckswillen. Unmittelbarkeit und Spontaneität der Wiedergabe von Gefühl sind der rationalen Überformung gewichen. – An diesen beiden Liedern und der Weise, wie sie aufeinanderfolgen, kann man den Eindruck gewinnen, daß Brahms auch im Lied systematisch die Grenzen der tradierten Musik abtastete und nach Möglichkeiten des Weitergehens suchte, wo Tradition fragwürdig geworden war. Schönberg prägte später für dieses Prinzip den Begriff der entwickelnden Variation.

Wie auch in anderen Gattungen, schrieb Brahms nach solchen exemplarischen Werken wieder freier, unbekümmerter um Probleme neuer Stil- und Gestaltungsmittel. Einige seiner bekanntesten und melodisch überschwenglichsten Lieder entstanden nach dem Formexperiment des op. 95,1: ›Schön war, was ich dir weihte‹ (op. 95,7), ›Wir wandelten, wir zwei zusammen‹ (op. 96,2), einige der ›Zigeunerlieder‹ (op. 103), ›Wie Melodien zieht es‹ (op. 105,1), ›Immer leiser wird mein Schlummer‹ (op. 105,2), das ›Ständchen‹ („Der Mond steht über dem Berge", op. 106,1). Dazwischen stehen jedoch auch immer wieder Stücke wie ›Der Tod, das ist die stille Nacht‹ (op. 96,1), ›Auf dem Kirchhofe‹ („Der Tag ging regenschwer", op. 105,4) oder das ›Mädchenlied‹ (op. 107,5). Den Experimenten mit Zwangsfolgen von Intervallen und in der Zeit sich entwickelnden Variationen thematischen Grundmaterials, aber zugleich dem Ausdruckswillen des zunehmend Vereinsamenden danken wir seine letzten und bedeutendsten Lieder, die ›Vier ernsten Gesänge‹ op. 121. Als sich nach dem Tode mehrerer enger Brahms-Freunde Anfang 1896 auch das Ende Clara Schumanns abzeichnete, begann er mit der

Komposition von Bibelworten zu Tod und Vergänglichkeit. Kaum waren sie fertig, setzte die ironisierende Distanzierung ein, wie immer, wenn ein Werk mehr vom Menschen Brahms erkennen ließ als ihm im nachhinein recht war. Selbst den Anlaß verschleierte er mit der Behauptung, die ›gottlosen Schnadahüpferln‹ sich selbst zum Geburtstag geschrieben zu haben. Nur in einem Brief an die älteste Schumann-Tochter bekannte er: „… tief innen im Menschen spricht und treibt oft etwas, was fast unbewußt, und das mag bisweilen als Gedicht oder als Musik ertönen … Ich bitte, sie als ganz eigentliches Totenopfer für Ihre geliebte Mutter anzusehen."[5] Die ganze Wahrheit freilich war auch das noch nicht.

Wieder tritt das metamusikalische Modell der Terzenkette sich steigernd auf, bis es in der Mitte des zweiten Liedes in höchst subjektiver Weise erscheint zu den Worten „Da lobte ich die Toten, die schon gestorben waren, mehr als die Lebendigen", in Singstimme und Begleitung kanonisch ineinandergeschoben wie in seinem ersten Lied op. 3,1. Nie sind Ende und Geschlossenheit eines Lebenswerks bewußter signalisiert worden. – Das persönlichste und erschütterndste Stück ist jedoch die Vertonung des Hohen Lieds der Liebe,[6] mit der er die Summe seines Lebens zog: „… und hätte der Liebe nicht, so wäre ich nichts als ein tönend Erz und eine klingende Schelle." Der Mittelteil dieses Liedes hebt sich mit seiner lyrischen Weichheit deutlich von dem spröden Spätstil des Übrigen ab. Ihm liegt ein wohl um 1877 entstandenes Liebeslied zugrunde, das nicht veröffentlicht wurde, möglicherweise weil es ihm damals zu persönlich war. Man darf es wahrscheinlich in biographischen Bezug setzen zu Elisabet von Herzogenberg. Die bewußt gelegten falschen Spuren sollten verschleiern, daß in diesem Werk des Lebensendes, nur für ihn selbst erkennbar, die beiden Frauengestalten vereint waren, die den nachhaltigsten Eindruck auf ihn gemacht hatten, aber – letztlich kraft eigener Entscheidung – für ihn unerreichbar geblieben waren. – Wie hier Sublimation persönlichen Schmerzes im Werk und rationale Überformung, Expressivität und Objektivation, dialektisch zur Synthese geführt werden, macht die Bedeutung von Brahms' Lyrik aus.

DAS LIED IN DER AUSEINANDERSETZUNG
UM BRAHMS UND DIE NEUDEUTSCHE SCHULE

Die Fortschrittsgläubigkeit des 19. Jahrhunderts hatte auch die Musikpublizistik erfaßt, und Wagner hatte ihr mit ›Das Kunstwerk der Zukunft‹ 1850 das Stichwort geliefert. Seit 1859 nannte sich die „Fortschrittspartei" – ironisch wurden ihre Vertreter als „Zukunftsmusiker" bezeichnet – „Neudeutsche Schule". Der von ihr beherrschten Musikpublizistik gelang es, die bis heute nachwirkende Frage nach der „wahren" Beethoven-Nachfolge der ästhetischen Diskussion aufzuzwingen und die These Wagners durchzusetzen, nach der Grenzüberschreitung Beethovens in seiner 9. Symphonie müsse die Entwicklung der Musik notwendigerweise in das Gesamtkunstwerk Wagnerscher Konzeption münden. – In einem derartigen Geschichtsbild war freilich für Schubert kein Platz. Die gesamte ästhetische Diskussion der Neudeutschen kreiste um die Fragen der Musikdramatik als der Vereinigung von Literatur, Musik und Tanz/Gebärden- bzw. Körpersprache oder um die konzeptionelle Vereinigung von Sprache bzw. Literatur und Musik in der Symphonischen Dichtung. Beide Bereiche galten als ideell an die gesamte Menschheit gerichtet, während Kammermusik und Lyrik – und dazu gehört nun einmal die Gattung Lied – soziokulturell dem Bereich des Privaten zugeordnet und damit als akzidentiell und unverbindlich denunziert wurden. Nietzsches Versuch, einen Eindruck von der Bedeutung Brahmsscher Lyrik wenigstens anhand der großen Chor-Orchesterwerke zu vermitteln, wurde von Wagner verhöhnt, es habe sich dabei um „irgend so ein Schicksalsliedchen" gehandelt. Dem Theaterbesessenen war die Gattung überhaupt nur in der pejorativ gemeinten Verkleinerungsform vorstellbar.

Für die wichtigsten Vertreter der Neudeutschen Schule war das Lied allenfalls ein Randphänomen; das hatte zwei Konsequenzen: 1. Liszt ausgenommen, setzten sich nur die Randfiguren der Gruppe in nennenswertem Umfang mit ihm auseinander, und 2. hat die Neudeutsche Publizistik keine eigene Ästhetik des Liedes ausgebildet, obwohl sie doch ihrem Wesen nach auf die Verbindung von Sprache und Musik angelegt war. Das heißt andererseits nicht, daß ihre Positionen ohne Wirkung auf die Gattung geblieben wären. Im Gegenteil: an Wagners Sprachbehandlung und der Verlagerung der motivisch-formbildenden Bestandteile der Vertonung in die Begleitung konnte niemand vorbeigehen, auch wenn die Technik der Leitmotive auf das kurze Lied nicht übertragbar war. Aus diesem Dilemma rührten die Neigung bei den Neudeutschen oder unter ihrem Einfluß stehenden Komponisten, das Lied in Orchestersatz einzubetten und damit eine Tendenz zum vokalen Konzertstück mit Orchester einzuleiten, die es seinem kammermusikalischen Charakter und seiner Trägerschicht entfremdeten und definitiv professionalisierten.

Aus diesen Überlegungen ergibt sich, daß der historische Bruch nach Schumanns so hochdifferenziertem Ausgleich zwischen literarischen Ansprüchen und musikalischer Gestaltung liegen muß. Brahms war dahinter wieder zurückgegangen, sowohl was die literarische Seite betraf als auch in der eindeutigen Priorität der Musik vor der Sprache. Wenn man alleine auf die Akzentverhältnisse abheben wollte, müßte man feststellen, daß eines von Brahms' bekanntesten Liedern[1] beinahe jedes Wort um der Melodie willen einem falschen Taktakzent zuordnet. – Als eigentlicher Fortsetzer der Liedtradition Schumanns galt der Zeit denn auch eher der Königsberger Adolf Jensen (1837–1879) mit seinen 176 Liedern, die wie bei Schumann zumeist nach Dichtern gruppiert sind, nur daß bei dem Jüngeren auf die Dauer Geibel, Scheffel und Heyse die größte Rolle spielen; auch der von Brahms bevorzugte Daumer ist stark vertreten. Es ist insbesondere der Klaviersatz, der die Nähe zu Schumann bewußtmacht; manche von den Klavierstücken Jensens hat man gelegentlich als eine Art von Liedern ohne Worte bezeichnet, obwohl er dieses Genre von sich aus mied. Im übrigen war Jensen ein glühender Vorkämpfer Wagners, ohne daß er stilistisch dieser Gruppierung zuzurechnen wäre. – Stärker im Bereich des kleinen Klavierstücks repräsentiert Theodor Kirchner (1823–1903) die Schumann-Tradition, während seine Lieder an die Wirkung seiner Klavierminiaturen nicht heranreichen. Eine detaillierte Stiluntersuchung vom heutigen Erkenntnisstand der Schumann-Forschung aus fehlt aber noch.

Eine relativ weite Verbreitung in Auswahlalben fanden die Lieder von Robert Franz (1815–1892); er selbst schrieb rund 350, und auch seine Frau, Marie Hinrichs, veröffentlichte Lieder. Einige Chorwerke ausgenommen, besteht sein gesamtes gedrucktes Werk aus Liedern. Bezeichnend für ihn, dem Schumanns Lieder zu deklamatorisch behandelt waren, ist seine eigene Einstellung zur Liedästhetik: „Ich komponiere Gefühle, nicht Worte." Sie führte ihn mitunter gefährlich nahe an die Sentimentalität. Erschwert hat seine stilgeschichtliche Einordnung, daß der schon Mitte der sechziger Jahre Ertaubte bis in die achtziger Jahre hinein komponierte und publizierte, aber noch die letzten Opera nach eigenen Worten auch viel früher entstandene Werke aufnahmen. Eine konsequente stilanalytische Untersuchung seines Liedschaffens ist um so dringlicher, als offensichtlich andere Verdienste von Robert Franz um die Wiederbelebung der Chorwerke von Bach und Händel[2] in die Beurteilung seines Liedstils hineinprojiziert wurden.

Franz Liszt (1811–1886) war allein durch seine Klaviertranskriptionen von Schubert-Liedern viel zu sehr in die Rezeptionsgeschichte des deutschen Liedes im 19. Jahrhundert eingebunden, als daß er sich nicht auch selbst gestalterisch dafür hätte interessieren sollen, zumal die schöpferische Umsetzung von Literatur in Musik ja auch im Bereich der großen Orchesterformen eines seiner Hauptinteressen war. Von dieser Seite rühren aber auch die Probleme des Liedes bei Liszt: nicht nur sind die Petrarca-Vertonungen und die als ›Liebestraum‹ bekannt gewordenen Stücke zwar ursprünglich Lieder, aber derartig vom Klavierstück her konzipierte, daß man ihnen gegenüber mit dem Begriff der Transkription eigentlich nicht recht weiterkommt. So eindeutig bei den Schubert-Transkriptionen der Liedstil erhalten bleibt und der Charakter der Übertragung in ein anderes Medium erkennbar ist, sosehr scheinen insbesondere die genannten eigenen Lieder Liszts – auch von anderen gibt es solche Doppelversionen – in der Fassung als Klavierstück ihre eigentliche Daseinsweise gefunden zu haben. – Ein weiteres Problem ist die Mehrsprachigkeit Liszts. Vertonungen aus romanischen Sprachen haben nun einmal schon wegen der ganz anderen metrischen Grundlagen ein anderes Verhältnis von Wort und Ton, und in diesem Zusammenhang ist auch daran zu erinnern, daß Liszt ja nicht nur Transkriptionen deutscher Texte vorgenommen hat; das Klavier war also wohl der gemeinsame Nenner, auf den manches gebracht werden konnte, was sich in der Re-Differenzierung durchaus unterschiedlich ausmacht. Dabei ist ferner zu berücksichtigen, daß es etwas grundsätzlich anderes ist, ob eine Übersetzung vertont wird, was Komponisten zu allen Zeiten gemacht haben, oder ob umgekehrt eine Übersetzung einer bereits vorgenommenen Vertonung angepaßt wird, wie es Cornelius mit Liedern von Liszt getan hat. Hier stehen wir also vor einer äußerst komplexen Gemengelage, die einer sehr behutsamen Stilanalyse dringend und um so mehr bedarf, als man sich in jüngster Zeit seiner Lieder wieder stärker annimmt.

Obwohl Richard Wagner (1813–1883) selbst auch Lieder geschrieben hat, darunter bereits als Achtzehnjähriger ›Sieben Kompositionen zu Goethes Faust‹, hatte die Gattung in seinem ästhetischen System keinen Platz. Der Begriff wird sogar konsequent gemieden. Das Lied hatte für ihn eine dramaturgische Funktion (Walters Preislied, Lied an den Abendstern u. a.). Selbst die bedeutendsten seiner Lieder, ›Fünf Gedichte für eine Frauenstimme‹, nach Texten von Mathilde Wesendonk, waren eigentlich Vorstudie zum ›Tristan‹, und nicht zuletzt die Orchesterfassung bestätigt ihren gattungsüberschreitenden Charakter.

Was an Liedkompositionen aus dem Kreis der Neudeutschen Schule hervorgegangen ist, stammt eher von den randständigen Gestalten bzw. Komponisten, die sich von den ästhetischen Zielvorgaben der Neudeutschen emanzipiert hatten. So ließ sich Peter Cornelius (1824–1874) ja auch im Bereich der Musikdramatik nicht ganz vereinnahmen. Mit seiner literarisch-musikalischen Doppelbegabung, aber auch mit dem biographischen Detail, daß sich der größte Teil seiner Lieder auf die Jahre 1853–56 konzentriert, steht er näher bei Schumann als jeder andere Komponist der Folgezeit. In einem Punkt jedoch geht er wesentlich über ihn hinaus: zu 46 seiner Lieder hat er selbst den Text geschrieben; der kleinere Teil seiner Lieder, der auf fremde Textvorlagen entstand, ist nicht nach literarischen Qualitätsmaßstäben ausgewählt, sondern nach Vereinbarkeit mit seiner eigenen literarischen Produktion. Nirgendwo sonst ist daher eine solche Homogenität von Liedern zu finden. – Ihm selbst ist das alles wohl sehr genau bewußt gewesen, denn aus seinem Vorgehen lassen sich zwei Bestrebungen ableiten: der Griff zur kleinen lyrischen Gattung des Liedes ist eine ebenso klare Abgrenzung gegen die Ästhetik der Neudeutschen,[3] wie die Abstinenz von der literarischen Romantik und der differenzierten Klavierbegleitung als Ausdrucksträger eigener Art eine solche gegen Schumann ist.

Aus den ohnehin betont schlichtgehaltenen Liedern fallen zwei Folgen besonders auf, die ›Vater-unser-Lieder‹ op. 2 und die ›Weihnachtslieder‹ op. 8; die letzteren haben bis in die jüngste Zeit hinein eine ungebrochene Popularität behalten. Die ›Vater-unser-Lieder‹, textlich eigene Paraphrasen der Bitten des Gebets, verwenden darüber hinaus musikalisch den entsprechenden Versikel der gregorianischen Melodie, der auch vorangestellt ist. Damit begegnet eine neue Variante der Zyklusbildung, die sicher mit der Verwendung gregorianischer Melodien bei Liszt in Verbindung gebracht werden darf. Das Choralzitat im dritten der ›Weihnachtslieder‹[4] soll nach Cornelius' eigenen Angaben erst auf Anregung Liszts in eine überarbeitete Fassung des Liedes hineingekommen sein. Was den Charme und die Beliebtheit der ›Weihnachtslieder‹ angeht, so hat Cornelius selbst den Grund genannt: sie seien dem „Familienleben abgelauscht, sie haben ihren Grund in einer ungezierten Frömmigkeit", was beides jedoch ihrem Kunstliedcharakter keinen Abbruch tut.

Mit einer fast gleich großen Zahl Lieder ist Joachim Raff (1822–1882) zu nennen, allerdings im Rahmen eines viel umfassenderen Gesamtwerkes.[5] Raff hatte mit Klavierstücken im Fahrwasser Mendelssohns begonnen und war dann mehrere Jahre Liszts Privatsekretär, teilweise mit der Instrumentation von dessen ersten Orchesterwerken beschäftigt, bis ihm bewußt wurde, daß der generöse, aber eben auch dominierende Liszt ihn aussog. Es kam zum Bruch, nach welchem Raff einerseits stets ein glühender Verfechter neudeutscher Errungenschaften blieb, andrerseits sich auch als Bewahrer historischer Traditionen sah. Der Weg in den Eklektizismus, der selten wirklich große Leistungen hervorbringt, war demnach vorgezeichnet. Diese komplizierte Verflechtung ist insgesamt so wenig erforscht, daß gesicherte Aussagen derzeit um so weniger möglich sind, als manches in seinen Liedern eher zufällig erscheint, bewußt verkompliziert. Reger nannte dies Verfahren, relativ einfache musikalische Sachverhalte künstlich zu komplizieren, „bedeutend machen". Insofern ist es zumindest problematisch, in seinem Liedstil, soweit er sich überhaupt als personalstilistisch definierbar erweisen sollte, eine Weiterentwicklung Schumanns sehen zu wollen.

Von den Neudeutschen der zweiten Generation, die sich mit dem Lied auseinandersetzten, ist Wilhelm Kienzl (1857–1941) aus zwei Gründen besonders interessant: 1. ist aus seiner Autobiographie bekannt, daß sein Bruch mit Wagner ausgelöst wurde durch eine Auseinandersetzung um Schumanns Lieder, die Kienzl gegen Angriffe des neudeutschen Theoretikers Josef Rubinstein verteidigt hatte,[6] und 2. hatte er eine Dissertation über die musikalische Deklamation[7] verfaßt. Er war sich also in besonderer Weise der Implikationen und der historischen Dimensionen dessen bewußt, was Wagners Textbehandlung dem Primat der Musik, wie Brahms es so entschieden vertrat, entgegengestellt hatte. Um so ärgerlicher ist, daß Kienzl einseitig als Komponist des rührseligen ›Evangelimann‹ abgestempelt ist und fundierte stilkritische Untersuchungen zu seinem Werk insgesamt fehlen, so daß die Lieder weder in dessen Gesamtrahmen noch gattungsgeschichtlich einzuordnen sind. Einige sind überhaupt nie publiziert worden. Unter mehreren Zyklen befindet sich auch wieder eine Vertonung von Rückerts ›Liebesfrühling‹, die unter den geschilderten Voraussetzungen zum Vergleich, insbesondere mit Schumann, doch geradezu herausfordert.

Etwas besser ist die Situation bei Engelbert Humperdinck (1854–1921), von dessen ursprünglich mehr als 80 Liedern knapp drei Viertel noch nachweisbar sind und eine Schichtung erkennen lassen in solche, die unter dem prägenden Einfluß Wagners (bis etwa 1895) stehen – obwohl die Übertragung von Begriffen aus dessen orchestergestütztem Bühnengesang auf die Kleinform des Liedes starken methodologischen Bedenken begegnet –, solche mit einer Hinwendung zur Volksliednähe, wie sie sich auch bei Kienzl diagnostizieren läßt, und in (ab 1909) Kinderlieder, sowohl für Kinder selbst als auch zum Vorsingen für Kinder bestimmte Erwachsenenlieder.

HUGO WOLF

Der Komponist, welcher am konsequentesten die Denkan-
stöße der Neudeutschen in die Gattung Lied umsetzte und zum
vielleicht letzten großen Liedlyriker wurde, war Hugo Wolf
(1860–1903). Da er zugleich der „literarischste" Liedkomponist
seit Schumann war und dem Wort eindeutig den Vorrang vor der
Musik gab, stand er schon von seinen Voraussetzungen her in Op-
position zu dem das Wiener Musikleben prägenden Brahms; und
entsprechend heftig fielen seine Abgrenzungsbemühungen aus.
Sein Satz, daß „ein einziger Beckenschlag Liszts mehr Musikalität als alle vier Symphonien von Brahms zusammen" enthalte, als
Kritikerhybris in die Musikgeschichte eingegangen, ist auch zu
sehen als Aufbegehren gegen die Vaterfigur des Wiener Musiklebens, welche die ästhetischen Vorstellungen von musikalischer
Lyrik dominierte. – Wolf komponierte wieder nach Dichtern,
nicht Inhalt oder Stimmungsgehalt der Gedichte, und hatte seine
ästhetischen Anschauungen als Kritiker[1] mit dem Wort vertreten,
war aber bereits 1875 unter dem Eindruck einer ›Tannhäuser‹-
Aufführung zum radikalen Wagnerianer geworden. Wenn man
bedenkt, daß die Paralyse seinem Schaffen bereits 1897 ein Ende
setzte, so blieben ihm ganze neun Jahre für sein kompositorisches
Lebenswerk.

Die Nähe zu Schumann, was die Voraussetzungen seiner Auseinandersetzung mit der Gattung betraf, blieb nicht ohne Folgen
für den Gestus und die Stilmittel der frühen Lieder Wolfs. Seine
Vertonung von Heines ›Du bist wie eine Blume‹ vermag sich von
derjenigen Schumanns nicht zu lösen. „Zu Schumannisch" ist auf
abgebrochenen Liedentwürfen zu lesen. – Liszt riet ihm zur
großen Form der symphonischen Dichtung: nach drei abgebrochenen Symphonien entstanden ›Penthesilea‹ nach Kleist und
ein Streichquartett mit einem Motto aus Goethes Faust. Brahms,
nach dem damaligen Stand seines kompositorischen Selbstverständnisses konsequent, riet zu strengen satztechnischen Studien
– und löste flammende Empörung und völliges Unverständnis

bei Wolf damit aus. Nichts charakterisiert Wolfs Orientierungslosigkeit krasser als 21 Wohnungswechsel in zweieinhalb Jahren.

Eine gewisse Vorklärung zeichnete sich gleichwohl 1878 ab mit 36 Liedern, ausgelöst vermutlich durch die damals 22jährige Pariserin Vally Franck, die sich vorübergehend in Wien aufhielt. Teilweise wird auch schon die Konzentration auf bestimmte Dichter sichtbar, wenn er im Februar Gedichte von Lenau vertonte, im März von Chamisso, im April kamen Lieder nach Hebbel hinzu, während er sich im Mai / Juni auf Heine konzentrierte. Dann aber erfaßte ihn erneut die Unrast, er wandte sich wieder vom Lied ab. Im Herbst 1887 gelang ihm die erste Veröffentlichung von Liedern, ›6 Lieder für eine Frauenstimme‹ und ›6 Gedichte‹ auf Texte verschiedener Herkunft, wobei die letzteren überwiegend aus der jüngsten Produktion stammten, wohingegen die ›Lieder für Frauenstimme‹ bis in die siebziger Jahre zurückreichen und sich naturgemäß von dem Einfluß Schumanns noch weniger freigemacht haben. Diese beiden Sammlungen sind im übrigen eine Auswahl aus den mehr als hundert zu dieser Zeit bereits komponierten Liedern, die – soweit sie nicht verlorengingen – erst aus seinem Nachlaß veröffentlicht wurden.

Der künstlerische Durchbruch erfolgte schließlich 1888 mit den ›Mörike-Liedern‹, die in ganz kurzer Zeit in unglaublicher Konzentration entstanden, auf den Tag genau datierbar: 43 Lieder zwischen Mitte Februar und Mai, weitere zehn von September bis November. Schon im nächsten Jahr wurden 40 Nummern gedruckt, der Rest erschien erst 1904. Obwohl sie im Vokalen wie klavieristisch die Professionalisierung noch weiter treiben als sie zu der Zeit bereits fortgeschritten war, fanden sie doch rasch Anerkennung und machten Wolfs Namen als eines bedeutenden Liedkomponisten bekannt. – Was einerseits die Singbarkeit dieser Lieder für Laien so erschwerte, ungewöhnliche und daher schwer intonierbare Intervalle, muß andererseits den Zeitgenossen vertrauter geklungen haben als uns heute. Die relativ rasche und problemlose Rezeption legt jedenfalls die Annahme nahe, daß Wolfs Lieder den Hörgewohnheiten der Zeit weiter entgegenkamen als ihrer Musizierpraxis. Ursache dafür ist ohne Zweifel das neudeutsche Erbe, die musikalische Deklamation. Dieser Begriff ist allerdings lange als Leerformel behandelt worden, welche mit weithin beliebigen Inhalten gefüllt werden konnte, bis die

Analyse von frühen Sprachaufnahmen nachwies, daß die Bühnensprache der Zeit, maßgeblich beeinflußt vom Meininger Hoftheater, mit erheblich stärkerer Frequenzmodulation arbeitete als uns überhaupt vorstellbar ist. Vergleiche zwischen Rezitationen zeitgenössischer Schauspieler mit Texten, die Hugo Wolf vertont hat, und eben diesen Vertonungen[2] zeigen in der Tat verblüffende Übereinstimmung zwischen der Sprachmelodie und dem Melodiefall in den Liedern Wolfs, die folglich nicht vom musikalischen Intervall ausgehen, wie das bei Schumann trotz allen Eingehens auf die literarische Vorlage der Fall war, oder gar vom Primat musikalischer Formung wie bei Brahms, sondern offensichtlich von gesprochener Dichtung. Für die Stilanalyse bedeutet dies die Umkehrung ihrer Argumentationsrichtung, wenn nicht mehr nach Art und Weise der Deklamation in den Liedern Wolfs zu fragen ist, sondern vielmehr nach den Mitteln der Individuation seiner Liedmelodik.

Noch während der Komposition der letzten Mörike-Lieder entstanden im Herbst 1888 auch die ›Gedichte von Eichendorff‹ – Wolf vermeidet den Begriff Lied – und etwa die Hälfte der 50 ›Gedichte von J. W. v. Goethe‹, die andere Hälfte wurde im Januar 1889 geschrieben. 1889 erschienen Mörike- und Eichendorff-Lieder im Druck, die Goethe-Lieder folgten 1890. – Im November 1889 ging Wolf an die Komposition des ›Spanischen Liederbuchs‹ mit Nachdichtungen von Geibel und Heyse und beendete die Vertonung der 44 Texte im April 1890. Daran schloß sich gleich die Komposition der sechs ›Alten Weisen‹ nach Gottfried Keller an. Im Herbst 1890 begann er mit sieben Stücken des ersten Teils zum ›Italienischen Liederbuch‹ nach Paul Heyse, der größere Teil dieser Sammlung entstand ein Jahr später.[3] Insgesamt schrieb er somit zwischen Frühjahr 1888 und Herbst 1891 knapp 200 Lieder. Ein derart eruptives und intensives Schaffen fordert seinen Preis: die folgenden drei Jahre brachten zwar eine erhebliche Ausweitung der Resonanz seiner Lieder, so die ersten ausschließlichen Wolf-Konzerte, sind aber sonst gekennzeichnet durch völlige Unproduktivität und psychische Erschöpfungszustände. Wolf war auf der Suche nach einem Opernstoff, zugleich aber drohte ihn das Leitbild Wagner zu erdrücken. Aus dem Jahre 1893 ist als Reaktion auf das Anhören seiner Musikdramen Wolfs Absicht überliefert, sein gesamtes eigenes Werk zu zerstören. –

Die Nähe zur Ästhetik der Neudeutschen drängte ihn über das Klavierlied hinaus, 13 der Mörike- und neun der Goethe-Lieder sowie fünf Stücke aus dem ›Spanischen Liederbuch‹ hat er damals zu Orchesterliedern umgestaltet, die Ballade vom ›Feuerreiter‹ sogar für Chor und Orchester, und gerade an diesem Stück bricht die Frage auf, die für Schumann und Brahms undenkbar wäre und sicher bei Wolf nicht einheitlich zu beantworten ist, ob nämlich diese Lieder nicht erst mit der Orchesterversion die ihnen eigentlich angemessene Gestalt gefunden hätten.

Die geplante Orchesterserenade hat er nicht mehr weiterzuführen vermocht,[4] so völlig war er auf die Verbindung von Wort und Ton fixiert. Aber erst die Vollendung der Oper ›Der Corregidor‹, in die übrigens zwei der Vertonungen aus dem ›Spanischen Liederbuch‹ übergingen,[5] machte auch den Weg für die Liedkomposition wieder frei: innerhalb eines Monats entstanden die 23 Stücke des ›Italienischen Liederbuchs II‹ auf Nachdichtungen von Heyse und erschienen noch im selben Jahr 1896 im Druck. Danach folgten nur noch 13 Lieder in vier kleineren Sammlungen, die jedoch nicht nur Neukompositionen enthalten, vielmehr stammt fast die Hälfte aus der Zeit der großen Liederfülle. Am Ende seines Liedwerks stehen die drei ›Michelangelo-Gedichte‹ vom März 1897. Das gesamte von Wolf selbst zum Druck bestimmte Liedwerk drängt sich also auf etwa fünf Arbeitsjahre zusammen, zu wenig, um eine begründete historische Schichtung zu ermöglichen. Auch die mehrjährige Schaffenspause und die Komposition des ›Corregidor‹ markieren keine Stiländerungen.

Das Ausgehen vom rezitierten Text mit der Konsequenz häufig schwer intonierbarer, nicht primär musikalisch begründeter Intervalle, vor allem aber die rasch wechselnde, neudeutsch orientierte Harmonik konstituieren notwendigerweise ein neues Verhältnis von Singstimme und Begleitung, die nicht mehr nur emotional ausweitend eingesetzt, sondern zum musikalischen Bedeutungsträger schlechthin wird. Andererseits zeigt das bei Schumann oder Brahms undenkbare Auftreten des Klaviertremolos, wie stark dahinter eine im Grunde orchestrale Klangvorstellung steht, die denn auch zur Orchestrierung von Liedern durch den Komponisten selbst führte. Das Lied ist zum hochprofessionalisierten, reinen Konzertvortragsstück geworden, seiner ursprünglichen Trägerschicht dem aktiven musikalischen Zugang weitgehend entzogen.

DAS LIED IM ÜBERGANG ZUM 20. JAHRHUNDERT

Von den Komponisten, die mit wesentlichen Teilen ihres Werks bereits ins 20. Jahrhundert hineinreichen, wäre Max Reger (1873–1916) seinen Voraussetzungen nach am ehesten berufen gewesen, das Erbe von Brahms weiterzuentwickeln; er hat aber wohl gar nicht gesehen, wie stark dieser im Lied Endpunkte markiert und mit weiterführenden Strukturen experimentiert hat, denn er erfaßte ihn ausschließlich von seiner Emotionalität her. Ganz im Gegensatz zu Hugo Wolf mied er die große literarische Überlieferung deutscher Lyrik, weil er sie für „auskomponiert" hielt; dabei ging es ihm um die rein musikalische Frage zu vieler bereits vorliegender Vertonungen, nicht um deren Stellung zur Dichtung. Er griff überwiegend zu zeitgenössischen Gedichten, allerdings mit einem eher naiven Literaturverständnis. Das hinderte ihn jedoch nicht, seine Lieder op. 12 ›Den Manen Franz Schuberts‹ und op. 51 ›An Hugo Wolf‹ zu überschreiben und damit in gewisser Weise auch den Eklektizismus zu dokumentieren, der seine Auseinandersetzung mit dem Vokalstil kennzeichnet, denn außer den Genannten spielt natürlich Brahms eine große Rolle. Immerhin gelang ihm in dieser naiven Weise des Umgangs mit Literatur in den ›Schlichten Weisen‹, deren 60 Stücke zwar zu einem Opus (76) zusammengefaßt wurden, aber in Wirklichkeit von 1904 bis in die letzte Zeit reichen (Heft 6 erschien 1912), die Annäherung an den Volkston. Ein Stück wie ›Mariae Wiegenlied‹ (Nr. 52) nimmt die Traditionen des weihnachtlichen Kindleinwiegens in einer Weise auf, die dem Lied noch einmal fast Popularität verschaffte.

Das gesamte Werk Gustav Mahlers (1860–1911) ist geprägt von der Polarität zwischen Lied und symphonischer Tradition unter Einschluß der Klangvorstellung der Neudeutschen. Die frühesten erhaltenen Werke des Neunzehnjährigen sind, wie auch die ersten publizierten Werke, Lieder, der Zusatz „aus der Jugendzeit" ist selbstverständlich später hinzugekommen und stammt nicht von Mahler. Schon mit den ›Liedern eines fahrenden Gesellen‹, 1883–85 auf eigene Texte geschrieben, zeigt sich auch im Lied selbst die Janusköpfigkeit von Mahlers Stil: sie wurden nicht nur in Doppelversion mit Klavier- und Orchesterbegleitung vorgelegt, sondern haben auch die 1. Symphonie (1884/88) wesentlich beeinflußt. Ähnlich ist die Situation mit den ursprünglich als Humoresken konzipierten Liedern nach ›Des Knaben Wunderhorn‹, nachdem Mahler schon eine Reihe von Liedern mit Klavier aus dieser Quelle vertont hatte, und die so nachhaltig auf die Symphonien II bis IV ausstrahlten, daß man von diesen als „Wunderhorn-Symphonien" gesprochen hat. – Die höchst subjektiven ›Kindertotenlieder‹ (1901–04), in denen sich eine komplexe Mischung von Erinnerungen und Bedrohungsängsten widerspiegelt – tatsächlich starb seine älteste Tochter 1907 an Diphterie –, sind von vornherein als Orchesterlieder angelegt. Aus den 428 (!) Gedichten, die Rückert auf den Tod seiner Kinder geschrieben hatte, hat Mahler fünf ausgewählt. Aber obwohl die zeitlich parallelliegenden Symphonien V bis VII keine Vokalpartien enthalten, gibt es thematische Querverbindungen (insbesondere zwischen dem zweiten dieser Lieder und dem Adagietto der 5. Symphonie sowie dem letzten und dem Finale der 6.). Vor allem jedoch manifestiert sich an ihrem Kammerorchestersatz die Umorientierung seines symphonischen Stils. Dasselbe gilt auch für die später unter der Bezeichnung ›Sieben Lieder aus letzter Zeit‹ zusammengefaßten Stücke, darunter wieder zwei aus dem ›Wunderhorn‹ und fünf nach Rückert; sie haben allerdings wieder die Doppelfassung mit Orchester oder Klavier. Das Phänomen der Lieder Mahlers ist ihr „Komplementärverhältnis" zu den großen symphonischen Formen. So bemerkenswert nun auch die Durchdringung seines gesamten symphonischen Werks mit Stilelementen des Liedes ist, so sagt sie doch eher etwas aus über den Symphoniker Mahler als über die Gattung Lied selbst. Im Gegenteil: auch in den Rückert-Liedern, welche den Stilwandel in der Orchesterbehandlung Mahlers markieren, bleibt der symphonische Zuschnitt sehr stark, ist für die ›Kindertotenlieder‹ die Klavierbegleitung nicht einmal als Möglichkeit ins Auge gefaßt. Sie sind reine Konzertvortragsstücke und übersteigen trotz ihres liedhaften Gestus damit eigentlich die Grenzen der Gattung.

Die Abgrenzungs- und Gattungsprobleme, nicht jedoch das Durchschlagen in rein instrumentale Kategorien liegen ähnlich bei Richard Strauss (1864–1949), der zunächst ganz aus der klassisch-romantischen Tradition kam, bevor er mit den Gattungstheoremen und der Stilistik der Neudeutschen vertraut gemacht wurde. Unter dieser Spannung von neudeutschen Gestaltungs- und Stilmitteln einerseits sowie „absoluter" musikalischer Formung stehen auch seine Lieder. Sie wurde noch einmal verschärft, als er in Meiningen mit den Gestaltungsproblemen des späten Brahms persönlich bekannt wurde. Diese widerstreitenden Einflüsse haben zu dem Vorwurf des Eklektizismus geführt, zumal er die Grenzen der spätromantischen Musik trotz aller formalen und harmonischen Emanzipation nie wirklich überschritten hat. Hinzu kommt bei allem musikalischen Raffinement auch bei ihm eine gewisse literarische Naivität, die ihn von Klopstock über ›Des Knaben Wunderhorn‹, Brentano, Heine, sogar Rückert bis hin zu den Zeitgenossen beinahe alles vertonen ließ, insgesamt rund 200 Lieder. Eigener Ausdruckswille war ebenso Anlaß zu ihrer Entstehung wie auch die banal-praktische Frage der Schaffung eines Repertoires für die gemeinsamen Auftritte mit seiner Frau, Pauline de Ahna, einer gefeierten Sängerin.

Von unveröffentlichten Jugendwerken abgesehen, beginnen die Liedpublikationen 1885 mit op. 10, darunter als eines seiner bekanntesten die ›Zueignung‹, von Strauss selbst orchestriert, womit wir wieder vor dem Problem der Orchesterfassungen stehen, die bei einigen Liedern erst deren eigentliche Existenzform zu enthüllen scheinen, während die originale Klavierbegleitung als Reduktion erscheint. Immerhin sind bei Strauss die Verhältnisse insoweit klar, als es sich eindeutig um Klavierlieder handelt, die von ihm selbst vorgenommenen Instrumentationen – zum Teil erheblich – später liegen. Bei den von vornherein mit Orchester begleiteten Stücken unterschied Strauss säuberlich: sie heißen ›Gesänge‹ (op. 33, 44, 51) bzw. ›Hymnen‹ (op. 73). Die ›Vier letzten Lieder‹ sind insoweit ein terminologischer Fehlgriff, denn sie sind mit Orchesterbegleitung konzipiert.

In den Liedern der Opera 10 bis 22 bevorzugte Strauss Texte von Hermann v. Gilm, Friedrich v. Schack und Felix Dahn, deren Naturlyrik zum Teil aufgesetzt wirkt, pseudoromantisch, und mit der unreflektiert spätromantischen Melodik eine Verbindung eingeht, die nicht immer unproblematisch ist. Da ist Julius Otto Bierbaums ›Traum durch die Dämmerung‹ (op. 29,1; 1895) eine

Wohltat und zu Recht eines der bekanntesten Lieder. 1898 tauchen dann erstmals sozialkritische Texte von Dehmel (op. 39, darunter ›Der Arbeitsmann‹), später auch Henckell (›Lied des Steinklopfers‹ op. 49,4; ›Blindenklage‹ op. 56,2) sowie Texte von Morgenstern und Oskar Panizza auf. Dazwischen stehen wieder Klopstock, ›Des Knaben Wunderhorn‹ und Rückert und werfen in ihrem Kontext notwendigerweise die Frage auf, wie man sich diesen so gegensätzlichen Stilanforderungen zu stellen habe und wie die emotional-romantische Diktion seiner Musik mit derartigen Inhalten vereinbar sei.

Ein trotz Verlagsvertrages von Strauss nicht abgeliefertes Heft Lieder war Anlaß einer der absurdesten Affären der neueren Musikgeschichte: der Verlag verklagte Strauss, der wiederum stellte klar, daß man künstlerische Produktivität nicht einklagen könne: zwischen 1903 und 1918 wurde kein einziges Lied geschrieben; und dann rächte er sich mit dem ›Krämerspiegel‹ op. 66, Satiren auf die Verleger, die Schöpfertum als Handelsware vermarkten: „Von Händlern wird die Kunst bedroht", beginnt eines der Gedichte, die ihm Alfred Kerr dazu geschrieben hatte. Der Verlag war nicht bereit, das zu drucken. Er wurde schließlich „entschädigt" mit op. 67, das Texte aus dem ›Buch des Unmuts‹ (West-östlicher Diwan) vertonte, darunter (1918!) ›Hab' ich euch denn je geraten, wie ihr Kriege führen solltet?‹ und ›Übers Niederträchtige Niemand sich beklage: Denn es ist das Mächtige, Was man dir auch sage‹. Immerhin mag man es danach bedauern, daß die subtile Kunst der Ironie von Strauss nicht stärker in seine Lieder eingebracht wurde.

Es ist kaum zu übersehen, daß Strauss an der Kleinform des Liedes viele Stilelemente seiner musikdramatischen Werke entwickelte. Obwohl die Lieder noch weitgehend von der Motivik aus entwickelt wurden, sind die aus der Wagner-Rezeption stammende Sorgfalt der Deklamation und die Bedeutung des Klaviers, das über die Begleitfunktion entscheidend hinausgeht, für Strauss prägend gewesen. Daß die manchmal recht vollgriffige Begleitung in den Orchesterfassungen derselben Lieder den Charakter des dick Aufgetragenen weitgehend verliert, macht deutlich, daß sie eigentlich zum konzertanten Vortragsstück tendieren. Das Spannungsverhältnis von Motivik und Deklamation bei Strauss bedarf daher wohl noch einer sehr detaillierten Analyse.

Noch völlig im Banne der Spätromantik steht mit seinen rund 100 Liedern Hans Pfitzner (1869–1949), der ein literarisch hochsensibler Künstler war. Stark geprägt durch Schopenhauer, fühlte er sich besonders dem emotionalen Konservativismus Eichendorffs verbunden, den er nicht nur in Liedern vertonte, sondern auch in der Kantate ›Von deutscher Seele‹ (1921). Pfitzner war in seinem Wesen und seinen Anschauungen der Vergangenheit zugewandt – vielleicht hat man sogar seine Affinität zu der Gestalt Palestrinas unter diesem Aspekt zu sehen – und hat als streitbarer Publizist dem heraufziehenden Ungeist der Zeit mit den Begriffen „Futuristengefahr" und „Ästhetik der musikalischen Impotenz" zwei der gefährlichsten Schlagwörter geliefert. Er setzt fraglos vor dem historischen Bewußtsein des späten Brahms und Hugo Wolfs an: produktiv umgesetzter Historismus mit einer Vorstellung von Geschichte als konkreter Handlungsanweisung für die Gegenwart. Nur muß zumindest bezweifelbare historische Legitimation nicht notwendigerweise zugleich ästhetisch unbefriedigend sein. – Allerdings hat im Gegensatz zu Strauss eine Rezeption der Lieder Pfitzners nicht stattgefunden; keins hat einen Bekanntheitsgrad erreicht wie mindestens ein Dutzend Strauss-Lieder.

Entgegen den landläufigen Vorstellungen, die Wendung der Neuen Musik in die Atonalität und schließlich die Dodekaphonie sei ursächlich auf „Die romantische Harmonik und ihre Krise in Wagners Tristan"[1] zurückzuführen, war den Hauptvertretern der Zweiten Wiener Schule sehr deutlich bewußt, wie sehr bereits Brahms die Gestaltungsformen der klassisch-romantischen Musiktradition zu Ende gedacht und experimentiert hatte mit den Möglichkeiten gesetzmäßiger Verbindung von Thematik und Harmonie bis hin zur Identität. Namentlich hatte er ja an einem Lied die Entwicklung musikalischer Form aus einer formalisierbaren Ablaufsreihe erkundet. Die Schlüsselbegriffe „entwickelnde Variation" und „musikalische Prosa" wurden vorzugsweise an Kompositionstechniken von Brahms entwickelt.

Arnold Schönberg (1874–1951) hatte schon vor der Jahrhundertwende eine ganze Anzahl von Liedern komponiert, meist auf nachromantische Texte, so von Ludwig Pfau, auch Paul Heyses ›Waldesnacht‹, vereinzelt auch schon von Richard Dehmel. Seine drei ersten mit einer Opuszahl versehenen Publikationen waren

Lieder, und gleich nach ›Verklärte Nacht‹ und ›Pelleas und Melisande‹ folgte wieder ein Liederheft. Mit op. 8 tat dann auch Schönberg den Schritt seiner Generation zum Orchesterlied mit Texten aus ›Des Knaben Wunderhorn‹ und von Petrarca. Vorbereitet war er bereits früher in der immer wieder, nicht zuletzt zugunsten von ›Pelleas‹, unterbrochenen Arbeit an der Riesenpartitur der ›Gurrelieder‹, die ursprünglich Klavierlieder waren, dann aber nicht nur in der Behandlung der Begleitung, sondern auch des Vokalparts darüber hinauswuchsen. Auch der Übergang zur Atonalität vollzog sich am Lied, dem ›Buch der hängenden Gärten‹ op. 15 nach Stefan George. Danach hat Schönberg nur noch wenige Lieder geschrieben, fraglos weil sein Interesse sich auf andere Gattungen verlagert hatte. Dennoch ist auch dieses Verlassen eines Gebiets, das er bis 1908/09 doch recht intensiv gepflegt hatte, symptomatisch, weil die Artifizialisierung des Liedes es ohnehin bereits seiner eigentlichen Trägerschicht entzogen hatte, nun aber die zunehmenden Hör-, Intonations- und damit Gestaltungsprobleme die Rezeption auch unter professionellen Sängern auf eine kleine Zahl von Spezialisten begrenzte. Andere Vokalgattungen, insbesondere aber Instrumentalmusik ließen diese Probleme nicht mit solcher Schärfe zutage treten. Der rezeptionsgeschichtliche Aspekt dieser Lieder ist jedenfalls der Bedeutung des kompositorischen nicht vergleichbar.

Auch wenn seine Lieder nie eine breitere Wirkung entfaltet haben, ist Alexander Zemlinsky (1871–1942) im Zusammenhang mit den hier anstehenden Problemen der Zweiten Wiener Schule von Interesse, weil er als Schüler des dem Brahms-Kreis zuzurechnenden Robert Fuchs ganz in diesem Umfeld herangebildet wurde, selbst mit seinen ersten Arbeiten die Aufmerksamkeit von Brahms erregte und sich erst um die Jahrhundertwende auch der Stilistik der neudeutschen Tradition näherte. Auf ihn geht wohl das Interesse des Kreises am späten Brahms zurück. Obwohl er den radikalen Bruch mit der Tonalität nicht mitvollzog, zeigt sich aber an seinem Werk ein nachlassendes Interesse am Lied, das er zunächst – bezeichnenderweise noch mit Eichendorff- und Heyse-Texten – intensiv gepflegt hatte. Der Wendung zum Orchesterlied mit dem hier besonders kennzeichnenden Titel ›Symphonische Gesänge‹ op. 20 (1929) folgten dann nur noch wenige weitere Stücke.

Der späte Brahms wurde auch zum Ausgangspunkt für Anton von Webern (1883–1945), allerdings trat früher auch die Auseinandersetzung mit den Neudeutschen hinzu. Schon der Siebzehnjährige schrieb Lieder mit Titeln wie ›Wolkennacht‹, ›Vorfrühling‹ und ›Wehmut‹ nach Texten von Ferdinand Avenarius, der großen Einfluß auf die Kunstanschauungen der Zeit ausübte. Als gültig angesehen und mit Opuszahl versehen wurden die George-Lieder (1908/09, je fünf als op. 3 und 4 veröffentlicht). Schon mit den folgenden Liedern, von denen zwei nach Rilke als op. 8 publiziert wurden, griff auch er zum Orchesterlied. Anders als sonst in der Zweiten Wiener Schule vollzog sich die Abkehr von der tradierten Musik bei Webern aber hauptsächlich am Lied: zwischen 1914 und 1925 entstand überhaupt kein Instrumentalstück. Statt dessen umfassen die Opera 12 bis 18 ausschließlich Lieder, allerdings alle die Klavierbegleitung überschreitend. Aus ihnen ragen die sechs Trakl-Lieder op. 14 und die ›Drei Volkstexte‹ op. 17 (1924/25) heraus, letztere, weil sie mit der inzwischen ausgebildeten Zwölftontechnik arbeiten. Danach folgten auch wieder Klavierlieder (op. 23 und 25 und Einzelstücke). Für alle Lieder Weberns, die meist erst erheblich nach ihrer Entstehungszeit und teilweise überhaupt nicht publiziert wurden, gilt, daß sie erst in den fünfziger Jahren ihre Wirkung auf die damalige Avantgarde hatten, diese sich aber im wesentlichen auf die Entwicklung der Kompositionstechnik beschränkte. Eine unmittelbare und gattungsspezifische Wirkung haben sie nicht gehabt.

Alban Berg (1885–1935) kam vielleicht noch stärker als andere Protagonisten der Zweiten Wiener Schule vom Lied her. Sieben Stücke, aus den Jahren 1905/08 stammend, hat er 1928 – bezeichnenderweise in neuer Orchesterfassung – publiziert. Als Schüler Schönbergs seit Oktober 1904 kam er mit den kompositorischen Problemen des zehn Jahre Älteren in einem fortgeschrittenen Stadium in Berührung. So nimmt es nicht wunder, daß bereits Bergs op. 2 (1909/10), wiederum Lieder, die Tonalität nachdrücklich in Frage stellen. Die fünf Orchesterlieder nach Peter Altenberg op. 4 aus dem Jahre 1912 waren das erste Werk, das Berg nicht mehr direkt unter Schönbergs Augen schrieb und das jenen Entwicklungsstand widerspiegelt, der lediglich äußerst kurze Formen zuließ. Sie blieben die letzte Auseinandersetzung Bergs mit der Gattung.

Während das Kunstlied durch immer höher getriebene Artifizialisierung und Professionalisierung seiner Trägerschicht entfremdet und schließlich unerreichbar wurde, Komponisten sogar ausdrücklich von der Aufführbarkeit ihrer Werke abstrahierten, wurde das so entstandene Vakuum gleichsam von unten wieder aufgefüllt. Ausgangspunkt war der um die Jahrhundertwende einsetzende Jugendprotest gegen Stil und Moral des großstädtischen Plüschsalons und seine Kunst, die als etwas Überlebtes angesehen wurden. Man organisierte sich in der – im einzelnen keineswegs einheitlichen – bündischen Jugend mit dem Anspruch, „aus eigener Bestimmung, in eigener Verantwortung, mit innerer Wahrhaftigkeit ihr Leben zu gestalten"[2]. Auf der Suche nach alternativen Lebensformen, einfacher Kleidung und Naturverbundenheit entdeckte man Volkslied und -tanz wieder und schuf dementsprechend ein neues eigenes Liedgut unter dem Schlagwort „Gemeinschaftsmusik", das dem herabsetzend gebrauchten Begriff „19. Jahrhundert" entgegengesetzt wurde. Bünde, die eine Wiederbelebung der Laienmusik im besonderen auf ihre Fahnen geschrieben hatten, nannten sich förmlich „Singbewegung". Das törichte Schlagwort von der Notwendigkeit, die deutsche Musik zu „ent-Brahms-en", kam auf und lenkte die Stoßrichtung der Bewegung ausgerechnet auf den Komponisten, der wie kein anderer die Emotionalität der Musik rationaler Kontrolle unterworfen hatte. Dieser historische Irrtum wog noch schwerer als derjenige, ausgerechnet in der raffinierten Gesellschaftskunst des Madrigals das Ideal der Gemeinschaftsmusik realisiert zu sehen, weil er historische Kontinuität diffamierte und an ihre Stelle ein Ideal von handwerklich geprägter Umgangsmusik setzte, das nicht aus der künstlerischen Entwicklung, sondern einseitig ideologisch legitimiert war.

Komponisten, die in ihrer Entwicklungsphase bereits in diese Auseinandersetzung hineinwuchsen, hatten sich ihr zu stellen und mit dem Entstehen einer neuen, für den musikalischen Laien erreichbaren Umgangsmusik auseinanderzusetzen. Während das Interesse der Neutöner zumeist vom Liede weiter wegführte, mußte größere Affinität zu Ästhetik und Zielen der von der Jugendbewegung ausgelösten Strömungen, darunter das grundsätzliche Festhalten am Prinzip der – wenn auch sehr frei gehandhabten – Tonalität, zu gesteigertem Interesse der betreffenden

Komponisten am Lied führen. Dabei schloß ein ernsthafter Kunstanspruch das bloße Anknüpfen an vorromantische Stilschichten[3] geradezu aus. Unberührt davon bleiben selbstverständlich musik- und volkspädagogische Initiativen von Komponisten im Rahmen der Bestrebungen der Singbewegung. Es hat sicher auch eine Art Rückkopplungseffekt auf die Singbewegung gegeben, die sich Ende der zwanziger Jahre in bescheidenem Maße der Neuen Musik öffnete.

Paradigmatisch für diese Situation sind Leben und Werk Paul Hindemiths (1895–1963), bei dem nicht nur das Lied als Gattung und gestalterische Basis eine große Rolle spielte, sondern der auch den einzigen nachromantischen Liederzyklus schuf, der wirklich vom Musikleben aufgenommen wurde. Sein Protest richtete sich zunächst gegen die normative Formenlehre seiner Zeit, den Schritt in die Atonalität hat er nie mitvollzogen. – In dem, was man die expressionistische Phase Hindemiths nennt, die vielleicht doch eher eine des tastenden Suchens in unterschiedlichen Stilen war, gab es bezeichnenderweise verhältnismäßig wenige Klavierlieder. Immerhin taucht in op. 14 (1919) bereits Walt Whitman als Textdichter auf; veröffentlicht wurden diese ›Drei Hymnen‹ jedoch nicht. Um so stärker experimentierte er mit Liedern, die in kammermusikalische Besetzungen eingebunden sind, darunter ›Die junge Magd‹ (op. 23,2; 1922) nach Georg Trakl, wo zum ersten Male Töne anklingen, die das ›Marienleben‹ prägen.

Am Ende dieser mehr experimentellen Phase steht der Liederzyklus ›Marienleben‹ op. 27 (1922/23) mit 15 vertonten Rilke-Texten. Zwar sind auch hier noch Elemente der „expressionistischen" Phase spürbar, doch treten sie deutlich zurück gegenüber der neuen Linearität in seinem Komponieren, die letztlich auch zu einer Wiederbefestigung der Tonalität führte. Es ist der Stil, der in dem folgenden Jahrzehnt bei Hindemith manifest wurde und ihm das Schlagwort vom „Neo-Klassizismus" eintrug, das im Grunde nichts besagt. Diese stilistische und handwerkliche Neuorientierung erfaßte das ›Marienleben‹, das er in einem langen Prozeß, beginnend mit 1936, umarbeitete im Sinne seiner inzwischen erreichten stilistischen und harmonikalen Vorstellungen. Ein einziges Lied blieb dabei unverändert: das strengste und knappste der ersten Fassung. Im übrigen hat ihn der Zyklus bis in seine letzte Lebenszeit nicht losgelassen, wenn er nach und nach sechs der Lieder orchestrierte. Sie sind also wirklich so etwas wie ein Schlüsselwerk in seinem Schaffen.

Während der ständigen Weiterbeschäftigung mit dem ›Marienleben‹ entstanden weitere, großenteils nicht veröffentlichte Lieder, in denen er auch wieder auf ältere Literatur zurückgriff, Rückert, Claudius, Novalis, Wilhelm Busch (1933), Hölderlin (1933/35), Angelus Silesius (1935). Wohl bedingt durch die Emigration, aber auch durch seine eigenen, z. T. ethisch begründeten Ansprüche an Texte, finden sich dann mit Kriegsbeginn zunehmend englische, französische, auch lateinische Texte, die in diesem Zusammenhang eher das Bild verunklaren würden.

Eine große Rolle spielt das Lied im Schaffen von Hermann Reutter (1900–1985), und da er ein geschulter Begleiter bedeutender Liedersänger war, nahmen sich seiner Lieder auch bedeutende Interpreten an, zumal er über einen ausgeprägten Sinn für Vokalität verfügte. Auch bei ihm ist das erste einschlägige Werk, das gedruckt wurde, mit Streichquartett begleitet, die ›Hölderlin-Gesänge‹ op. 3; und zu diesem Dichter kehrte er immer wieder zurück. Ende der zwanziger Jahre, die ersten Erfolge bei den Baden-Badener Musikfesten hatten sich eingestellt und brachten ihn in Berührung mit Hindemith, häuften sich die Liedwerke auf Übersetzungen aus dem Russischen (op. 21/23), Texte von Rilke (›Weise von Liebe und Tod‹; op. 31), Rückert (op. 54), wieder Hölderlin (op. 56; 1942), Theodor Storm (op. 58). Dann folgt ein deutlicher Schwerpunkt nach dem Zweiten Weltkrieg mit Liedern nach Gottfried Keller (op. 59), Matthias Claudius (op. 60), Brentano (op. 61), H. Ehrler (op. 64/65), wieder Hölderlin (op. 67) und Übersetzungen aus dem Russischen (op. 68). Reutters großes Ansehen als Liedkomponist und wohl auch die landsmannschaftliche Verbindung zu dem ersten Bundespräsidenten, Theodor Heuss, führten zu dem Auftrag, für die Bundesrepublik eine Hymne auf Worte Rudolf Alexander Schröders zu schaffen.[4] Daß sie sich nicht durchsetzte, lag an der psychologischen Fehleinschätzung der Politiker, nicht an Dichter und Komponist: eine Nationalhymne läßt sich nicht verordnen. Auch nach Aufgabe der Opuszählung hat Reutter noch weitere Lieder veröffentlicht, darunter Texte von Ricarda Huch (1951/57) und wiederum Hölderlin (1957/65), sowie Liederzyklen nach Nelly Sachs, James Joyce, Ricarda Huch und Marie Luise Kaschnitz.

Nur gelegentlich hat Wolfgang Fortner (1907–1987) sich dem Klavierlied zugewendet, mit Hölderlin- (1934) und Shakespeare-Liedern (1946), häufiger kombinierte er Sologesang mit Orchester wie in den ›Gedichten von Michelangelo‹ (1972) oder schrieb Lieder für Chor. Daß die Auseinandersetzung mit der Gattung über seine direkten Beiträge dazu hinausging, zeigt seine ›Deutsche Liedmesse‹ (1934), die wieder in einer Tradition steht, welche von Schubert bis Robert Haas reicht.

Seit den zwanziger Jahren drangen zunehmend Elemente des Jazz in die Kunstmusik ein, zwar überwiegend in die Instrumentalmusik, aber auch im Vokalbereich hinterließen sie ihre Spuren. Bei Boris Blacher (1903–1975) stehen Jazzstudien am Anfang seiner Auseinandersetzung mit der Komposition für eine Singstimme (op. 1; 1929). Lieder wurden von ihm erst nach dem Kriege vorgelegt: op. 25, 57 (4 Lieder nach Gottfried Benn), dann auch wieder Stücke aus dem Bereich des Jazz (5 Spirituals, 1962).

Den ganzen Weg der Neuen Musik von freier Atonalität über Einflüsse des Jazz (›Johnny spielt auf‹; 1925/26) bis hin zur Dodekaphonie ist Ernst Křenek (* 1910) mitgegangen, nicht ohne gelegentliche Anlehnung an Strawinskis Stil oder eine Art Neoromantik, so in dem Liederzyklus ›Reisetagebuch aus den österreichischen Alpen‹ op. 62 (1929) auf eigene Texte. Auch sonst schrieb er sich die Texte teilweise selbst, so die ›Gesänge des späten Jahres‹ op. 71 (1931). Daneben stehen Lieder auf Texte von Werfel (op. 15; 1922), Rilke (op. 48; 1926), Goethe (op. 56; 1928), Kafka (op. 82; 1937) u. a., zuletzt auch wieder auf eigene: ›Spätlese‹ (1973).

So wie die Singbewegung das Lied als Mitttel des Protestes gegen eine überzüchtete und entfremdete Kunstmusik entdeckt hatte, spielte es auch eine bedeutsame Rolle in der Bewußtseinsbildung der Arbeiterbewegung. Da jedoch das politische Lied anders als jenes der Singbewegung über die Entwicklung eines Gemeinschaftsgefühls hinaus besonders auf die Außenwirkung zielt, muß es auf populäre Musikformen Rücksicht nehmen, darunter das Liedgut der sozialen Unterschicht, also all das, was heutzutage unter dem Begriff „Lieder aus der Küche" ein intellektuell-nostalgisches Vergnügen bereitet, damals aber volksmusikalische Realität war, die für den oberschichtspezifischen Streit um das „echte" Volkslied keinen Sinn hatte. Es gehören aber auch Gassenhauer, modern: der Schlager der in den zwanziger Jahren entstehenden Musikindustrie dazu und als neues Element die ersten populären Erscheinungen des Jazz. Daß diese überaus komplexe Gemengelage zuerst im Bühnenlied künstlerischen Ausdruck fand im Zusammenhang mit Brechts „epischem" Theater, macht ihre historische Einordnung nicht leichter.

Mit bis heute anhaltendem Erfolg schmolz Kurt Weill (1900–1950) all diese diffusen Elemente ein in seine Vertonung der Brechtschen ›Dreigroschenoper‹ (1928), nachdem beide schon ein Jahr zuvor mit ›Mahagonny‹ Erfolg gehabt hatten. Zunächst nannte man die da entstandene neue Mischgattung „Song" und konsequenterweise ›Mahagonny‹ ein „Songspiel". Aber der allgemeine Sprachgebrauch hat sich nicht an definitorische Fragen gehalten: Ein Stück wie das Bühnenlied des Mackie Messer, immer noch von ungebrochener Popularität, in bestem Neu-Westhochdeutsch: ein Evergreen, eine populäre Melodie, welche sich ein Jahrzehnt oder gar noch länger gehalten hat, wird einfach als Lied bezeichnet. Genaugenommen handelt es sich um ein Bühnenlied, das sich aus dramaturgischen Gründen der Mittel der Popularmusik bedient.

Dem politischen Lied im besonderen verpflichtete sich Paul Dessau (1894–1979). Nach Anfängen mit Liedern auf Texte von Hesse, Goethe, Storm und den ›4 Marienliedern‹ (1924), auch schon ersten sozialkritischen Texten, fand er sein künstlerisches Selbstverständnis in der Emigration, zunächst in Paris, wo er Lieder des Widerstands komponierte und es zu einer ersten Zusammenarbeit mit Brecht kam. Entscheidend für ihn wurde dann ab 1942 die enge künstlerische Verbindung mit Brecht, die von der politischen Parodie auf die nationalsozialistische Parteihymne (1943) über die großen Bühnenwerke bis hin zu einer ganzen Reihe von Liedern reichte. Daneben stehen auch immer wieder politische „Agitprop"-Lieder wie ›Die Thälmannkolonne‹ (1936) oder das ›Aufbaulied der FDJ‹ von 1949.

Hans Eisler (1898–1962) kam ursprünglich aus der Schönberg-Schule, hatte daneben aber schon in den Wiener Studienjahren Verbindung zu den Arbeitergesangvereinen. Mit der Übersiedlung nach Berlin 1925 wandte er sich ganz dem Kommunismus und der marxistisch-leninistischen Kunstanschauung zu, die er auch publizistisch vertrat. Das hatte den Bruch mit dem Schönberg-Kreis und die Orientierung am volkstümlich-politischen Lied zur Folge. Vertonte er anfangs noch Lieder aus ›Des Knaben Wunderhorn‹, von Eichendorff, Rilke und Übersetzungen von Tagore u. a., so kamen später rein politisch zweckbestimmte Texte hinzu wie ›Drum sag der SPD ade‹ (1928), Texte von Walter Mehring, Erich Weinert und immer wieder Bert Brecht, aber auch ›Zeitungsausschnitte‹ (op. 11; 1925/26), ›Wiegenlieder für Arbeitermütter‹ (op. 33; 1932/33). Gelegentlich wird, terminologisch für die Zeit korrekt, der Begriff Lied offenbar absichtlich vermieden, so mit ›Roter Matrosensong‹ oder ›Couplet vom Zeitfreiwilligen‹ (1933). Später wird er wieder allgemein verwendet, aber dann kamen eben auch Mörike-, Goethe-, Hölderlin- und Shakespeare-Texte vor.

Insgesamt kann man feststellen, daß der Liedbegriff derart unscharf geworden ist, daß schon eine Typologie kaum noch möglich erscheint. Daran haben auch die Bemühungen von Komponisten wie Cesar Bresgen, Armin Knab, Ernst Pepping oder Othmar Schoeck nichts mehr ändern können. Von den lebenden Komponisten haben Hans Werner Henze und Aribert Reimann vokale Solowerke vorgelegt, überwiegend mit (Kammer-)Orchester. Man muß daher fragen, ob die musiksoziologischen Bedingungen für eine Gattung wie das Lied überhaupt noch gegeben sind. Eine Typologie wäre jedoch Voraussetzung für die stilgeschichtliche Analyse und Bewältigung. Sie ist derzeit, Nachläufer vorhergehender Entwicklungen ausgenommen, für die Zeit seit Ende des Zweiten Weltkrieges oder zumindest seit Anfang der fünfziger Jahre nicht zu leisten.

ANMERKUNGEN

Einleitung

[1] Zeitschrift für Volkskunde 63 (1967), S. 56.
[2] Ernst Klusen: Volkslied. Fund und Erfindung. Köln 1969.
[3] A. Kretzschmer / A. W. v. Zuccalmaglio: Deutsche Volkslieder mit ihren Originalweisen. Berlin 1838 ff. Vergleiche dazu: Walter Wiora: Die rheinisch-bergischen Melodien bei Zuccalmaglio und Brahms. Alte Liedweisen in romantischer Färbung. Bad Godesberg 1953.

Die Anfänge des neueren deutschen Liedes im 17. Jahrhundert

[1] Im sog. Münsteraner Fragment.
[2] Jaufre de Rudel: Lanquan li jorn son lonc en mai.
[3] Eine okzitanischer und zwei altfranzösischer Herkunft.
[4] Vgl. etwa Abraham Bosse: Les cinq sens – L'ouie; Frans Floris: Familie van Berchem; Tiziano Vecellio (?): Konzert; Melchior Borchgrevink: Musizieren im Freien; Johann Theodor de Bry: Hausmusik am Abend; Dirk Hals: Musizierende Gesellschaft; Elliger: Musizierende Gesellschaft; David Teniers: Le Concert Flamand u. a.
[5] Auch Villanesca (von villano – Bauer).
[6] Martin Opitz: Buch von der deutschen Poeterey. Brieg 1624.
[7] Walther Vetter: Das frühdeutsche Lied. Universitäts-Archiv Münster i. W. 1928, 2 Bde.
[8] W. Vetter, a. a. O., Bd. 2, Nr. 1–12.
[9] W. Vetter, a. a. O., Bd. 2, Nr. 1.
[10] Vgl. etwa: W. Vetter, a. a. O., Bd. 2, Nr. 12.
[11] Beispiele: W. Vetter, a. a. O., Bd. 2, Nr. 14/15.
[12] Beispiele: W. Vetter, a. a. O., Bd. 2, Nr. 18–22.
[13] Beispiele: W. Vetter, a. a. O., Bd. 2, Nr. 34–37.
[14] G. Müller: Geschichte des deutschen Liedes. München 1925. ND Darmstadt 1959, S. 22.
[15] G. Müller, a. a. O., S. 24.
[16] Vgl. das Beispiel bei Vetter, a. a. O., Bd. 2, Nr. 37.
[17] W. Vetter, a. a. O., Bd. 2, Nr. 35.

[18] Denkmäler der Tonkunst in Bayern XIII, S. 41.

[19] Beispiele: W. Vetter, a. a. O., Bd. 2, Nr. 100–111.

[20] Beispiele: W. Vetter, a. a. O., Bd. 2, Nr. 113–133.

[21] Beispiel: W. Vetter, a. a. O., Bd. 2, Nr. 119.

[22] W. Vetter, a. a. O., Bd. 2, Nr. 113.

[23] W. Vetter, a. a. O., Bd. 1, S. 166.

[24] Teile 1–4 in: Denkmäler deutscher Tonkunst 12. Teile 5–8 ebd. 13.

[25] Aufsteigende Tonfolge in tonräumlicher Umsetzung von Textstellen wie „ascendit in coelum".

[26] W. Vetter, a. a. O., Bd. 2, Nr. 132–136.

[27] W. Vetter, a. a. O., Bd. 2, Nr. 137–143.

[28] Faksimilenachdruck in: Dokumentation zur Geschichte des deutschen Liedes. Hrsg. v. S. Kross, Bd. II, Hildesheim 1976.

[29] Beispiele: W. Vetter, a. a. O., Bd. 2, Nr. 201, 217, 220, 228.

[30] In seiner ›Anleitung zur Deutschen Poeterey‹, 1665.

[31] RISM Reihe A / I, Bd. 8.

[32] Zürich, Zentralbibliothek.

[33] Alle drei Sammlungen in: Erbe deutscher Musik, Bd. 43.

[34] Weltliche Oden I, 18. Erbe deutscher Musik, Bd. 43, S. 18.

[35] Erbe deutscher Musik, Bd. 43, S. 43.

[36] Erbe deutscher Musik, Bd. 43, S. 13.

[37] Rhetorische Figur: Absteigende Tonfolge zur tonräumlichen Umsetzung entsprechender sprachlicher Begriffe.

[38] Das Musikwerk, Bd. 14, S. 26.

[39] Ungewöhnliches oder satztechnisch irreguläres Intervall.

[40] In: Critica Musica II, 6, S. 253.

[41] Auch davon ist nur eine spätere Auflage vollständig überliefert. Neudruck in: Denkmäler deutscher Tonkunst 19.

[42] Neue Arien I, 8.

[43] Neue Arien I, 5.

[44] Beispiel in A. Schering: Musikgeschichte in Beispielen, Nr. 210.

[45] A. Schering: Musikgeschichte in Beispielen, Nr. 235.

[46] Max Friedländer: Das deutsche Lied im 18. Jahrhundert. Stuttgart / Berlin 1902. ND Hildesheim 1962, Bd. I, 2, Nr. 3.

[47] M. Friedländer, a. a. O., Bd. I, 2, Nr. 1.

[48] Beispiel bei G. Müller, a. a. O., Anhang S. 18.

[49] Faksimile der 3. Auflage in: Dokumentation zur Geschichte des deutschen Liedes. Hrsg. v. S. Kross, Bd. V. Hildesheim 1986.

[50] W. Vetter, a. a. O., Bd. 2, Nr. 240–255.

[51] W. Vetter, a. a. O., Bd. 2, Nr. 256–277.

[52] W. Vetter, a. a. O., Bd. 2, Nr. 256.

[53] W. Vetter, a. a. O., Bd. 2, Nr. 266.

[54] Denkmäler deutscher Tonkunst, Bd. 45.

[1] Das Neu-Eröffnete Orchestre. Hamburg 1713, S. 179.
[2] Hamburg 1737. ND Hildesheim 1976, S. 29.
[3] A. a. O., S. 27.
[4] Bd. 3, Artikel Lied.
[5] Critischer Musikus III, 64. ²1745, S. 583.
[6] Musikalisches Lexikon. Leipzig 1732, ND Kassel 1953.
[7] Critischer Musikus III, 58 (S. 543) und III, 64 (S. 583).
[8] Kern melodischer Wissenschaft, S. 94. Ähnlich schon in: Critica Musica. Hamburg 1722.
[9] Auch die französische Schreibweise Cousser kommt vor.
[10] Die aus der Oper ›L'inganno fedele, oder Der getreue Betrug‹ (1714) in: Denkmäler deutscher Tonkunst, Bd. 37/38.
[11] Denkmäler deutscher Tonkunst, Bd. 37/38.
[12] Critischer Musikus III, 64, S. 583.
[13] J. Mattheson: Große Generalbaß-Schule. Hamburg 1731. ND Hildesheim 1968, S. 169.
[14] Autobiographie von 1740 in J. Mattheson: Grundlage einer Ehrenpforte. Hamburg 1740, S. 358.
[15] Mattheson: Große Generalbaß-Schule, S. 170.
[16] Mattheson, a. a. O., S. 170.
[17] Faksimileausgabe. Hrsg. v. G. Fleischhauer, Leipzig 1980.
[18] Faksimileausgabe. Hrsg. v. G. Fleischhauer, Leipzig 1983.
[19] Ars Poetica 333/334: Aut prodesse volunt et delectare poetae.
[20] Leipzig 1730.
[21] Critischer Musikus, S. 588 ff.
[22] Vgl. F. W. Marpurg: Historisch-kritische Beyträge III, § 72, S. 28.
[23] Das Forschende Orchestre. Hamburg 1921. Ad lectorem, S. 8.
[24] S. 2, § 6.
[25] J. Mattheson: Ehrenpforte, S. 368.
[26] Messias I, 1–41 und X, 472–515, 1759.
[27] Zit. n. E. Kleßmann: Telemann in Hamburg. Hamburg 1980, S. 134.
[28] Scheibe im Critischen Musikus I, S. 146.
[29] F. Reichardt im Musikalischen Kunstmagazin I (1782), S. 4.
[30] Im Sinne des Auftragens von Speisen.
[31] Erbe deutscher Musik, Bd. 19. Ähnliche Titel wurden öfter verwendet, vgl. W. C. Briegel 1672.
[32] Von einem Recht gut-meinenden Liebhaber.
[33] Vgl. J. Schmidt-Görg in: Organicae Voces. Festschrift J. Smits van Waesberghe. 1963, S. 151.
[34] Denkmäler deutscher Tonkunst, Bd. 35/36. Faks.-Druck der 1. Auflage. Hrsg. v. H. Irrgang. Leipzig 1964.

[35] Vgl. C. Ph. E. Bach: Versuch über die wahre Art das Clavier zu spielen. Berlin 1753, S. 3, § 5.

[36] Altschlesisch/-sächsisch für gurren, zärtlich sein.

[37] M. Friedländer, a. a. O., Bd. I, 2, Nr. 153.

[38] Willst du dein Herz mir schenken. Friedländer, a. a. O., Bd. I, 2, Nr. 146.

[39] Das heißt „generalbaßbegleitetes Lied".

[40] Kritische Briefe XXI (1759), S. 161.

[41] Neuausgabe in: Denkmäler deutscher Tonkunst, Bd. 57.

[42] Denkmäler deutscher Tonkunst, Bd. 57, S. 9 und S. 94.

[43] Vorwort der ›24 Oden‹.

[44] Musikalische Bibliothek I, 3, S. 76. ND Hilversum 1966.

[45] Hrsg. v. D. Plamenac. Leipzig 1972.

[46] Critischer Musikus 64, S. 592.

[47] J. Mattheson: Ehrenpforte 1740, S. 422 ff.

[48] A. a. O., Artikel Mizler.

[49] Kritische Briefe I, 21, S. 162.

[50] Historisch-Kritische Beyträge Bd. 1,I S. 20. Berlin 1754.

[51] Bd. 1, S. 461 ff. (1760).

[52] Denkmäler deutscher Tonkunst, Bd. 42.

[53] Sohn des Vetters Johann Bernhard, Hofkapellmeister in Weimar.

[54] Kritische Briefe I, 31, S. 246.

[55] Faksimileausgabe. Leipzig 1973.

[56] A. a. O., S. 62.

[57] A. a. O., S. 170, ähnlich S. 363.

[58] A. a. O., S. 170.

[59] C. Ph. E. Bach: Versuch über die wahre Art das Clavier zu spielen. 1753; J. J. Quantz: Versuch einer Anweisung die Flöte traversière zu spielen. 1752; J. F. Agricola: Anleitung zur Singkunst. 1757.

[60] Faksimileausgabe in: Dokumentation zur Geschichte des deutschen Liedes. Hrsg. v. S. Kross, Bd. I. Hildesheim 1973.

[61] Faksimileausgabe, ebd.

Das Lied im Zeitalter der Klassik

[1] Beethoven schrieb Variationen über sein ›Kind, willst du ruhig schlafen‹ aus ›Das unterbrochene Opferfest‹.

[2] Vgl. Friedländer, a. a. O., Bd. I, 2, Nr. 175–177.

[3] Friedländer, a. a. O., Bd. I, 2, Nr. 99.

[4] Friedländer, a. a. O., Bd. I, 2, Nr. 100.

[5] Friedländer, a. a. O., Bd. I, 2, Nr. 175–177.

[6] Friedländer, a. a. O., Bd. I, 2, Nr. 117–129.

[7] Friedländer, a. a. O., Bd. I,2, Nr. 126.

[8] Friedländer, a. a. O., Bd. I,2, Nr. 135.

[9] Faksimilenachdruck in: Dokumentation zur Geschichte des deu schen Liedes, Bd. IV. Hildesheim 1984.

[10] Rhetorische Figur: Nachdruck durch irregulären Melodiesprun

[11] Werke. Reihe XXIX, Bd. 1. München / Duisburg 1960.

[12] Neue Ausgabe sämtlicher Werke. III, 8. Kassel 1963.

[13] Durch Max Friedländer in: Jahrbuch Peters III. (1897).

[14] Vgl. den langsamen Satz aus der sog. ›Appassionata‹ op. 57 a „Heil'ge Nacht, o gieße du Himmelsfrieden in dies Herz".

[15] Im Autograph schreibt Beethoven ›An die entfernte Geliebte. Secl Lieder‹.

[16] Vgl. die ›Sonate für das Hammerklavier‹ op. 106, die ›Kleinigkeiteı op. 119 oder die ›33 Veränderungen‹ op. 120.

Franz Schubert

[1] Th. Georgiades: Schubert. Musik und Lyrik. Göttingen 1967, S. 14

[2] Th. Georgiades, a. a. O.

[3] Das Spinnen am Morgen war ein Zeichen der Armut, weil kein Vie zu versorgen oder keine sonstige typische Tagesarbeit zu verrichten wa

[4] Vgl. etwa die Szene der Senta in Wagners ›Fliegendem Hollände und zahlreiche Spinnerlieder, so Schuberts D. 247 oder Brahms': ›Auf di Nacht in der Spinnstub'n‹.

[5] (D)Tp.

[6] ›Das Wandern‹ ist dagegen wie ›Das Heidenröslein‹ stärker voı Kunstliedcharakter und seinem Vortrag geprägt. Im Gegensatz zum ›Lir denbaum‹, der als eines der populärsten deutschen „Volkslieder" gelte kann, wurde es erst in einer Vertonung von Carl Friedrich Zöllner volkläufig.

[7] Lieder des Lebens und der Liebe. Die Winterreise. In: Gedichte aus den hinterlassenen Papieren eines reisenden Waldhornisten. Hrsg. v. Wilhelm Müller. 2. Band. Deßau 1824.

[8] Joseph v. Spaun: Erinnerungen, S. 160.

[9] Joseph v. Spaun, a. a. O.

[10] Erinnerungen, S. 20.

[11] Joseph v. Spaun, a. a. O., S. 161.

[12] A. Feil: Franz Schubert. Die schöne Müllerin. Winterreise. Stuttgart (1975).

Das Lied nach Schubert

[1] Seine Chorbearbeitungen wurden nicht nur Vorbild für das romantische Chorlied, sondern bestimmen bis heute weitgehend das noch geläufige Volksliedrepertoire, so mit ›Kein Feuer, keine Kohle‹, ›Jetzt gang i ans Brünnele‹, ›Das Lieben bringt groß' Freud‹, ›Ach, wie ist's möglich dann‹ u. v. a. m. Selbst Simon Dachs ›Ännchen von Tharau‹ wurde durch seine Bearbeitung populär.

[2] Das Weihnachtslied ›Alle Jahre wieder‹ und die populäre Vertonung von Heines ›Loreley‹ stammen von ihm.

[3] Drei Hefte um 1840.

Robert Schumann

[1] In der fünften Strophe, die keines hat, bringt er auch ein Ritornell an.

[2] Die Myrte war die heilige Pflanze der Aphrodite; der Brautkranz ist asiatisch-semitischen Ursprungs.

[3] „Ich habe kein Talent dazu"; „Denke ja nicht, daß es Faulheit ist. Und nun vollends ein Lied, das kann ich gar nicht; einen Text ganz zu erfassen, dazu gehört Geist" (Tagebuch).

[4] Sie sind in ihrem Werkverzeichnis als op. 12 geführt.

[5] Er war sich dessen auch bewußt; so schrieb er an Clara: „Der Zyklus ist mein Romantischstes, und es steht viel von Dir drin."

[6] Zuerst 1852.

[7] ›Der Königssohn‹ (nach Uhland), op. 116.

[8] ›Schön Hedwig‹ (nach Hebbel), op. 106, und ›Der Haideknabe‹ (nach Hebbel) sowie ›Die Flüchtlinge‹ (nach Shelley), op. 122.

Johannes Brahms

[1] Diese Sondergattung spielt bei Schubert und Schumann eine untergeordnete Rolle. Sie erhielt größere kultursoziologische Bedeutung, als die Dominanz der Männerchöre sich zugunsten gemischter Chöre verschob. Bei Mendelssohn hat das Lied für gemischten Chor schon einen größeren Anteil; popularisiert und stilistisch stark geprägt wurde es durch Friederich Silcher.

[2] Brief an Clara Schumann vom 27. 1. 1860. Clara Schumann – Johannes Brahms. Briefe. Hrsg. v. B. Litzmann, Leipzig 1927, Bd. 1, S. 294.

[3] Unter Einschluß der mehrstimmigen Vertonungen.

[4] Mit Sätzen wie „Ich war leider nie verheiratet und bin es, Gott sei

Dank, noch immer nicht" oder „Für eine Oper und eine Heirat ist es jetzt zu spät".

[5] Clara Schumann – Johannes Brahms. Briefe. Hrsg. v. B. Litzmann, Bd. 2, S. 623.

[6] I. Korinther 13.

Das Lied in der Auseinandersetzung um Brahms und die Neudeutsche Schule

[1] ›Wie bist du, méine Königin‹, op. 32,9.

[2] Sie waren umstritten, weil sie sich weniger um ein historisch getreues Klangbild bemühten, als von dem kulturpädagogischen Impuls getragen waren, einem an emotional bestimmte Musik gewöhnten Publikum, nicht zuletzt den Laienchören, solche Werke nahezubringen.

[3] Genauso klar setzte er sich im Bereich der Musikdramatik von Wagners apodiktischen Interpretationen angeblicher historischer Notwendigkeiten ab.

[4] ›Die Könige‹. „Wie schön leuchtet der Morgenstern".

[5] 214 gedruckte Opera, darunter allein 6 Opern, 11 Symphonien, Konzerte und Kammermusik.

[6] Wilhelm Kienzl: Meine Lebenswanderung. Stuttgart 1926, S. 88 f.

[7] Wien 1878. Gedruckt Leipzig 1880.

Hugo Wolf

[1] 1884–1887 beim Wiener Salonblatt.

[2] Vgl. E. Kravitt, in: Acta Musicologica 34 (1962), S. 18.

[3] Gedruckt 1892.

[4] Die sog. ›Italienische Serenade‹ hatte einer ihrer Sätze werden sollen.

[5] Zwei weitere waren für die Oper ›Manuel Venegas‹ bestimmt.

Das Lied im Übergang zum 20. Jahrhundert

[1] Buchtitel von Ernst Kurth (Bern / Leipzig 1920).

[2] Text der sog. „Meißner Formel" vom Treffen der Jugendbünde auf dem Hohen Meißner bei Kassel 1913.

[3] Wegen der nun verpönten Weichheit der in der romantischen Musik so verbreiteten Septakkorde nannte man diese Musik, unter Anspielung auf die Sterilität bloß historischer Legitimation, ironisierend „aseptisch".

[4] Reutter griff allerdings auf eine schon vorhandene Melodie zurück.

AUSGEWÄHLTE LITERATUR

Bücken, E.: Das deutsche Lied. Hamburg 1939.

Dürr, W.: Das deutsche Sololied im 19. Jahrhundert. Taschenbücher zur Musikwissenschaft 97. Wilhelmshaven 1984.

Hinton, R. T.: Poetry and Song in the German Baroque. Oxford 1963.

Ivey, D.: Song. Anatomy, Imagery and Styles. New York 1970.

Kretzschmar, H.: Geschichte des Neuen deutschen Liedes I (II nicht erschienen). Leipzig 1911. ND Hildesheim 1966.

Kross, S. (Hrsg.): Dokumentation zur Geschichte des deutschen Liedes. Hildesheim 1973 ff.

Moser, H. J.: Das deutsche Sololied und die Ballade. Das Musikwerk 14. Köln 1957.

–: Das deutsche Lied seit Mozart. Berlin / Zürich 1937. ND Tutzing 1966.

Müller, G.: Geschichte des deutschen Liedes. München 1925. ND Darmstadt 1959.

Stein, J. M.: Poem and Music in the German Lied from Gluck to Hugo Wolf. Harvard 1971.

Sydow, A.: Das Lied. Göttingen 1962.

Wiora, W.: Das deutsche Lied. Zur Geschichte und Ästhetik einer musikalischen Gattung. Wolfenbüttel 1971.

Die Anfänge des neueren deutschen Liedes im 17. Jahrhundert

Baron, J. H.: Foreign Influences on the German Secular Solo Continuo Lied of the Mid-seventeenth Century. Diss. Brandeis University 1967.

Krabbe, W: Johann Rist und das deutsche Lied. Diss. Berlin 1910.

Meyer, K.: Die Musik der Geharnschten Venus. München 1925.

Müller-Blattau, J.: Heinrich Albert und das Barocklied. Vierteljahrsschrift für Literaturwissenschaft und Geistesgeschichte 25 (1951), S. 401.

Prüfer, A.: J. H. Schein und das weltliche deutsche Lied des 17. Jahrhunderts. Leipzig 1908.

Rauhe, H.: Dichtung und Musik im weltlichen Vokalwerk Johann Hermann Scheins. Diss. Hamburg 1959.

Tschulik, N.: Laurentius v. Schnüffis. Diss. Wien 1949.

Vetter, W.: Das frühdeutsche Lied. Universitäts-Archiv Bd. 8. Münster 1928.

Das Lied des 18. Jahrhunderts

Busch, G.: C. Ph. E. Bach und seine Lieder. Kölner Beiträge zur Musikforschung 12. Regensburg 1956.

Friedländer, M.: Das deutsche Lied im 18. Jahrhundert. Stuttgart 1902. ND Hildesheim 1962.

Hase, H. v.: Sperontes Singende Muse an der Pleisse. Zeitschrift für Musikwissenschaft 7 (1924/25), S. 214.

Kahleyss, R.: C. F. Hurlebusch. Diss. Berlin (FU) 1984.

Kross, S.: Telemann und die Liedästhetik seiner Zeit. Die Bedeutung G. Ph. Telemanns für die Entwicklung der europäischen Musikkultur im 18. Jahrhundert. Konferenzbericht 1981 II. Magdeburg 1983, S. 31.

Massenkeil, G.: C. Ph. E. Bachs Lieder heute. Musica 42 (1988), S. 555.

Richter, L.: Telemanns Lieder nach Hagedorn. Kongreßbericht der 6. Magdeburger Telemann-Festtage I. Magdeburg 1978, S. 87.

Spitta, Ph.: Sperontes „Singende Muse an der Pleisse". Vierteljahrsschrift für Musikwissenschaft 1 (1885), S. 35.

Zauft, K.: Telemanns Liedschaffen. Magdeburger Telemann-Studien II. Magdeburg 1967.

Das Lied im Zeitalter der Klassik

Barr, R.: C. F. Zelter. A Study of the Lied in Berlin during the Late 18th and Early 19th Centuries. Diss. Madison (University of Wisconsin) 1968.

Böttcher, H.: Beethoven als Liederkomponist. Augsburg 1928.

Brown, M. J. E.: Mozart's Songs for Voice and Piano. The Music Review 17 (1956), S. 19.

Friedländer, M.: Vorwort zu J. Haydn. Einstimmige Lieder. Werke XX/1 (1932).

Just, M.: Zum Verhältnis zwischen Textgestalt und musikalischer Form in Beethovens Liedern. Beiträge zu Beethovens Kammermusik. Hrsg. v. S. Brandenburg u. H. Loos. München 1987, S. 179.

Kerman, J.: An die ferne Geliebte. Beethoven Studies I. Hrsg. v. A. Tyson. New York 1973, S. 123.

Landshoff, L.: Johann Rudolph Zumsteeg. Ein Beitrag zur Geschichte des Liedes und der Ballade. Diss. München 1900. Berlin 1902.

Lühning, H.: Gattungen des Liedes. Beiträge zu Beethovens Kammermusik. Hrsg. v. S. Brandenburg u. H. Loos. München 1987, S. 191.

Maier, G.: Die Lieder J. R. Zumsteegs und ihr Verhältnis zu Schubert. Diss. Tübingen 1970. Göppinger Akademische Beiträge 28 (1971).

Massenkeil, G.: Religiöse Aspekte der Gellert-Lieder Beethovens. Studien zur Musikgeschichte des 19. Jahrhunderts 51. Regensburg 1978, S. 83.

Moser, H. J.: C. F. Zelter und das Lied. Jahrbuch Peters 1932, S. 43.

Pauli, W.: Johann Friedrich Reichardt. Sein Leben und seine Stellung in der Geschichte des deutschen Liedes. Berlin 1903.

Szymichkosky, F.: J. R. Zumsteeg als Komponist von Balladen und Monodien. Diss. Frankfurt a. M. 1932 (1934).

Wittmann, G.: Das klavierbegleitete Sololied K. F. Zelters. Gießen 1936.

Franz Schubert

Debryn, C.: Vom Lied zum Kunstlied. Eine Studie zu Variation und Komposition im Lied des frühen 19. Jahrhunderts. Diss. Kiel 1983.

Eggebrecht, H. H.: Prinzipien des Schubert-Liedes. Archiv für Musikwissenschaft 27 (1970), S. 89.

Estermann, G.: Die Klavierbegleitung im Sololied bei Schubert und Schumann. Diss. Innsbruck 1971.

Fecker, A.: Sprache und Musik. Phänomenologie der Deklamation in Oper und Lied des 19. Jahrhunderts. Hamburg 1984.

Feil, A.: Franz Schubert. Die schöne Müllerin. Winterreise. Stuttgart 1975.

Fischer-Dieskau, D.: Auf den Spuren der Schubert-Lieder. Wiesbaden 1971.

Georgiades, Th.: Schubert. Musik und Lyrik. Göttingen 1967.

Hauschild, P.: Studien zur Liedmelodie F. Schuberts. Diss. Leipzig 1963.

Mainka, J.: Das Liedschaffen Franz Schuberts in den Jahren 1815 und 1816. Diss. Berlin 1958.

Morre, G.: The Schubert Song Cycles. London 1975.

Schulz, R.: Tempobezeichnungen in Schuberts Liedern. Diss. Tübingen 1985.

Spies, G.: Studien zum Liede Franz Schuberts. Vorgeschichte, Eigenart und Bedeutung der Strophenvariierung. Diss. Tübingen 1962.

Swent, J. F.: Register as a Structural Element in Schubert's ›Die schone Mullerin‹ and ›Winterreise‹. Diss. Yale University 1984. NCK 85–09776.

Stoffels, L.: Schuberts Winterreise. Bonn 1987.

Utz, H.: Untersuchungen zur Syntax der Schubert-Lieder. Diss. Berlin (TU) 1985.

Sietz, R.: Carl Loewe. Köln 1948.

Robert Schumann

Cooper, M.: The Songs. Schumann, a Symposium. Hrsg. v. G. Abraham. London 1952, S. 98.
Edelmann, W.: Über Text und Musik in Robert Schumanns Sololiedern. Diss. Münster 1950.
Feldmann, F.: Zur Frage des „Liederjahres" bei Robert Schumann. Archiv für Musikwissenschaft 9 (1952), S. 246.
Hallmark, R. E.: The Genesis of Schumann's Dichterliebe. Studies in Musicology 12 (1979).
Mahlert, U.: Fortschritt und Kunstlied. Späte Lieder Schumanns im Licht der liedästhetischen Diskussion ab 1848. München 1983.
Ozawa, K.: Quellenstudien zu Schumanns Liedern nach Adelbert von Chamisso. Diss. Bonn 1985. Frankfurt a. M. 1989.
Sams, E.: The Songs of Robert Schumann. London ²1975.

Johannes Brahms

Bozarth, G.: The Lieder of Johannes Brahms 1868–1871. Studies in Chronology and Compositional Process. Diss. Princeton 1978.
–: Musikalische und dokumentarische Quellen der Lieder. Johannes Brahms, Leben und Werk. Hrsg. v. Ch. Jacobsen. Wiesbaden 1983, S. 144.
Finscher, L.: Lieder für eine Singstimme und Klavier. Johannes Brahms, Leben und Werk. Hrsg. v. Ch. Jacobsen. Wiesbaden 1983, S. 139.
Friedländer, M.: Brahms' Lieder. Berlin / Leipzig 1922.
Jacobsen, Ch.: Das Verhältnis von Sprache und Musik in Liedern von Johannes Brahms. Hamburger Beiträge zur Musikwissenschaft 16. Hamburg 1975.

Das Lied in der Auseinandersetzung um Brahms und die Neudeutsche Schule

Barbag, G. E.: Die Lieder von Robert Franz. Diss. Wien 1922.
Gerstner, A.: Die Klavierlieder Humperdincks. Beiträge zur rheinischen Musikgeschichte 135.

Hull, E.G.: A Study of Comparative Settings by Robert Franz and Robert Schumann Taken from Heinrich Heine's Buch der Lieder. MA Memphis State University. University Microfilms NCK 84–29435.

Kunold, W.: Peter Cornelius und die Liedästhetik der Neudeutschen Schule. International Review of Music Aesthetics and Sociology 1 (1970).

Massenkeil, G.: Cornelius als Komponist, Dichter und Kritiker. Studien zur Musikgeschichte des 19. Jahrhunderts 48. Regensburg 1977.

Redepenning, D.: Das Spätwerk Franz Liszts. Hamburg 1984.

Schweizer, G.: Das Liedschaffen Adolf Jensens. Diss. Gießen 1932. Frankfurt a. M. 1933.

Serauky, W.: Robert Franz als Meister des deutschen Liedes. Musikgeschichte der Stadt Halle. Bd. 2. Halle / Berlin 1942. ND 1970.

Wenz, J.: Franz Liszt als Liederkomponist. Diss. Frankfurt a. M. 1921.

Hugo Wolf

Bieri, G.: Die Lieder von Hugo Wolf. Bern 1935.

Breitenscher, A.: Die Gesangstechnik in den Liedern Hugo Wolfs. Diss. Wien 1938.

Egger, R.: Die Deklamationsrhythmik Hugo Wolfs in historischer Sicht. Tutzing 1963.

Hinghofer, H.: Hugo Wolf als Liederkomponist. Diss. Wien 1933.

Jarosch, W.: Die Harmonik in den Liedern Hugo Wolfs. Diss. Wien 1927.

Kravitt, E.: The Influence of Theatrical Declamation upon Composers of the Later Romantic Lied. Acta Musicologica 34 (1962), S. 18.

Sams, E.: The Songs of Hugo Wolf. London [2]1981.

Sennhenn, U.: Hugo Wolfs Spanisches und Italienisches Liederbuch. Diss. Frankfurt a. M. 1955.

Stahl, E.: Die Jugendlieder Hugo Wolfs. Diss. Göttingen 1950.

Stein, D. J.: Hugo Wolf's Lieder and Extensions of Tonality. Studies in Muscicology 72.

Stein, J.: Poem and Song in Hugo Wolf's Mörike Songs. The Musical Quarterly (1967), S. 22.

Thürmer, H.: Die Melodik in den Liedern Hugo Wolfs. Giebing 1970.

Das Lied im Übergang zum 20. Jahrhundert

Analysen zu Schönbergs George-Liedern op. 15 in: Neue Zeitschrift für Musik 126 (1965), S. 102; Neue Wege der musikalischen Analyse, Berlin 1967; Perspectives of New Music 6,2 (1968), S. 35; Archiv für Musikwissenschaft 26 (1969), S. 1.

Budde, E.: Anton Weberns Lieder op. 3. Wiesbaden 1971.

Dargie, E. M.: Music and Poetry in the Songs of Gustav Mahler. Diss. Aberdeen 1979.

Fortin, V.: Das klavierbegleitete Sololied bei Hans Pfitzner. Diss. Wien 1985.

Freund, V.: Hans Pfitzners Eichendorff-Lieder. Studien zum Verhältnis von Sprache und Musik. Hamburger Beiträge zur Musikwissenschaft 30. Hamburg 1986.

Mosher, A. R.: A Comparative Analysis of the Fourteen Lieder set both by R. Strauss and M. Reger. MA University of Cincinnati. University Microfilms NCK 86-22254.

Pamer, F. E.: Gustav Mahlers Lieder. Diss. Wien 1922. Studien zur Musikwissenschaft 18 (1929), 19 (1930).

Petersen, B. A.: Ton und Wort. The Lieder of Richard Strauss. Studies in Musicology 15.

Roman, Z.: Mahler's Songs and their Influence on his Symphonic Thought. Diss. Toronto 1970.

–: Structure as a Factor in the Genesis of Mahler's Songs. The Music Review 35 (1974), S. 157.

Stephan, R.: Hindemith's Marienleben. The Music Review 15 (1954), S. 275.

Tibbe, M.: Über die Verwendung von Liedern und Liedelementen in instrumentalen Symphoniesätzen Gustav Mahlers. München 1971.

Weber, H.: Zemlinskys Maeterlinck-Gesänge. Archiv für Musikwissenschaft 29 (1972), S. 182.

Wehmeyer, G.: Reger als Liederkomponist. Kölner Beiträge zur Musikforschung 8 (1955).

PERSONENREGISTER

WB-Forum

R. Flender/H. Rauhe

Popmusik
Geschichte, Funktion, Wirkung und Ästhetik

Wissenschaftliche Buchgesellschaft

Geschichte, Funktion, Wirkung und Ästhetik der Popmusik.
ISBN 3-534-80105-9

Leander Petzoldt

Dämonenfurcht und Gottvertrauen
Zur Geschichte und Erforschung unserer Volkssagen

Wissenschaftliche Buchgesellschaft

Eine Darstellung der Geschichte und Entwicklung der Sagenforschung von der Romantik bis zur Gegenwart.
ISBN 3-534-80110-5

Dieter-Jürgen Löwisch

Kultur und Pädagogik

Wissenschaftliche Buchgesellschaft

Überlegungen zur Verantwortung der Pädagogik für Kultur und für Kulturentwicklung.
ISBN 3-534-80107-5

Felix Karlinger

Geschichte des Märchens im deutschen Sprachraum

Wissenschaftliche Buchgesellschaft

Anregendes und fundiertes Hintergrundwissen für den Märchenfreund.
ISBN 3-534-80018-4

Jochen Schmidt

Die Geschichte des Genie-Gedankens
in der deutschen Literatur, Philosophie und Politik 1750–1945

Band 1 Von der Aufklärung bis zum Idealismus

Wissenschaftliche Buchgesellschaft

Von der Aufklärung bis zum Idealismus.
ISBN 3-534-80011-7

Jochen Schmidt

Die Geschichte des Genie-Gedankens
in der deutschen Literatur, Philosophie und Politik 1750–1945

Band 2 Von der Romantik bis zum Ende des Dritten Reichs

Wissenschaftliche Buchgesellschaft

Von der Romantik bis zum Ende des Dritten Reiches.
ISBN 3-534-80012-5

Wissenschaftliche Buchgesellschaft